Jörg Maure

Hochsaison

Alpenkrimi

FISCHER Taschenbuch

15. Auflage: August 2015

Originalausgabe
Erschienen bei FISCHER Taschenbuch,
Frankfurt am Main, April 2010

Satz: Pinkuin Satz und Datentechnik, Berlin
Druck und Bindung: CPI books GmbH, Leck
Printed in Germany
ISBN 978-3-596-18653-2

Hochsaison

1

Sai|son [zɛ'zɔ̃, zɛ'zɔŋ] <französ.> »(günstige, geeignete) Jahreszeit«; Zeitabschnitt des Jahres, in dem bestimmte Vorhaben intensiver als sonst betrieben werden; vermutlich aus dem <latein.> **satio** = »Aussaat«, »Saatzeit«; nach G. Ruckdäschel aus dem <altgriech.> **seēson**, σέησον = »ernten, pflücken, ausnehmen, ausbeuten«; vergleiche auch <altfranz.> **seyonn**(e) = »Erntezeit« (aber auch, *fig.*: »jmd. das Geld aus der Tasche ziehen«); nach K. Hannemann und U. Lassedanz ein Lehnwort aus dem <altisländ.> (oiffe) **seddan** (hangör) = »Fremde kommen ins Dorf«; siehe auch K. Gröth: <chines.> (*auch* weibl. Vorname) **Sesoan** = *etwa*: »Reichtum zur rechten Zeit«; ungesichert dagegen F. Mackonsen, <sanskrit> **dse-sunna** = *etwa*: »(An)Schwellen des (Geld)Beutels« (Siehe auch **Hoch|sai|son**)

Lieber Herr Kommissar,

zunächst wünsche ich Ihnen einmal ein gutes, gesundes und erfolgreiches neues Jahr! Sie werden überrascht sein, jetzt schon von mir zu hören und ein Bekennerschreiben zu bekommen, das diesen Namen eigentlich nicht verdient, weil es ja noch nichts zu bekennen gibt. Ja, Sie haben richtig gelesen: Die Tat ist noch gar nicht begangen, ich bereite das Delikt gerade vor. Das heißt: Ich überlege mir, gegen welches Gesetz ich denn nun verstoßen soll. Soll es eine »Straftat gegen die körperliche Unversehrtheit« werden? Eine »Störung der

öffentlichen Sicherheit und Ordnung«? Etwas Terroristisches? Reizen würde mich einiges, und ich habe auch schon eine Idee – aber lassen Sie sich überraschen, Herr Kommissar! Oh, Entschuldigung: Ich kenne Sie – Sie kennen mich hingegen nicht, ich darf mich deshalb vielleicht kurz vorstellen. Ich bin sechsunddreißig Jahre alt, männlich, schlank, mittelgroß, dunkelblond, Oberlippenbart, Sternzeichen Waage, meine Hobbys sind Reiten und Schach – das braucht natürlich alles nicht zu stimmen. Aber vielleicht doch.
Ich habe meine Hausaufgaben gemacht: Ich habe ein Päckchen Schreibmaschinenpapier gekauft, in einer anderen Stadt, schon vor längerer Zeit, ich habe nur ein Blatt daraus verwendet. Ich habe auf einem Flohmarkt eine alte Schreibmaschine erstanden, vielleicht im Ausland, vielleicht auch nicht. Ich habe beim Schreiben Handschuhe getragen, sogar Mundschutz und ein Haarnetz. Ich habe die vielen Entwürfe, die ich geschrieben habe, verbrannt. Viele Entwürfe deshalb, weil ich lange, wirklich sehr lange an meinem Schreibstil gefeilt habe. Der linguistische Profiler, der meine Sprache später untersucht, soll sich ruhig die Zähne daran ausbeißen. Er wird seinen Spaß haben. Ich war selbst lange genug bei der Polizei – auch dies muss wieder nicht stimmen. Aber das ist ja das Schöne an einem Bekennerbrief – es kann alles stimmen, muss aber nicht. Für heute ist es genug, Herr Kommissar, ich habe ja schließlich auch noch einen bürgerlichen Beruf. Sie hören sicherlich bald von mir, dann bin ich bestimmt auch schon ein Stück weiter.

Mit vielen Grüßen – Ihr (zukünftiger) Täter

2

Der Kameramann auf der Großen Olympiaschanze wusste gar nicht, wo er zuerst hinschwenken sollte, so babyaugenblau war der Himmel an diesem Neujahrstag, so dröhnend spannte er sich über das Werdenfelser Tal – so anzüglich glitzernd und dampfend buhlte jeder Einzelne der schneebedeckten Berge um die Aufmerksamkeit der sechsundzwanzigtausend Sportbegeisterten, die zum Neujahrsspringen gekommen waren. Unten im Loisachtal pflügte sich der namensgebende Fluss quer durch den Kurort – gerade eben noch war die Loisach als quicklebendiges Wildwasser über die nahe österreichische Grenze gepoltert, jetzt floss sie träge durch die leere Gemeinde – denn alle waren zur Schanze gepilgert: Adler gucken, Flugkurven bewundern, Deutschlanddaumen drücken. Eine Bombe hätte man werfen können im Ortskern, man hätte kaum jemanden getroffen.

Der Kameramann drehte sich nun um und schwenkte über den Hintergrund der Schanze, den dicht bewaldeten Gudiberg, an dessen Hang die beiden Sprungschanzen standen wie zwei vergessene Stöckelschuhe, aus denen gerade eine Riesin mit zwei unterschiedlich großen Füßen geschlüpft war. Gemessen am Alpenstandard war der Gudiberg natürlich nur ein Hügelchen, ein Dackelspaziergang – der gegenüberliegende Berg wiederum, auf den die Springer zuschossen, war schon eine Nummer felsiger: Die Kramerspitze schraubte sich da aus dem Schneemantel – ein frei stehender, knapper Zweitausender, quasi der

Kilimandscharo des Werdenfelser Landes. Das Gipfelkreuz blinkte heute besonders frech von dort droben herunter, das ganze urtümliche Monstrum sah, mit ein bisschen Phantasie, wie ein schlafendes Nashorn aus, das zu wecken nicht ratsam war.

Die Wintersonne funkelte, kein Lüftchen regte sich hier oben auf dem Schanzenkopf. Das Wetterhoch *Charlotte* hatte den Himmel sorgfältig leergepustet, und der Föhn tat vielleicht noch ein Übriges, um die hingestreuten felsigen Schmuckstücke zum Greifen nah erscheinen zu lassen. Lange hielt der Kameramann auf die auffälligste Preziose in der Wettersteinkette, auf das markante Dreieck der Alpspitze, das etwas von einer Haifischrückenflosse hatte – das unvermeidliche Logo der ganzen Region. Das stramme Dreieck stellte für den wahren Bergfex wiederum nur einen Dackelspaziergang dar, klar. Aber vom Design her: Erste Sahne. Schließlich schwenkte der Kameramann noch hinüber zum Kleinen Waxenstein, dem unzugänglichen Kegelstumpf, der eigenbrötlerisch und trotzig nach vorn aus der Kulisse ragte. Abweisend war er wie ein nepalesischer Achttausender: Nur gucken, nicht raufsteigen! Trotzdem versuchten es jedes Jahr einige aufs Neue – und wurden zurückgeworfen ins herrliche Loisachtal.

Der Skispringer der dänischen Nationalmannschaft, der jetzt mit der Seilbahn die Große Olympiaschanze hinauffuhr, hatte momentan keinen Blick für all die Drei-Sterne-Sehenswürdigkeiten rundherum. Als er ausgestiegen war, schnaufte er ein paar Mal kräftig durch, als ob hier oben die Luft schon wesentlich dünner geworden wäre.

Der Stadionsprecher kündigte das Finalspringen an, und der Jubel der verkaterten Menge unten war gewaltig. Gerade vorhin noch hatte man Sekt gebechert, Blei gegossen, nach verlorenen Rindsfiletstückchen im Fonduetopf gefischt, gute Vorsätze gefasst, jetzt stand man drinnen in den Arealen A bis F und fror an allen frostschutzbedürftigen Körperteilen. Åge Sørensen war heute der einzige dänische Springer. In der Qualifikation hatte er sich einen der Lucky-Loser-Plätze erkämpft, und war, äußerst glücklich, gerade noch so hineingerutscht in das ehrenwerte Feld, in dem sich normalerweise nur die heiligen vier oder fünf Skisprungnationen tummelten – die erschreckend gut vorbereiteten Norweger beispielsweise, oder die unverschämt motivierten Finnen. Sørensen machte sich keinerlei Hoffnungen, ganz nach vorne auf einen Podestplatz zu kommen, er wusste, dass die Qualifikation für das Finale das Beste war, was er je erreichen würde – aber vielleicht gerade deshalb stieg er so gut gelaunt auf die Waage. Auf dem Rücken des Psycho-Wisch-Funktionärs hatte er mit seiner krakeligen Unterschrift gerade bestätigt, dass er sich freiwillig, bei klarem Verstand und ohne Zutun Dritter den Turm hinunterstürzen wollte. Er war nicht dem Erfolgsdruck der hochnervösen Hoffnungsträger ausgesetzt, die nach ihm springen würden. Åge hatte es bis hierher geschafft, und bei dem Gedanken daran kam ihm unter seiner Schutzbrille ein dickes dänisches Grinsen aus. Als die Kamera auf ihn hielt, zeigte er gar das Victory-Zeichen, beugte sich vor und grüßte seine Mutter im nordjütländischen Skagen.

Die ehrenamtlichen Helfer vor Ort hatten sich mächtig ins Zeug gelegt. Auf einem der Tischchen im Funktionsraum warteten isotonische Erfrischungsgetränke in allen Größen und Farben, dazwischen gab es regionale Schnittchen, dunkles Brot mit handgeschleuderter Bauernbutter und voralpenländischem Käse, liebevoll geschmiert von der Schwester der Frau des Neffen des Vorsitzenden des örtlichen Skiclubs. Wie furchtbar leicht wäre es, dachte Åge, auf eines dieser Butterbrote einen kleinen Muntermacher zu geben, eine Prise Epo etwa, eine Pipette voll Testosteron, oder ein Bröselchen AN 1, um auf diese Weise die nachfolgenden Konkurrenten mal kurz in die

Schlagzeilen zu bringen. Aber so etwas war vermutlich noch nie gemacht worden, zumindest beim Skispringen nicht. Bringt in dieser Disziplin ja auch gar nichts, wie die Verantwortlichen immer wieder beteuerten.

We are red, we are white, we are Danish dynamite!, glaubte Åge Sørensen von unten zu hören. War denn halb Dänemark da? Er stieg in den Schrägaufzug und fuhr die restlichen sechzig Meter hoch zum Schanzenkopf. Als er dort ins Freie trat, kam er sofort ins Visier der internationalen Kameras. Eine ferngesteuerte Linse schwenkte besonders dreist zu ihm herüber, und jetzt wurde er fast ein wenig übermütig: Er rieb sich den Bauch und formte mit den Lippen die Worte *Rødgrød med fløde!* in die Kamera. Das war seine Leib- und Magenspeise. Damit Mutter in Skagen schon mal Bescheid wusste.

Wenn er es schaffte, hier nur einigermaßen ordentlich herunterzukommen, dann gäbe ihm vielleicht sogar Königin Margrethe persönlich die Hand. Der letzte Däne, der im Skispringen etwas gerissen hatte, war Olaf Rye im Jahre 1808, und das war dann doch schon gut zweihundert Jahre her. Nicht dass ihm das mit der dänischen Königin persönlich etwas gegeben hätte, aber Mutter würde sich sicher darüber freuen. Er bekam nun das Zeichen, an den Start zu gehen. Am Absprungbalken klebte – ganz lieb! – ein Telegramm vom Skiclub Skagen: »viel glueck stop du packst sie alle stop«. Er rutschte in die Mitte des Balkens, dann stieß er sich ab. Rasch nahm er Fahrt auf und glitt im Winkel von 35 Grad nach unten. Steigender Puls, erhöhter Blutdruck, Adrenalin- und andere Ausschüttungen, Blutzuckererhöhung, das Übliche, um in die richtige Stimmung zu kommen. Es ging das Gerücht um, dass der Finne Leif Rautavaara einen iPod im Ohr stecken hatte, wenn er ins Tal rauschte. Ein paar Nationen hatten schon protestiert, es war ja schließlich auch eine Art Doping. In der Presse wurde daraufhin spekuliert, was sich Rautavaara in den paar Sekunden anhörte. Beethovens Fünfte (tatata-TAAA!!) würde von der Länge her passen, Rimski-Korsakows Hummelflug (brzldidlbrzldidlbrzl ...) bildete die verbissene Energie des Springers am besten ab, und die Alpensinfonie von Richard Strauss (WROMM!!!BLOMM!!!FLOMM!!!) passte wie von selbst ins lieblich-wuchtige Voralpenland. Manche allerdings vermuteten, dass Rautavaara mit einem beziehungsreichen Song von Paul Simon (*Slip slidin' away ...*) nach unten ins Tal schoss.

Åge Sørensen schüttelte die ablenkenden Gedankenspiele ab. Er konzentrierte sich. Er bündelte alles auf den Absprung dort unten. Konzentration aufs Wesentliche, Tunneldenken. Gleich musste der tausendmal geübte Ablauf abgerufen werden, der auf die kleine Zehntelsekunde am Schanzentisch zuführte, die alles beim Skisprung ausmacht. Åges Blick verengte sich. Ganz von fern hörte er noch seinen Namen, dann das übliche anschwellende Ah und Oh der Menge. Sechsundzwanzigtausend Zuschauer reckten die Köpfe nach oben. Und auch die nordische Asengöttin Skaði (Kompetenzen: Jagd, Berge, Winter) saß auf seinen Schultern und breitete schon mal behutsam ihre Schwingen aus, um ihn auf seinem Weg in die Tiefe zu beflügeln.

Sein Absprung war hervorragend, wie aus dem Lehrbuch, und hoch erhob sich der dänische Ikarus ins Blaue. Seine Haltung war natürlich nicht zu vergleichen mit den ausgefeilten Kunstflügen der Happonens, Kankkonens oder Ahonens, aber er hielt sich, beschwingt durch die Göttin Skaði, ausgesprochen respektabel in der Luft. Sechsundzwanzigtausend Köpfe verfolgten die Sichelkurve, die zusammengestauchte $y^2 = 2px$-Parabel, den Ypsilon-quadrat-ist-gleich-zwei-p-x-Schlenzer. Jetzt aber, am obersten Punkt des Kegelschnitts, an dem Punkt, wo es höher nimmer geht, kam er ins Schlingern, der Däne, ins

Trudeln, er legte sich seitlich wie ein Kajakfahrer in einer neuen Wasserströmung, das war keine gute Flugtechnik, das war gar keine Technik mehr, nein, das war ein Absturz. Er zog ein Bein leicht an und drehte sich seitlich um die eigene Achse, er flog mit dem Rücken voraus, er versuchte sich zu fangen, versuchte dem unvermeidlichen Höllensturz entgegenzusteuern, geriet aber immer mehr ins Rudern und Strampeln, und aus dem erschrockenen Raunen der Menge stachen schon einzelne spitze Schreie heraus.

Mancher unten in den Arealen A bis F hoffte, dass er sich wieder fing, der nordische Kämpfer, einziges Mitglied der dänischen Nationalmannschaft, dem man doch auch deswegen ein bisschen Sympathie entgegenbrachte. Mancher dachte, dass es vielleicht nur ein Spaß war, eine kleine Einlage, ein nordländischer Joke. Aber es war kein Spaß. Es war ein granatenmäßiger Sturz. Und jetzt kochte das Raunen und Schreien zu einem Kreischen hoch. Der Stadionsprecher, sonst auf alle Eventualitäten vorbereitet, schrie ins Mikro:

»Um Himmels –!«

Dann verstummte auch er. Der Däne flatterte kopfüber auf die schräge Landebahn, und bevor er aufschlug, wandten sich viele ab. Man glaubte das Knirschen der Knochen bis in die entferntesten Areale zu hören.

3

Unter denen, die sich nicht abwandten und ganz bewusst hinsahen, waren der frisch pensionierte Oberforstrat Willi Angerer, der Gemeinderat Toni Harrigl, der Sportpsychologe und Konfliktforscher Manfred Penck und, in der vollbesetzten VIP-Lounge mit guter Sicht auf die Ereignisse, der Geschäftsmann Kalim al-Hasid aus Dubai.

Kalim war vielleicht derjenige von den Genannten, der vom Skispringen im Allgemeinen und vom Skisprungzirkus im Besonderen am meisten verstand. Zwar war er ein waschechter Araber, großgeworden in den knochentrockenen Wüsteneien des Emirats Dubai, sozialisiert in Dubai City und später in vielen schneelosen Großstädten der Welt, doch er wusste alles über diese Sportart. Das Skispringen faszinierte ihn, weil es für ihn den puren Luxus symbolisierte. Der gewaltige Aufwand machte für ihn den Reiz des Skispringens aus. Da waren ein paar Auserwählte, die auf den teuersten Sportgeräten der Welt in den Abgrund rutschten. Und die Massen waren begeistert von dieser Disziplin, die angeblich einmal damit begonnen hatte, dass man über festgefrorene Misthaufen sprang. Er hatte gehört, dass es allein in Norwegen vierzehnhundert Skischanzen gäbe. In Dubai gab es noch keine – aber Kalim al-Hasid hatte vor, genau das zu ändern. Er plante, mitten in der glitzernden City eine Schanze zu bauen, die größte der Welt, die erste in den Vereinigten Arabischen Emiraten. Er würde sie in den Stadtteil Dschumaira setzen, erstmals würde ein Mensch damit mehr als dreihundert Meter fliegen können, später vielleicht sogar vier- oder fünfhundert Meter, es war ja alles eine Frage des Anlaufs. Die Springer würden unter rauschendem Applaus von zweihunderttausend Zuschauern direkt aufs Meer zuschweben und dort auf einer künstlichen Insel landen. Unmögliche Hirngespinste? Halluzinationen nach langen sattellosen Wüstenritten? Verrückte Pfeifchenträume aus Tausendundeiner Nacht? Keineswegs: Kalim al-Hasid hatte die Baugenehmigung dafür schon in der Tasche, auch der Baugrund war bereits so gut wie gekauft, und das amerikanische Architekturbüro Skidmore, Owings & Merrill würde es bauen, natürlich, wer sonst. Jetzt musste er nur noch Investoren finden, doch von denen dürfte es genug geben. Kalim al-Hasid war hier, um sich mit Jacques Rogge, dem IOC-Präsidenten, über das gewaltige Projekt zu unterhalten, gleich jetzt, nach dem Skispringen, im Hinterzimmer der Lounge, bei Weißbier und Thüringer Bratwürstchen, die der Belgier so liebte. Er wollte ihn auch schon ansprechen, doch Präsident Rogge hatte es nicht erwarten können – er war noch schnell hinausgegangen, um sich an einer der Imbissbuden eine dieser derben Thüringer Fettspritzknacker zu genehmigen –, denn hier in der spitzenköcheverseuchten VIP-Lounge schuhbeckelte es gewaltig, da gab es südfranzösische Delikatessen wie kuttelgekrösegefüllte *Andouillettes*, oder, ganz schlimm, panierte und flambierte Münchner Weißwürste. Gleichwohl – wenn Rogge gesättigt zurückkam, würde er ihm seine Pläne vorlegen. Die Olympischen Winterspiele 2022 in Dubai! Das klang doch nach was. Oder wenigstens 2026? Oder spätestens 2030? Kalim al-Hasid hoffte, dass Rogge diese hitzeschimmernden Traumgebilde in dickbalkige Zeitungsmeldungen verwandeln würde.

Doch jetzt war etwas passiert da draußen, und Kalim starrte entsetzt aus dem gepanzerten und verspiegelten Fenster der

VIP-Lounge. Auch er hatte, arabische Contenance hin oder her, laut aufgeschrien, als der Däne am Scheitel der Flugparabel ins Rudern kam. Alle hier im Raum, die ganzen wichtigen Gestalten und ihre dazugehörigen Personenschützer, hatten von ihren Mobiltelefonen, Lachskanapees und Piña Coladas abgelassen und waren zum Fenster geeilt. Kaum jemand hatte dem Dänen vorher beim Springen zugesehen, beim Stürzen jedoch kamen sie alle zusammen, die Generalkonsule und Sauerkrautmillionäre, die Landesfürsten und Skibindungsfabrikantenwitwen. Alle unterbrachen sie ihre unaufschiebbaren Gespräche, denn sie waren größtenteils nicht aus sportlichem Interesse hier: Während Michael Uhrmann sich reckte, schlossen sie Verträge ab, während Martin Schmitt den Adler gab, stimmten sie Übernahmen zu, während Gregor Schlierenzauer halsbrecherisch landete, nickten sie Kommuniqués ab und schüttelten den Kopf, ob nicht der Artikel ix.f.22a doch … Aber jetzt war ein Aufschrei durch den Raum gegangen, und alle eilten panisch zum Fenster. Dort versuchte jeder, einen möglichst guten Platz zu ergattern. Viele hatten einen oder sogar mehrere Gorillas im Schlepptau, das Gedränge war dementsprechend groß.

Die hochkarätige, aufgeschreckte Meute drückte Kalim al-Hasid schmerzhaft an die Scheibe. Er blickte nach draußen und sah Jacques Rogge, wie er sich mit einem Würstchen in der Hand durch die Menschenmassen kämpfte. Kalim wandte sich um und suchte nach seinem Leibwächter Jusuf. Der schweigsame Marokkaner war ein Profi, er stand ganz in seiner Nähe, ein paar Meter von ihm entfernt, wie es sich gehörte – und das war beruhigend. Jusuf hatte sein Fernglas gezückt und blickte zur Schanze. Dort schlidderte Sørensen jetzt die Aufsprungbahn hinunter, der rechte Ski war ihm sofort weggeflogen und überschlug sich ein paar Mal, dann glitt das herrenlose Brettchen den Rest des Abhangs hinunter, frech fuhr es seinem Besitzer voraus und schoss durch die Absperrung mitten in die

Zuschauermenge hinein, die sich kreischend öffnete, den Ski von Åge Sørensen verschlang und nicht wieder ausspuckte. Kalim ließ sich von seinem Leibwächter das Fernglas geben und verfolgte den Sturz des Dänen jetzt hautnah. Der linke Ski war noch an Åges Bein, aus irgendeinem Grund löste und löste sich die Sicherheitsbindung nicht. Sørensen überschlug sich mehrmals, wurde immer wieder hoch in die Luft geschleudert und landete abermals auf dem harten Steilhang. Nicht wenige der Zuschauer bekreuzigten sich jetzt schon. Kaum einer glaubte mehr, dass man so etwas überleben konnte. Erst in der Mitte des Auslaufbereichs kam der Däne zur Ruhe, und sternförmig liefen jetzt die Sanitäter auf ihn zu, Kalim zählte insgesamt acht Krankenbahren, die über den Schnee gerollt, gezogen und getragen wurden, bald nahm die Traube der rettenden Kräfte der gaffenden Menge dort unten die Sicht. Kalim gab Jusuf das Fernglas wieder zurück. Man konnte nur vermuten, dass da in der Mitte nicht viel mehr als eine Ansammlung dänischer Knochen lag.

Von der VIP-Lounge aus hatte man bessere Sicht als drunten beim zahlenden Publikum. Jusuf, der Marokkaner, ein ehemaliger Unteroffizier der Fremdenlegion, dem der Beruf des Bodyguards auf den Leib geschrieben war, zoomte sich mit dem Fernglas heran. Er konnte sehen, wie Sørensen der linke Ski ausgezogen wurde, wie sechs oder acht Arme beherzt unter ihn griffen, um ihn danach sanft auf eine Bahre zu legen. Das Klinikum war gleich um die Ecke, sogar in Sichtweite – ob aber das jetzt noch etwas nützte? Der Stadionsprecher plapperte weiter, dass die Rennleitung das Springen selbstverständlich abgebrochen hatte, dass man über den Gesundheitszustand des Gestürzten laufend informieren würde, dass der dänische Ministerpräsident schon angerufen hätte, und dass Jacques Rogge, der IOC-Präsident, gleich ans Mikrophon käme, um ein paar tröstliche Worte zu sprechen.

Nachdem der Krankenwagen weggefahren war, ließ Jusuf das Fernglas wieder sinken und entspannte sich. Er machte sich bewusst, dass es ein Unfall da draußen war, keine Bedrohung seines derzeitigen Objekts hier drinnen. Situationsanalyse: positiv. Entwarnung. Eine Alarmstufe zurück. Für die Sicherheit Kalim al-Hasids wurde er bezahlt, für sonst nichts. Er drehte sich vom Fenster weg und beobachtete die aufgeregte Meute der etwa hundert VIPs, die sich hier im Raum befanden. Jusuf kannte viele davon von anderen Gelegenheiten her, er kannte auch die dazugehörigen Leibwächter und ihre jeweiligen Fähigkeiten. Er war bezüglich der Sicherheit hier im Raum ganz beruhigt, es waren nur die Besten engagiert worden. Sein Blick wanderte zur Tür. Dort kämpfte sich Präsident Rogge gerade wieder herein, das Thüringer Wahrzeichen hielt er empor wie ein Staffelholz, vielleicht sogar wie die olympische Fackel selbst – bei Rogge sah es jedenfalls so aus. Obwohl sich ihm gerade das halbe bayrische Kabinett entgegenstemmte, kam der IOC-Präsident gut voran und gewann an Boden. Vielleicht lag es daran, dass er einmal Rugbyspieler gewesen war. Drinnen winkte ihm schon Kalim al-Hasid zu.

Der Kurort, der den unangenehmen Geschmack der Olympischen Winterspiele von 1936 loswerden wollte, bewarb sich, wieder einmal, um die Ausrichtung der Spiele im Jahr 2018. Eigentlich war München offizieller Bewerbungskandidat, aber dieses Vordrängeln der Landeshauptstadt beachteten viele Bewohner des Kurortes überhaupt nicht. Jedenfalls ging es um einiges, genauer gesagt, um viel, viel Geld. Deshalb waren der bayrische Ministerpräsident da, einige jeweils gegeneinander konkurrierende Brauereivorstände, Landmaschinen-, Auto- und Fleischfabrikanten, oberländische Kulturschaffende, alpennahe Mitglieder des bayrischen Landtags, aber auch internationale Größen wie etwa der hessische Innenminister. Einige

Lokalpolitiker im Pflichtloden, zwei hohe Sportfunktionäre, Franz Beckenbauer (leibwächterlos, denn wer würde es wagen, dem Kaiser ein Leids zu tun!), ein androgyner Starfriseur, zwei Popgrößen und ein halbseidener Grundstücksmakler liefen nun hinaus, in den Vorraum oder gar ins ungeschützte Freie, um eine SMS abzusetzen, um zu telefonieren oder um den Chauffeur zu rufen. Ein paar andere kamen gerade wieder herein, so dass gegenläufige und unübersichtliche Bewegungen im Raum entstanden. Unübersichtliche Bewegungen sind Vorkommnisse, die der Spezies der Personenschützer normalerweise ein Graus sind. Doch Jusuf blieb cool, sein Blick wurde hart, er scannte den Raum. In einiger Entfernung drängten sich Jacques Rogge und der winkende Kalim al-Hasid aufeinander zu. Dort hinten stand ein Generalbundesanwalt (mit drei Leibwächtern), die Chefin eines weithin bekannten Zeitungsverlags (zwei Leibwächter), ein ehemaliger Berater eines ehemaligen Politikers (ein Leibwächter) und, wie gesagt, Beckenbauer, schutzlos, aber mit einer Zweihundert-Euro-Zigarre in der Hand. Und plötzlich erblickte Jusuf etwas sehr Eigenartiges.

Hinter Kalim al-Hasid hatte sich ein Mann geschoben, ein Mann im Skianorak mit *SC-Riessersee*-Aufdruck, so viel konnte er zwischen den drängelnden Leibern hindurch erkennen. Der Mann war eher schlank und zierlich. Er nestelte an seinem Skianorak herum und öffnete den Reißverschluss. Quer über die Brust lief ein Pistolenholster, leer, wie Jusuf sofort bemerkte. Das durfte doch nicht wahr sein! In der Hand hielt dieser Mann eine Handfeuerwaffe, aber hier konnte Jusuf eben nicht erkennen, um was für ein Fabrikat es sich handelte. Es hätte eine kleine Glock 17 sein können oder eine Heckler & Koch USP, Jusuf hätte nicht darauf wetten mögen. Auch eine Beretta der 80er-Serie oder sogar eine Walther PP mit Double-Action-Abzug hätte es sein können, alles wäre möglich gewesen, Jusuf konnte es in der Kürze der Zeit nicht ausmachen. Die Waffe zeigte nach unten, doch jetzt griff der Mann mit der anderen Hand an die Schulter Kalim al-Hasids und zerrte daran. Ob er ihn ansprach, konnte Jusuf nicht sehen, denn der Blick auf das Gesicht des bewaffneten Anoraktrágers war ihm immer noch versperrt durch das Gedränge und Geschiebe im Raum. Was er aber jetzt sah, war, dass der Mann die Waffe so hob, dass sie auf Kalims Rücken zielte. Und jetzt reagierte Jusuf blitzschnell. Er zog seine Zenelli, eine Spezialanfertigung der Firma Carletto Inc. mit extrem schalldämpfendem Gehäuse, die beim Schießen wirklich nur einen winzigen Plop macht, ein Sssrit!, und da irgendein Anruf wie *Legen Sie die Waffe weg!* hier im lärmenden Getümmel sinnlos war, schoss Jusuf auf den Mann im Skianorak.

4

Man denkt immer, Journalisten sind Tag und Nacht damit beschäftigt, Fakten nachzujagen. Doch die Fakten sind ohnehin immer dieselben: Unfälle und Niederlagen, verknüpft mit Zahlen. Journalisten aber wollen mehr. Sie wollen Zusammenhänge, Hintergründe, Querverbindung, Wechselwirkungen. So war es auch im Kurort bei den versammelten internationalen Sportreportern. Åge Sørensen war noch nicht ganz fertig mit dem Stürzen, da fingen die Ersten schon an zu googeln, was das Zeug hielt: Wann der letzte Unfall geschehen war beim Skispringen, wann der erste, wie viele Unfälle es schon auf einer solchen K-125-Schanze wie dieser gegeben hatte, wie viele beim Neujahrsspringen. Wie viele Tote, der älteste Tote, der jüngste Tote, die erste tote außereuropäische Frau, und wie das Skispringen überhaupt dastand in puncto Gefährlichkeit, im Vergleich zu Sportarten wie Radrennen oder Eisstockschießen. So surften sie und telefonierten, fetzten die Ergebnisse in ihre Notebooks und bastelten an ihren Das-ist-genau-das-wovor-wir-immer-gewarnt-haben-Kommentaren.

Und in der Tat kann die Geschichte des Skispringens auch als die Geschichte seiner Stürze erzählt werden. Im Jahre 1808, als es in der norwegischen Region Telemark Mode geworden war, über zugeschneite Almhütten zu springen, lag der Weltrekord bei 9,5 (!) Metern, aufgestellt vom Dänen (!) Olaf Rye. Den ersten Toten gab es schon 1811: Der Kanadier Jean-Baptiste Garneau verunglückte in Brisebois bei Calgary beim Sprung über einen aufgeworfenen Schneehügel. Im Jahre 1830, als immer noch mit Skistöcken gesprungen wurde, rammte sich der Norweger Inger Faldbakken einen solchen in den Leib. Der Schweizer Romulus Winkli, der 1841 im walliserischen Täsch die erste Schweizer Schanze gebaut hatte, kam um, als er sie testen wollte. Der Franzose René Dupree brach sich 1842 in Chamonix das Genick, als er versuchte, nicht mit den Armen zu rudern, wie es damals üblich war, sondern einen neuen, windschlüpfrigeren Stil zu entwickeln und die Arme anzulegen, 1902 kam es im mittelfinnischen Jyväskylä bei einem Springen zu einer Massenschlägerei mit zwei Toten, im Jahre drauf brach die Unterkonstruktion der Skischanze im Steirischen Mürzzuschlag (ja, da wird auch skigesprungen!) zusammen – insgesamt waren hier vier Opfer zu beklagen, worauf der Konstrukteur, der Geheime Rat Oberingenieur Florian Plätschgeigl, der sich dafür verantwortlich fühlte, Selbstmord beging. 1911 (der Weltrekord stand inzwischen bei 41 Metern) stürzte der Amerikaner Gregory O'Connan schwer. Er nahm noch an der Siegerehrung teil, schleppte sich aufs Siegerpodest, brach aber nach der Nationalhymne tot zusammen – ein wahrhaft amerikanisches Schicksal. 1946 gab es einen skurrilen Unfall im schwedischen Sysslebäck, als der Springer Pär Hägg zwar gut landete, aber im Auslauf mit einem Zuschauer kollidierte, der lediglich zu seiner Familie auf der anderen Seite des Parcours wollte. Der Springer überlebte den Zusammenstoß, der Familienvater nicht.

»Skispringen ist halt nicht Halma.«

Mit diesem gut überlegten Aperçu war Sven Ottinger, Vorsitzender des Skiverbandes Oberbayern, bekannt geworden, den Spruch pflegte er bei jeder Gelegenheit zu bringen. Ottinger war der Einzige, der nach dem Unfall greifbar war, und so gab er das erste Interview zum Geschehen. Das Bonmot blieb auch diesmal nicht aus, und um die Peinlichkeit etwas abzumildern, setzte man auf die Bildwirkung der Großen Olympiaschanze, die sich im Hintergrund drohend nach oben reckte. Sonst ein Symbol des Fremdenverkehrs, war sie heute eher das Leitmotiv des Grauens. Die Kamera schwenkte hin und her.

»Herr Ottinger, ist es denn wirklich sinnvoll, solch kleine, unerfahrene Skinationen wie Dänemark mit ihren ungeübten Springern auf die Zuschauer loszulassen?«

»Das hätte einem großen Springer, einem Springer aus einer großen Sprungnation auch passieren können.«

Der Moderator konnte sich nicht verkneifen, die Tatsache zu erwähnen, dass Dänemark nur eine einzige Sprungschanze sein Eigen nenne, und die stünde auch noch in Grönland. Die Kamera schwenkte hinüber zum Klinikum und zoomte auf den Eingang. Da kam aber jetzt, eigentlich unpassend zur höheren Dramatik der Ereignisse, ein hustender Patient mit COPD im Endstadium heraus, um vor der Tür eine Rauchpause einzulegen. Das musste natürlich weggeschnitten werden.

Der Däne lag da drinnen, irgendwo auf einem Zimmer des Riesenkomplexes. So gut wie keine Informationen drangen nach außen, man wusste nur, dass noch Leben in ihm war. Die Krankenhausleitung hatte keine Drehgenehmigung erteilt, nicht einmal besuchen durfte man Sørensen, nur den dänischen Trainer Andersson ließ man hinein, wobei schon in der Vorberichterstattung die meisten Zeitungen das Wort »Trainer« gemeinerweise in Anführungszeichen gesetzt hatten. Dann hatte man doch noch einen Lokalprominenten vor die Linse bekommen. Es war Gemeinderat Toni Harrigl, zweiter Fraktionsvorsitzender seiner Partei, dritter Vorsitzender des örtlichen Hornschlittenvereins und beschäftigt in weiteren fünfzig anderen ehrenvollen Vereinigungen. Der Kameramann zoomte auf sein Gesicht, die Reporterin fuhr ihm mit dem Mikrophon an den Mund, als wollte sie ihm eine Magensonde legen.

»Ganz kurz nur«, sagte Harrigl und bereute, nicht die telegenere silberne Krawatte umgebunden zu haben. »Schreckliche Sache«, sagte er.

»Worauf führen Sie den Sturz zurück? Könnte es eine Windbö gewesen sein?«

Der Lokalpolitiker machte ein Gesicht, als wäre es eine unverschämte Unterstellung, in einem blitzsauberen Sportparadies wie diesem so etwas wie eine Windbö anzunehmen.

»Eine Windbö schließe ich aus, es war ein bedauerliches menschliches Versagen.«

»Der Ort hat sich bekanntlich für die Winterspiele 2018 beworben. Zieht er die Bewerbung nach diesem Unfall zurück?«

»Ich bitte Sie! Bei uns ist noch nie etwas passiert, unsere Sicherheitsstandards sind hoch, es war ein technischer Fehler des Springers, wie gesagt: bedauernswert, aber –«

Skispringen ist halt nicht Halma, lag ihm auf der Zunge. Aber dieser Spruch war schon vergeben. Er musste sich endlich einen eigenen *claim* überlegen.

»Wissen Sie, wie es dem Springer geht?«

»Den Umständen entsprechend gut. Es wird nicht mehr lange dauern, dann wird er uns alle darüber informieren können, was wirklich geschehen ist«, sagte Harrigl ins Blaue hinein.

Åge konnte, zumindest vorläufig, kein Licht ins Dunkel bringen, er war nicht bei Bewusstsein. Ein blitzendes Röhrchen steckte in seinem Hals, er war tracheotomiert worden und blubberte vor sich hin. Er war kurz davor, Odin kennenzulernen, den Gott mit den zwei Raben auf der Schulter, der die Toten in Asgard empfängt. Åge sah den Führer des wütenden Heeres schon mit dem Speer winken.

Wo ist Thor?, wollte ihm Åge zurufen, doch die Stimme bröselte ihm weg. Ein schwitzender Oberarzt schüttelte den Kopf und murmelte das, was alle auf der Intensivstation dachten.

»Unglaublich. Dass dieser Mann überhaupt noch lebt!«

Die Aufzählung aller Befunde sprengte das Anmeldeblatt für die Notaufnahme des Krankenhauses. Allein die Liste der Frakturen schien die vollständige Liste aller menschlichen Knochen zu umfassen.

Der »Trainer« Andersson war der einzige Mensch ohne Äskulapstab, der hineindurfte, aber auch nicht ganz hinein, er bekam die Erlaubnis, durch eine Glasscheibe von außen in den OP-Raum der Intensivstation zu schauen. Doch er sah wenig von Åge, der noch vor einer Stunde Adler gewesen war und jetzt zerfleddert auf dem Tisch lag. Als ein dienstbarer Geist in Grünblau kurz wegging, um ein silbernes Nierenschälchen auszuleeren, fiel Anderssons Blick auf das freiliegende Bein Åges und den offenen Schienbeinbruch, bei dem der Knochen frei herausstand und mit einem Wattebausch saubergetupft wurde. Im Hintergrund stand eine riesenhafte Gestalt, ebenfalls in Grünblau, die ein neues Blatt in die Knochensäge einspannte.

5

Die ersten Gäste verließen die VIP-Lounge. Es war jetzt keine halbe Stunde her, dass Jusuf den Mann im Skianorak gesehen hatte. Das durfte doch nicht wahr sein: Er hatte auf jemanden geschossen, und dieser Jemand war spurlos verschwunden, nicht mehr aufzufinden, wie vom Erdboden verschluckt! So etwas hatte er noch nie erlebt. Er hatte auch noch nie von so etwas gehört. Er ging zu der Stelle, an der der Mann gestanden hatte. Wenn sich der Raum vollständig geleert hätte, würde er die Stelle unbeobachtet untersuchen. Er ließ die Ereignisse noch einmal Revue passieren, vielleicht hatte er etwas übersehen. Eine Pistole war in sein Gesichtsfeld gekommen, eine Pistole, die auf sein Objekt zielte, er hatte seine Zenelli gezogen und geschossen. Doch im Moment des Abdrückens, vielleicht auch erst eine Zehntelsekunde danach, war er von hinten gestoßen worden, unabsichtlich zwar, wie sich gleich danach herausstellte, aber doch so erheblich, dass er abgelenkt worden war. Ein übergewichtiger spanischer Bauunternehmer, der Rodríguez oder Gonzalez oder so ähnlich hieß, hatte sich, in jeder Hand ein Mobiltelefon, an ihm vorbeidrängen wollen. Jusuf hatte sich kurz umgedreht und erkannt, dass Gonzalez keine Bedrohung war. Der Spanier hatte so etwas wie *¡que te den por culo!* gesagt, was wohl eine spanische Entschuldigung war. Wo war sein Objekt? Jusuf hatte einen besorgten Blick in Richtung Kalim al-Hasid geworfen, doch der stand schon bei Rogge, redete auf ihn ein und formte gerade mit beiden Händen eine Schanze, die bis aufs Meer hinausreichte – dort also war alles in bester Ordnung. Wo aber war der Mann im Skianorak geblieben? Der Angeschossene (oder, aus dessen Sicht, vielleicht auch glücklich Verfehlte) war von der Bildfläche verschwunden, hatte sich aufgelöst, so schnell, dass Jusuf kurz daran zweifelte, ob er die bedrohliche Szene wirklich beobachtet hatte. Das Tohuwabohu im Raum war noch stärker geworden, viele strömten hinaus, um die jetzt sicherlich zu erwartenden Interviews zu geben. Ein Kardinal in Zivilkleidung, Marianne und Michael in Strickjankern, der Landrat des Kreises, eine Olympiasiegerin im Biathlon, ein Fernsehkoch und der Ex-Drummer von den Guns N' Roses – sie alle standen beieinander und diskutierten. Irgendwo hörte man auch den Satz »Skispringen ist halt nicht Halma«. Folglich war auch der Vorsitzende des Skiverbandes Oberbayern, Sven Ottinger, da. Oder einer, der noch keinen eigenen *claim* hatte.

Jusuf hatte seine kleine Zenelli wieder eingesteckt. Niemand im Raum schien bemerkt zu haben, dass er geschossen hatte, der Lärm der telefonierenden und sonst wie durcheinanderschreienden Hautevolee war ohrenbetäubend, und alle waren mit sich selbst beschäftigt gewesen. Sein Objekt lebte, dafür wurde Jusuf bezahlt und für nichts anderes. Trotzdem war er beunruhigt. Was hatte das zu bedeuten? Die ganze Szene hatte sich in der Nähe der Tür abgespielt, die nach draußen in den Vorraum führte. Die VIP-Lounge war im untersten Stockwerk des Schiedsrichterturms untergebracht, und kaum jemand wusste von diesem Raum. Der Schiedsrichterturm selbst stand unmittelbar neben der Schanze in Höhe der Aufsprungbahn, hier waren die Punktrichter in schier mittelalterlichen Verschlägen eingesperrt. Oben auf der Terrasse des Turms tummelten sich die wichtigen, aber doch nicht ultrawichtigen VIPs – denn Letztere fand man eben nur unten in der geheimnisvollen Lounge. Hier bewegten sich die richtig großen Tiere, die auch gar keinen besonderen Wert darauf legten, gesehen zu werden. Vom Vorraum führten drei Wege ins Freie. Es gab einen Weg zur Terrasse, einen hinunter zu den Tribünen und Würstelbuden, und einen dritten zum Anfahrtsweg für die Stretch-Limousinen und Bentleys. Alle drei Wege wurden äußerst streng bewacht, keine Chance, da ohne Aufsehen hinauszukommen. In jedem Fall musste die Flucht des Verletzten bemerkt worden sein. Es sei denn – er war gar nicht geflohen, er befand sich immer noch in der Nähe. Das war eine beunruhigende Vorstellung. Alarmstufe Orange.

Doch Jusuf schloss auch nicht aus, dass er den Mann überhaupt nicht getroffen hatte. Dass er durch den Rumpler des fetten Spaniers danebengeschossen hatte und der Mann im Anorak das im Getöse gar nicht mitbekommen hatte. Wenn es aber so war, musste die Kugel noch irgendwo herumliegen. Wenn er hingegen doch getroffen hatte, musste es Blutspuren geben. Vielleicht war der Mann in dem Skianorak mit dem *SC-Riessersee*-Aufdruck ja auch gar kein angreifender Eindringling, sondern VIP-Objekt oder auch – der größte anzunehmende Unfall – ein anderer Personenschützer. In beiden Fällen musste jemand auftauchen, der einen Verletzten zu beklagen hatte.

Langsam tröpfelten alle aus dem Saal. Die wenigen Verbleibenden waren so ins Gespräch vertieft, dass sie gar nichts um sich herum bemerkten. Ein hoher NATO-General und zwei Inderinnen (zumindest hatten die beiden kunstvoll bemalte Hände), der Landwirtschaftsminister von San Marino und ein alter Mann, den er nicht kannte. Und natürlich Kalim al-Hasid und Jacques Rogge, beide wohlauf. Jusuf ging ein paar Schritte auf die beiden zu.

»Alles in Ordnung?«, fragte er leise.

»Natürlich, alles o.k.«, antwortete Kalim zerstreut. Jusuf schlenderte scheinbar ziellos durch die VIP-Lounge, an den

Wänden entlang, so, als ob er sich langweilen würde. Er blieb ab und zu stehen. Er prüfte jeden Quadratzentimeter auf Spuren eines Querschlägers. Er suchte, weiterschlendernd, den Boden nach dem Projektil ab. Nichts. Er bewegte sich abermals durch den Raum und erforschte die Wand noch genauer, Zentimeter für Zentimeter. Wieder nichts. Jusuf kam zu der Stelle, wo der Mann gestanden hatte. Er kniete sich hin, und tat so, als binde er sich die Schnürsenkel. Zentimeter für Zentimeter untersuchte er den Boden, fuhr auch da und dort mit den Fingern über den dicken Teppich. Es musste doch hier irgendwo Blutspuren geben! Er hatte natürlich nicht die Ermittlungs- und Untersuchungsmöglichkeiten der Polizei. Aber er musste einen Versuch machen. An einer Stelle stand der Teppich etwas hoch. Das Teppichstück war dunkel verfärbt, er wollte das zu Hause genauer untersuchen. Unauffällig nahm er sein Schweizer Taschenmesser heraus und schnitt ein kleines Stück ab. Besser als nichts. Er steckte es in die Tasche. Gerade wollte er noch ein zweites Stück Teppich herausschneiden, da fiel ein Schatten über seine Hand.

»Hallo, Jusuf!«

Verdammter Teppichfußboden. Lautlos war jemand herangeschlichen und hatte sich vor ihm aufgebaut. Jusuf richtete sich auf. Es war Charles Benetti, ehemaliger Leibwächter und Ausbilder, jetzt Inhaber einer florierenden Schule für Sicherheitspersonal, einen neuen Pass und eine wasserdichte Identität gab es gratis dazu. Was früher die Fremdenlegion geleistet hatte, das machte jetzt Benetti.

»Hallo, Charles.«

»Du bist bei Kalim al-Hasid?«

»So ist es.«

Benetti zu fragen, bei wem er war, erübrigte sich. Er hatte ein hochrangiges Objekt hier, das war sicher. Und er würde nicht sagen, wen er zu beschützen hatte.

»Verdammte Sache, das mit dem Sturz«, sagte Benetti.

»Das kannst du laut sagen. Ist dir hier irgendwas Besonderes aufgefallen? Was Außergewöhnliches? Was Verdächtiges?«

»Ich habe nichts bemerkt«, sagte Benetti lächelnd. Er machte eine kleine, diskrete Bewegung mit dem Kopf, hin zu den Füßen von Jusuf.

»Schuhe binden, wie?«, sagte er süffisant.

Jusuf brauchte nicht auf seine Schuhe zu sehen. Er trug heute Slippers.

6

»Ich werd euch ganz genau sagen, wie es passiert ist.«

Mit diesen Worten stellte Oberforstrat a.D. Willi Angerer sein imposant verpacktes Jagdgewehr in die Ecke des kleinen Cafés. Von der verwitterten Hülle aus dunklem Leder ging eine unbestimmte Melange aus Wald, Jagd und Brunft aus, doch niemand störte sich daran. Er setzte sich an eines der Tischchen. Die hip eingerichtete Bäckerei Krusti, zentral gelegen, zentraler ging es gar nicht mehr, bot nicht nur Aberhunderte von Semmelvariationen an (in dieser Woche neu: die *Sex-and-the-Village-Laiberl*), sondern war auch Treffpunkt all derer, die es wissen wollten. Die es nicht erst morgen in der Zeitung lesen wollten, sondern die es gleich und heute noch und brühwarm erfahren wollten. Es gab, einen Tag nach dem spektakulären Sturz des Dänen, nur ein einziges Thema, und das war das verpatzte Neujahrsspringen. Alle im Café hatten das Gespräch mitten im Satz abgebrochen und schauten jetzt hin zum Angerer. Alle hatten ihre Augenbrauen fragend hochgezogen, jeder wollte die Theorie des Försters hören, doch der Angerer biss zuerst einmal, quasi retardierend, in eine Mandelkleie-Dinkel-Semmel, um die Spannung zu erhöhen. Alle warteten, denn der Oberforstrat war ja gewissermaßen eine Respektsperson. Zusätzliche Kompetenz in dieser speziellen Angelegenheit gab ihm noch die Tatsache, dass er ehemaliger Skispringer war. Als junger Bursch, in den fünfziger Jahren, wäre er sogar fast einmal in die bundesdeutsche Nationalmannschaft berufen worden. Aber nur fast.

»Da sind wir aber alle gespannt, wie es *wirklich* passiert ist«, sagte der Gemeinderat Toni Harrigl, der im Schatten eines riesigen Gummibaums saß, der angeblich deswegen so gut geraten war, weil er täglich mit dem frischen Weißbier einer weithin bekannten (aber hier ungenannt bleibenden) Brauerei gegossen wurde. Harrigl und Angerer mochten sich normalerweise überhaupt nicht, der eine war *für*, der andere *gegen* den Fremdenverkehr – jetzt aber hörte der Gemeinderat dem Waidmann, wenn auch skeptisch, zu.

»Es war wie damals 1959 in Oberstdorf, beim Ausscheidungsspringen für Squaw Valley«, begann der Angerer, »ein Ami springt weg und liegt ungefähr so in der Luft –«
Er hob die Arme und formte mit beiden Händen die Ski des Amerikaners, dabei kam ein windschiefes und zappeliges V heraus. Ein paar der Anwesenden grinsten schon. Die meisten von Angerers Skisprung-Anekdoten begannen nämlich 1959 in Oberstdorf.

»Jetzt verreißt es ihm den rechten Ski, dem Amerikaner, und –«

Er wurde mitten im Satz unterbrochen, denn die Tür flog auf und der Wind wehte einen seltenen (weil vielbeschäftigten) Gast herein, den Fischer Beppi, den bekannten Zitherkünstler, der mit verschiedenen Lauten der Begrüßung empfangen wurde: Hoi! Öha! Aha! Wos! Ja, du! Leck mi! Dem Fremden mögen diese Laute jetzt unverständlich und kryptisch (vielleicht sogar bedrohlich) vorkommen, doch in der Bäckerei Krusti trafen sie die Stimmung genau. Der Zither Beppi, wie er überall genannt wurde, war ein überaus kleines und verwachsenes Männchen, das seine zerkratzte Zither fast schützend vor sich hielt. Jetzt setzte er sich an den Tisch. Er war aber keineswegs gekommen, um in der Bäckerei Krusti ländliche und almerische Weisen aufzuspielen, er stellte sein Instrument vielmehr neben sich auf den Boden und bestellte einen Kaffee. Der Zither Beppi war natürlich ebenfalls im Skistadion gewesen, gestern, zur fraglichen Zeit, das war sozusagen sein Beruf, zur fraglichen Zeit mit der passenden Musik am richtigen Platz zu sein. Normalerweise spielte er in den touristischen Restaurants des Kurortes, dort unterhielt er die Fremden mit lokalem Liedgut und internationalen Schlagern, er zauberte bei Bedarf auch musikalische Abartigkeiten wie eine Zitherfassung von *Highway to hell* aus dem Ärmel. Am Neujahrstag hatte er sein Instrument in der geheimen VIP-Lounge des Skistadions aufgeschlagen, dort war er fest engagiert, seit Jahren schon, man konnte sich ein Neujahrsspringen ohne seine Zitheruntermalung gar nicht mehr vorstellen. Seine Gage war stattlich, aber dafür war er auch zum Schweigen verdonnert.

Er war bekannt und beliebt bei den Großen dieser Welt, und mancher Tycoon, Krösus und Alpha ließ sich mit ihm ablichten, als Maskottchen sozusagen. Der Zither Beppi behauptete, mit dem und dem per Du zu sein, aber so richtig zuverlässig waren seine Geschichten auch wieder nicht, viele der Erzählungen waren zusammengeschraubte oder ganz erfundene Erinnerungen eines hochmusikalischen und phantasievollen Hirns. Kamen noch ein paar Halbe Bier dazu, glitten seine Possen durchaus in den Bereich des Phantastischen. Sehr oft erzählte er die Geschichte, wie er dem Papst beim Neujahrsspringen Gstanzln vorgespielt hat, sozusagen von Beppi zu Beppi. Der Heilige Vater hätte ihn dann nach Rom eingeladen, und da wäre er auch hingefahren und hätte in den päpstlichen Lustgärten von Castel Gandolfo gewohnt.

»Ja und? Was hast du dann da gespielt?«

»Ja, was werd ich da gespielt haben: *Highway to hell* natürlich, und grad lustig war's!«

Ganz von der Hand weisen konnte man die Geschichte

nicht, denn der Zither Beppi war zur fraglichen Zeit tatsächlich eine Woche weg gewesen, aber andere sagten, er hätte in dieser Zeit in der Nähe von Lermoos einen Riesenfetzen Rausch ausgeschlafen.

Aber beim diesjährigen Neujahrsspringen war der Zither Beppi dabei gewesen, in der VIP-Lounge hatte er gezithert, aber diesmal eben nicht lange, dann war ja der Unfall passiert.

»Der Ministerpräsident ist da gewesen, der Beckenbauer, der Jacques Rogge, Marianne und Michael – alle halt. Auch ein paar, die ich jetzt nicht nennen kann.«

»Ach komm, sag einen!«

Doch der Zither Beppi hielt sich an die Vereinbarungen. Die Prominenten wären herumgelaufen wie verrückt, und er wäre höflich gebeten worden, sich draußen zur Verfügung zu halten.

»Rausgeschmissen werden sie dich halt haben!«, rief der Glasermeister Pröbstl, der immer zusammen mit seiner Gattin hierherkam. Die hakte nach:

»Und von dem Unfall selbst hast du nichts mitbekommen?«

Nein, das hätte er nicht, er hätte mit dem Rücken zum Fenster gesessen und gerade *Schenkt man sich Rosen in Tirol* gespielt, in A-Dur auch noch, was einige Konzentration verlangt, bei der Textstelle *Mir winket neues Liebesglück!* wäre der Unfall wohl passiert.

»Ich habe aber eine Vermutung«, sagte der kleine Zitherer. »Ich habe nämlich ein paar Gesprächsfetzen mitbekommen. Von einem *Materialfehler* war da die Rede und der *falschen Legierung*, und der Chef von der Skifirma, der dabeigestanden ist, ist ganz blass geworden und hat etwas von *ausgerechnet jetzt … ausgerechnet vor dem Börsengang so ein Unfall* gemurmelt.«

»Ich weiß eben nicht, ob *Unfall* der richtige Ausdruck ist«, mischte sich der Angerer Willi wieder ein. »Ich habe mir die

Bilder im Fernsehen immer und immer wieder angeschaut. An einen Materialfehler glaube ich nicht. Ich weiß jetzt, wie es passiert ist.«

»Wie ist es dann passiert?«

»Am höchsten Punkt der Flugkurve reißt es ihm den rechten Ski ein bisschen weg –«

»War es vielleicht doch eine Windbö?«, unterbrach ihn der Penck Manfred, ein studierter Psychologe, der gerade eine Praxis für Mediation und Konfliktlösung im Kurort aufgemacht hatte, die angeblich total überlaufen war.

»Nein«, fuhr der Angerer fort, »der Ski hat sich so bewegt, als ob etwas hingeschlagen wäre, was man auf den Videos nicht sieht, weil es so klein ist.«

»Ein kleines Vogerl vielleicht?«, meinte einer.

»Wie damals in Oberstdorf, 1959?«, flüsterte ein anderer.

»Oder Squaw Valley, 1960?«, setzte ein Dritter drauf.

Einige kicherten. So ein Deppenhaufen, dachte der Angerer. Solche Banausen, solche blutigen Laien, die absolut keine Ahnung vom Skispringen haben, die sich vor Angst in die Hosen machen würden, wenn sie nur da oben stünden. Laut sagte er:

»Nein, ich hab da eine ganz andere Theorie.«

»Jetzt sind wir aber alle gespannt.«

»Es war ein Schuss. Der Sørensen ist beschossen worden.«

Erst war alles ruhig, ein paar schmunzelten, verstohlen, denn er war ja immerhin der Oberforstrat, dann aber prustete der eine oder andere los, schließlich gab es ein infernalisches Gelächter in der Bäckerei Krusti, das dazu führte, dass der Angerer, der Grünrock, der Jäger aus Kurpfalz, beleidigt aufstand, seine Zeche auf den Tisch warf, seine Gewehrhülle schulterte und hinausging, nicht ohne die Türe geräuschvoll zuzuschlagen. Nur der Mediator Manfred Penck, quasi ein gelernter Konfliktlöser, stand auf, um ihm nachzugehen und ihn zu beschwichtigen. Als er jedoch draußen auf der Straße stand, war der Angerer Willi schon außer Sichtweite. Der Psychologe legte den Kopf in den Nacken und sog die milde Winterluft ein.

Der Angerer Willi war immer noch wütend. Er ging zum örtlichen Polizeirevier und machte dort eine Aussage. Polizeiobermeister Johann Ostler hatte gerade Dienst, ein gemütlicher, aber gewissenhafter Beamter, dessen Familie schon seit der Römerzeit im Talkessel lebte. Ostler kannte jeden Stein im Ort. Er tippte die emotional aufgeladenen Spekulationen Angerers geduldig und seufzend in die Schreibmaschine (die EDV war schon wieder einmal kaputt), und genau diese Spekulationen lieferten am Morgen des übernächsten Tages die Schlagzeilen der Lokalblätter.

7

Die Frau mit dem Lederhut beugte sich vorsichtig über den Rand der Grasnarbe und wagte einen Blick nach unten in die gischtsprühende Klamm. Es war lediglich ein kleiner Schmelzbach, der in die Schlucht eingepfercht und dadurch monströs angeschwollen war und der sich jetzt aufspielte wie eine reißende Sturzflut, eine urgewaltige Kaskade vorzeitlicher Wasserverschwender. Zersplittertes Treibholz rumpelte durch den engen Wildparcours, staute sich da und dort mannshoch, um schließlich umso wütender wieder hinunterzubrechen in den alpinen Canyon. Gerade war wieder eine ausgewachsene Buche, die der Blitz gefällt und in die Klamm gestürzt hatte, an die Felswand gepfeffert worden, die Holzsplitter spritzten hinauf bis zu der Frau mit dem Lederhut. Wie sollte sie auf die andere Seite der Schlucht gelangen? Über den Abgrund zu springen war jedenfalls nicht möglich. Plötzlich legte sich eine Hand auf ihre Schulter, eine große, muskulöse Hand. Eine sehnige Hand, eine Hand, die zupacken konnte. Sie erschrak nicht, sie drehte sich ruhig um, sie kannte den Griff. Es war der Fallensteller, ein schweigsamer und bedächtiger Mann, der jetzt schon einige Stunden mit ihr unterwegs war und keine zwei Worte gesagt hatte. Er trug einen breiten Gürtel aus Kalbsleder, an dem der Lendenschurz und die zwei Beinröhren aus Schilfgras befestigt waren. Die Gefährten waren alle in dieser Art gekleidet, manche besaßen noch einen Umhang aus Pfeifengras als Regenschutz, manche eine Mütze aus Braunbärenfell.

Der Fallensteller hob die Hand und deutete stumm flussaufwärts. Dort oben, am Ufer, winkten und schrien die beiden anderen aus ihrer kleinen Gruppe: das Mädchen mit dem Schakalsgesicht und der Junge, der den Feuerschwamm trug. Sie deuteten aufgeregt auf ein zerfasertes Hanfseil, das mit plumpen Holzpflöcken über die Klamm gespannt war. Es war drei oder vier Gemsensprünge lang und sah nicht gerade vertrauenerweckend aus. Aber sie hatten keine andere Wahl. Sie alle mussten hinüber über die zornsprudelnde Schlucht, den wüsten Einriss in der Haut des lieblichen Voralpenlandes, hier auf dieser Seite waren sie nicht mehr sicher. Obwohl der Fallensteller ein großer und starker Kerl war, beugte er sich zögerlich über den Rand der Schlucht. Alle bemerkten, dass er zitterte. Jetzt umfasste er den groben Hanf, der mit dunkelrotem Harz getränkt war. Er schloss die Augen und murmelte ein Stoßgebet zu Bi-mora-boro, dem gütigen Gott und Nothelfer, der hinter der Sonne wohnte. Schließlich nahm der Fallensteller all seinen Mut zusammen und ließ sich bäuchlings auf die schwankende Brücke gleiten. Zehn feste Griffe, schon hatte er sich bis zur Mitte vorgearbeitet. Da und dort rissen bereits die ersten feinen Hanffasern, und auch der Pflock, über den die Schlaufe drüben am anderen Ufer geworfen worden war, neigte sich bedrohlich. Der Fallensteller war jetzt am Rand der Klamm angekommen, er griff mit der Hand nach einer frei hängenden Wurzel, die ihm stark genug schien, zog sich an ihr hoch, gewann Land und fiel erschöpft auf die nasskalte Erde. Hinter sich, drüben auf der anderen Seite, hörte er die freudigen Schreie der Gefährten.

Die Sonne ging auf, Eile war geboten. Bei Tag mussten sie drüben sein. Jetzt war der Junge, der den Feuerschwamm trug, an der Reihe. Er zurrte die Tasche fest, die er auf dem Rücken trug, und ging wortlos ans Steilufer. Er wählte eine andere Technik, klammerte sich von unten an das Seil und hangelte sich wie ein Affe vorwärts. Mit heiseren Schmatzern spritzte immer wieder

Gischt hoch und benetzte seinen Umhang aus abwechselnd schwarz und weiß aneinandergenähten Biberfellen. Schließlich war auch er mitsamt seiner wertvollen Last drüben angelangt und ließ sich dort erschöpft auf die Erde fallen. Dann kam das Mädchen mit dem Schakalsgesicht. Wenn man sie necken wollte, brauchte man bloß den weinerlichen Singsang der Goldschakale nachzuahmen: Woiiiiiii-kiki-woiiiiiiiii-ki. Im Augenblick hatte niemand Sinn für solche Scherze, die Männer drüben mahnten zur Eile, das Mädchen wollte zum Seil greifen. Doch plötzlich hörte die Frau mit dem Lederhut hinter sich allzu bekanntes Gebrüll. Das Jagdgebrüll von Säbelzahntigern. Sie erstarrte. Sie wagte nicht, sich umzublicken.

8

Sozusagen zehntausend Jahre später, gar nicht so weit von der Höllentalklamm entfernt, fünf Speerwürfe vielleicht, las man in der Morgenzeitung die Schlagzeile

SCHÜSSE IM OLYMPIAORT!
Olympiade gefährdet?

Die Überschriften der anderen Blätter gingen in die gleiche Richtung: WILDWEST IN WERDENFELS (mit Fragezeichen), ZOFF IM ZUGSPITZDORF (mit zwei Rufzeichen), DÜSTERES DÄNENDRAMA (ohne alles). Es war ein herrlich klarer Wintermorgen, viele juckte es gleich nach dem Aufwachen in den Fingern, den Beruf des Schlossermeisters oder Oberstudienrats für Latein und Griechisch mal für ein paar Stunden ruhen zu lassen, sich die Bretter anzuschnallen und hineinzugleiten in die Loipen, die Pisten abwärtszuwedeln, rotbackig und modisch bebrillt, Tal um Tal zu durchmessen mit frischem Mute, schwer keuchend, doch glücklich, sich in die angeblich unberührte Natur zu schmiegen. Doch im schlossermeistrigen Fall musste das eiserne Grabkreuz für den alten Lackermeyer Korbinian geschmiedet werden, im anderen, oberstudienrätlichen casus paedagogi musste der Klasse 10a des Gymnasiums das hexametrische Reimschema der Odyssee eingetrichtert werden, x̄ x x x̄ x x – *Sage mir, Muse, die Taten des vielgewanderten Mannes!* – aber so ein Hexameter hat ja auch etwas vom Langlaufen.

So setzte sich der Großteil der Werdenfelser Bevölkerung kleinäugig und schlaftrunken an den Frühstückstisch, griff nach der Zeitung und las quellenlose Spekulationen wie diese, dass es womöglich die verirrte Gewehrkugel eines unachtsamen Jägers gewesen sein könnte, die den Dänen aus dem Rennen geworfen hatte. In einem Kommentar wurde sogar ein politischer Hintergrund angedeutet. Von der späten Rache eines Fundamentalisten an einem Vertreter des Landes der Karikaturenzeichner war da die Rede. Und viele schüttelten beim Frühstück besorgt den Kopf.

»Ein Attentat? Bei uns? Und ausgerechnet beim Neujahrsspringen! Das darf doch nicht wahr sein.«

Nur im Frühstücksraum der Pension Alpenrose, einer stattlichen Villa am Rande des Kurorts, wurden die Nachrichten schweigend aufgenommen. Die beiden unfrisierten Gestalten mit dem pechschwarzen Haar, die dort in einer Nische saßen und Eier köpften, waren unauffällig gekleidet, ihre asiatischen Wurzeln waren unübersehbar. Sie unterhielten sich leise, ein Sinologe hätte auf Südkantonesisch oder Nordkoreanisch getippt, ein Professor Higgins hätte zudem noch den kehligen Min-Yue-Dialekt herausgehört, den man in der Gegend um Chaoyang spricht. Die Frau warf jetzt die Zeitung auf den Tisch.

»Das hat uns gerade noch gefehlt«, zischte sie, doch man sah ihr die Verärgerung überhaupt nicht an. Man sah ihr auch nicht an, dass sie sich beherrschte.

»Was ist los?«, fragte der Mann.

»In der Zeitung wird schon spekuliert. Es gibt eine vage Vermutung, dass der dänische Skispringer beschossen worden sein könnte.«

Der Mann las den Artikel und sagte:

»Jetzt kommt wahrscheinlich irgendein Provinztölpel und ermittelt so lange, bis er was findet.«

»Auch dieses Problem werden wir lösen.«

»Das hoffe ich.«

Der Frühstücksraum füllte sich langsam mit den anderen Pensionsgästen, alle um die Sechzigsiebzigachtzig, angetan mit der neuesten Wintersportmode und bereit für Frischluft und Hüttengaudi. Die meisten waren paarweise da: Männe lud auf, Frauchen wählte den Tisch aus, im Radio dudelte etwas Oberkrainerisches dazu. Die Augen der beiden Chaoyanger leuchteten kohlschwarz, pechschwarz, ebenholzschwarz, Schweinfurter grünschwarz, vielleicht auch jadeschwarz, unergründlich fernöstlich eben.

Die Frau hieß Shan, was Lotusblüte bedeutete. Der Mann hieß Wong, was viel bedeuten konnte. Shan und Wong hatten sich, zusammen mit einem dritten Mann aus Chaoyang, vor ein paar Tagen hier eingemietet, weil sie in der Pension Alpenrose die geeignete Operationsbasis für ihre außergewöhnlichen Pläne gefunden hatten. Es war ein frei stehendes Gebäude, das auf einem kleinen Hügel etwas außerhalb des Kurortes lag. Der Zufahrtsweg war breit, ein zusätzlicher Weg führte um das Haus herum zum rückwärtigen Hof. Dort konnte man mit dem Auto parken und ins Haus gelangen, ohne dass man von der Straße und von den Fenstern und Balkonen des Hauses aus gesehen werden konnte. Vom Parkplatz ging noch ein zusätzlicher Fluchtweg ab, notfalls, quer durch die Wiese, hin zu einer anderen Straße. Auch mit dem Zimmer selbst konnten Shan und Wong mehr als zufrieden sein. Es lag im ersten Stock, hatte drei große Fenster, die einen Blick auf alle vorderen Zufahrts- und Zugangswege garantierten. Die Hausgäste waren württembergische Ministerialsekretäre und mecklenburgische Ex-Pastoren, sie schienen unbeweglich und schwerhörig, wohl nur interessiert an ihrem eigenen geregelten Tagesablauf, nicht an den irgendwie maoistisch aussehenden Feriengästen.

Die Direktrice der Pension Alpenrose, Frau Margarethe Schober, las an der Rezeption meist Heftchenromane mit Titeln wie *Gefährliches Verlangen* und *Wilde Gier*. Sie war wohl auch für die gewisse nachlässige Eleganz der Pension zuständig. Das Gästebuch und die Anmeldebögen wurden lax geführt, die Kontrolle der Personalausweise war nicht der Rede wert. Die Pension Alpenrose war ein Eldorado für jeden, der nicht ganz Koscheres im Sinn hatte.

Margarethe Schober hatte den gut gefälschten Pass von Shan genau studiert, so genau, dass Shan und Wong ein paar kleine Schweißperlen auf die Stirn traten.

»Aha, Steinbock«, hatte Margarethe Schober schließlich so wissend und anzüglich gesagt, dass Wongs Hand unwillkürlich in Richtung Gürtel zuckte, dorthin, wo sein Ka-to steckte, für alle Fälle. Wong war ein vorsichtiger Mensch. In seinem Koffer steckten noch zwei oder drei, sicherheitshalber. So ein Ka-to hätte man für ein Austernmesser halten können, es war jedoch ein kleines, scharfes Stoßrapier, ein unauffälliges Stilett, ein *Gnadgott*, dessen Klinge genau bis in die Mitte des Herzens reichte, vorausgesetzt, man wusste den Weg dorthin: rechts um das Brustbein herum (vom Mörder aus gesehen), zwischen der dritten und vierten Rippe hindurch. Wong wusste den Weg.

Die drei hatten sich vor ein paar Tagen eingemietet und sich als malaiische Geschäftsleute auf Skiurlaub ausgegeben. Sie hätten sich auch als taiwanesische Austauschstudenten oder birmanische Hopfenhändler ausgeben können, sie hatten für so ziemlich alles Pässe. Sie präsentierten ein paar fernöstliche Klischees, wie zum Beispiel die Dreiviertelverbeugung in Verbindung mit den zu einer kleinen Blautanne geformten Händen mit abgespreizten Daumen, was nirgends auf der Welt der Brauch ist – lediglich der Mitteleuropäer meint, dass sich so sämtliche Inder, Chinesen und Japaner begrüßen. Auch Frau

Margarethe Schober machte inzwischen schon die dreiviertelte Blautanne, und hielt dabei sogar ihre Nase mit beiden Daumen fest eingezwickt.

»Phmecktph?«, fragte sie Shan und Wong jetzt am Frühstückstisch.

Die beiden nickten eifrig. Frau Schober richtete sich wieder auf.

»Wie geht es Ihnen?«, sagte sie so akzentuiert wie eine Lehrerin im Volkshochschul-Kurs *Deutsch für Außerirdische II.*

»Danke, es gebricht uns an nichts«, antworteten Shan und Wong.

Shan und Wong beherrschten die Sprache von Karl Marx und Rainer Maria Rilke perfekt, denn beide waren damals in die DDR (wir erinnern uns) eingeladen worden und hatten jahrelang in Zeitz gelebt. Deshalb sächselte ihr Chaoyanger Min-Yue leicht. Das von Shan sächselte stärker, das von Wong weniger (so hätte man die beiden im Dunkeln auseinanderhalten können), und in ebendiesem Zeitzer Akzent sagte Wong jetzt zu Frau Margarethe Schober:

»Heute ist herrliches Wetter. Wir besprechen gerade, ob wir auf die verschneite Stepbergalm gehen –«

»– oder rund um den schattigen Eibsee«, fügte Shan hinzu.

Die Wirtin ließ sich dadurch nicht abwimmeln. Sie machte nochmals eine Verbeugung.

»Wo ist der nette junge Mann?«, fragte sie, als sie sich wieder aufgerichtet hatte. »Der immer mit Ihnen zusammen war? Der Dritte im Bunde?«

»Er schläft noch«, sagte Shan.

»Er ist sehr müde«, sagte Wong.

Der nette junge Mann, der Dritte im Bunde, lag still und bewegungslos oben im Zimmer 12a. Aber er schlief nicht. Er war auch nicht sehr müde. Er war tot.

9

Tod [toːd] Zustand eines Organismus nach dem irreversiblen Ausfall der Lebensfunktionen; <althochd.> **doat** = *wörtl.*: »Ackergrenze«, »Feld, das nicht mehr bestellt wird«; <gotisch> **duhd** = »das Ende«; vergleiche auch <altisländ.> **đuona**; <mittelhochslaw.> **druht**, тюп = »über achtzehn Jahre alt«; nach einem dankenswerten Hinweis von H. Heinigen vergleiche auch das Wort **t'hoth**, *vermutl.* <frühgermanisch> = *vermutl.* »Abend«, (vermutl. aber nicht haltbar); genauso unsicher scheint die Herleitung von K. Glick: <neolithisch> **sß-do** = *etwa*: »nicht Tag, nicht Nacht, überhaupt nichts« (siehe auch **Mord**)

Der Tote lag angekleidet auf dem Boden neben dem Bett. Und noch etwas anderes fiel ins Auge. Er war nicht friedlich gestorben. Ganz und gar nicht. Seine starr ins Leere blickenden Augen waren blutunterlaufen, seine Gesichtszüge verzerrt, die Hände verkrampft. Er lag seit gestern hier, und er konnte nicht ewig hier liegen bleiben. Shan und Wong hatten zuerst erwogen, die Leiche irgendwo außerhalb endzulagern, zu vergraben, in einem See zu versenken, in einen hohlen Baum zu stopfen, an wilde Tiere zu verfüttern, wie auch immer. Doch das war ihnen alles zu riskant, denn sie kannten sich in dieser Gegend der Welt kaum aus.

In Chaoyang hätten sie den Weg zum *Sumpf ohne Wiederkehr* gewusst (und, noch viel wichtiger, den Rückweg), aber was das *Murnauer Moos* in dieser (vermutlich selten genutzten)

Beziehung wert war, war schwer zu eruieren. Wohin also mit der Leiche?

»Tiefkühltruhe.«

»In einem Elektrogeschäft eine Tiefkühltruhe kaufen?«

»Warum nicht?«

»Guten Tag, ich möchte eine Tiefkühltruhe kaufen … Ja, und zwar für eine Person … nein, es soll eine Person hineinpassen … Ja, gern, ich probier's mal selbst …«

»Du hast recht, es ist keine gute Idee. Wenn wir das machen, legen wir eine Spur von hier bis nach Chaoyang.«

»Ich habe im Keller eine Tiefkühltruhe gesehen. Wir fragen Frau Margarethe.«

»Wir leihen eine Tiefkühltruhe aus?«

»Ja, so machen wir es.«

Und so hatten sie die Direktrice gestern Nachmittag um eine Gefriertruhe gebeten. Gestern Morgen hatte Xun Yü noch gelebt. Sie hatten einiges riskiert, als sie den Allgemeinarzt Dr. Steinhofer aus seiner Wohnung über der Praxis geholt und in die Pension geschleust hatten. Aber Shan, die Lotusblüte, war dafür gewesen, das Wagnis einzugehen. Denn die meisten Kurgäste waren unterwegs in Sachen Luft und Sonne, Frau Schober war in den Roman *Verfängliche Gedanken* vertieft, die Hausangestellten hatten Pause. Und Dr. Steinhofer selbst hatte auch keinen Verdacht geschöpft.

»So, wo ist denn jetzt unser Patient?«

»Treten Sie ein, hier im Bett liegt er.«

»Die Formalien –«

»– erledigen wir später, bitte. Es geht ihm sehr schlecht.«

Xun Yü hatte viel Blut verloren. Er war blass und hielt eine Pistole in der Hand. Irritiert beugte sich Dr. Steinhofer über die Wunde im Brustbereich.

»Wir müssen sofort ins Krankenhaus mit ihm.«

Jetzt sprach der Patient das erste Mal.

»Kein Krankenhaus. Operieren Sie.«

»Hören Sie, das ist eine Schusswunde. So etwas muss ich melden.«

»Nein. Behandeln Sie mich jetzt.«

Dr. Steinhofer wurde sich auf einmal so richtig bewusst, in was für eine brenzlige Lage er da geraten war. Der Schweiß brach ihm aus. Er versuchte, sich auf die Abläufe seines Berufes zu konzentrieren.

»Nehmen Sie die Waffe weg. So kann ich Sie nicht behandeln.«

»Operieren Sie. Jetzt.«

»Und wenn nicht?«

Xun Yü machte eine kleine, eindeutige Bewegung mit der Pistole.

»Schön, ich gebe Ihnen ein schmerzstillendes Medikament.«

»Kein Medikament.«

»Das halten Sie nicht durch.«

Xun Yü lachte ein kurzes, bitteres Lachen.

Dr. Steinhofer war eigentlich schon pensioniert. Er hatte seine allgemeinmedizinische Praxis schon verkauft, sein Nachfolger sollte in den nächsten Wochen anfangen. Die beiden jungen Chinesen oder Thailänder oder Koreaner oder was auch immer hatten zunächst so hilflos gewirkt. Sie hatten nur ein paar Brocken Deutsch gesprochen und dazu wilde und verzweifelte Zeichen gemacht. Schließlich war er mitgegangen. Jetzt sprachen sie plötzlich fließend deutsch. Und er starrte in den Lauf einer Pistole. Er drehte den Patienten leicht zur Seite, konnte aber keine Ausschuss-Stelle finden. Die Kugel musste sich noch im Körper befinden, er schätzte, dass sie im hinteren Teil des Brustkorbs steckte. Abermals brach ihm der Schweiß aus. Er konnte sich lebhaft vorstellen, was ihm blühte, wenn er hier einen Fehler machte. Er verlangte heißes Wasser und saubere Tücher. Aus seiner Arzttasche holte er blutstillendes Material, dann Pinzetten, Klammern, Kompressen, Jod, Alkohol und alles, was man eben gemeinhin braucht, um eine Kugel aus dem Fleisch zu fischen. Er reinigte die Wunde. Dann fuhr er mit der Pinzette ein Stück weit in den Einschusskanal. Xun Yü hatte auf einen Waschlappen gebissen, auf dem *Gruß aus der Pension Alpenrose* stand. Dr. Steinhofer hatte nicht gedacht, dass ein Mensch so viele Schmerzen aushalten konnte. Er zog die Pinzette wieder heraus und wandte sich an die beiden anderen, die aufmerksam zusahen.

»Wollen Sie ihn nicht dazu überreden, die Pistole aus der Hand zu legen?«

»Nein«, sagte Wong. »Er ist der Chef.«

»Einer von Ihnen kann mich ja weiter bedrohen.«

»Wer von uns Sie bedroht, ist unsere Sache«, sagte Shan.

»Ja klar, aber ich operiere so nicht weiter. Irgendwann bekommt dieser Mann hier einen hypovolämischen Schock, dann verliert er die Kontrolle über sich. Ein Schuss könnte sich lösen. Zufällig. Das macht mir Sorgen. Verstehen Sie das?«

»Bei ihm löst sich kein Schuss zufällig. Das ist Xun Yü, der Terminator. Der dich in den nächsten Daseinszustand schickt. Er ist ein begehrter Mann in der Szene, deswegen ist er der Führer unseres Teams.«

»In welcher Szene? Was für ein Team?«

»Das wollen Sie alles gar nicht wissen.«

Diese Frau sächselte leicht. Dr. Steinhofer hätte wetten können, dass da ein kleines bisschen Zeitzer Dialekt durchschimmerte.

»Operieren Sie jetzt.«

Der alte, eigentlich schon pensionierte Allgemeinmediziner zog die zwei Hautlappen auseinander, die den Wundkanal jetzt verdeckten. Er klebte sie mit Pflaster fest und fingerte nach dem Blutgefäß, das geplatzt war. Er zog es heraus und umwickelte es mit Heftpflaster. Dann ließ er die Ader wieder – Heiliger Sauerbruch hilf! – ins Innere des Körpers zurückschnellen. Er warf einen kurzen Blick auf das Gesicht Xun Yüs. Die Schmerzen, die dieser Mann momentan hatte, mussten auf einer nach oben offenen Skala bis ins Jenseits reichen. Aber er hatte Dr. Steinhofers Aktion trotzdem beobachtet.

»Was war das?«, fragte er gepresst. Die Worte schienen ihm mehr Schmerzen als der Eingriff selbst zu bereiten.

»Eine Schlagader. Versorgt den Bauchraum mit Blut. War beschädigt.«

Xun Yü winkte mit der Pistole, weiterzumachen.

Dr. Steinhofer war alt und pensioniert, aber er war nicht dumm. Er wusste, dass ihn Verbrecher solchen Kalibers nicht lebend würden laufen lassen. Er versuchte Zeit zu gewinnen und einen Plan zu entwickeln, wie er aus diesem Schlamassel wieder herauskommen könnte. Er führte die Vorbereitungen so langsam wie möglich durch, machte viele Handgriffe doppelt, untersuchte Puls, Atmung, Pupillenreflex, Blutdruck, Zunge, klopfte hierhin und dorthin. Er dachte dabei fieberhaft nach. Der Angriff musste völlig überraschend kommen. Er durfte Xun Yü nicht eine Zehntelsekunde Zeit geben, Verdacht zu schöpfen.

»Ich muss Ihnen eine Spritze geben, um den Kreislauf zu stabilisieren.«

»Keine Spritze. Ich stabilisiere den Kreislauf selbst.«

Ein Versuch war es immerhin. Dr. Steinhofer klopfte und tastete und tupfte und reinigte weiter. Der Schusskanal lief leicht schräg von oben nach unten auf den hinteren Brustraum zu, die Kugel war vermutlich kurz vor der Wirbelsäule stecken geblieben. Wenn er den Kanal mit dem Skalpell weiterverfolgen würde, müsste es möglich sein, mit einem beherzten Stich nach oben die Nerven zwischen den unteren Halswirbeln zu durchtrennen und auf diese Weise eine künstliche Querschnittslähmung herbeizuführen. Träfe er den Nervenstrang vollständig und schnell, wäre die Wahrscheinlichkeit groß, dass sein Patient augenblicklich die Kontrolle über die Arme verlieren würde, der rechte Arm würde erschlaffen, bevor Xun Yü das Geschehene realisiert hätte. Dann könnte er sich den Revolver aneignen und die beiden anderen damit bedrohen. Wie groß war die Wahrscheinlichkeit, das unterste Halssegment C-7 exakt zu treffen? Eher gering. Es waren nur einige Zentimeter, da musste er durch. Aber es war seine einzige Chance. Dr. Steinhofer riss ein Tütchen auf und nahm das Skalpell heraus, mit dem er diesen riskanten operativen Eingriff durchführen wollte. Shan und Wong standen etwas abseits, verfolgten aber jeden seiner Handgriffe misstrauisch. Es war eine Behandlung, die ihm selbst das Leben retten sollte und nicht das des Patienten, Hippokrates hätte nicht mit im Raum sein dürfen. Aber der alte Grieche mit seinen vier Säften war auch schon lange tot. Vorsichtig führte Dr. Steinhofer das Skalpell an das Einschussloch und hoffte, dass Xun Yü Laie genug war, um sich nicht zu fragen, warum er jetzt auf einmal mit einem Skalpell und nicht mit der Pinzette arbeitete. Doch dieser sah ihm nur ins Gesicht, nicht auf die Hände. Dr. Steinhofer schob die Spitze des Skalpells langsam hinein und suchte eine Position, von der aus er kräftig und gezielt zustechen konnte. Dr. Steinhofer war kein Facharzt für innere Medizin, er war kein Neurologe, er war kein Chirurg – diese Kollegen hätten sich alle wesentlich leichter getan bei dieser Aktion, er als Allgemeinarzt musste tief im Langzeitgedächtnis bis in seine Studentenzeit kramen und Vorlesungen über morphologische Anatomie rekapitulieren, wenn das nach so langer Zeit überhaupt möglich war. Vorlesung bei Prof. Dr. Stoephasius: *… zwischen dem oberen Leberlappen und dem unteren Zwerchfell sind die umschlie-*

ßenden Bauchhöhlenverwachsungen so locker, dass man sogar mit der Hand durchkommt ... Dr. Steinhofer betrachtete seine skalpellführende Hand. Er ging jetzt auf die siebzig zu, und er war stolz darauf, dass seine Hand immer noch nicht zitterte. Dann fiel sein Blick auf Xun Yüs verzerrtes Gesicht. Dessen Augen waren hellwach, Dr. Steinhofer umschloss den Griff des Skalpells, er musste den Stich jetzt wagen oder nie. Xun Yü sagte leise:

»Du hast Angst, mein Freund, große Angst.«

Jetzt hätte Dr. Steinhofer stechen müssen, jetzt sofort, doch Xun Yü war schneller. Er hob die Pistole und schoss Dr. Steinhofer präzise in die Stirn. Er traf dabei die Schlagader des oberen Schläfenlappens nicht, deshalb spritzte kein Blut heraus. Das machte man als Terminator nur, wenn man etwas Spektakuläres haben, wenn man jemanden Dabeistehenden zu Tode erschrecken wollte. So aber sackte Dr. Steinhofer nur lautlos in sich zusammen und fiel auf Xun Yüs Oberkörper.

»Was hast du gemacht?«, rief Wong.

»Er hatte einen Plan«, sagte Xun Yü. Er sagte es ganz leise und Wong musste sich mit dem Ohr zu seinem Gesicht beugen, damit Xun Yü es nochmals sagen konnte.

»Er hatte einen Plan. Sein Plan war gut.«

10

Der ungünstigste Zeitpunkt, mit polizeilichen Ermittlungen zu beginnen, ist der späte Freitagnachmittag. Die Labors haben eben erst geschlossen, die Amtsstuben sind gerade nicht mehr besetzt, und heiser klingeln die Telefone in den verlassenen Rathausbüros. Einsam arbeitende Rechner schicken geheimnisvolle *out-of-office*-Meldungen zurück – hat man mit diesem Menschen nicht noch vor zwei Minuten telefoniert? Notdienste und Wochenendschichten sind mit zweiten Garnituren besetzt, die nur über das Allernötigste informiert worden sind, darüber hinaus sind die eingesprungenen SaSo-nis traditionell schlecht gelaunt und wenig hilfsbereit. Und wenn dann auch noch das Wetter gut ist! Zeugen, die man sofort vernehmen sollte, sind verreist, verliebt, verwellnesst. Verdächtige verwischen gemütlich ihre Spuren, schließen Zeitfenster, bringen sich über Sabbat aus der Schusslinie, nützen den Tag des Herrn, um ihre Untaten unter den Teppich zu kehren.

An solch einem Freitagnachmittag, an einem hellblauen, fast schon wieder babyaugenblauen Tag, fuhr Kriminalhauptkommissar Hubertus Jennerwein mit einer bummeligen Lokalbahn ins Werdenfelser Land. Er war gut gelaunt, denn er hoffte, am Abend wieder zurück zu sein und sich dann gemütlich zu überlegen, was er am Wochenende unternehmen wollte. Doch jetzt saß er erst einmal in einem Waggon erster Klasse und genoss den noblen Anblick des zugefrorenen Starnberger Sees, der villenumrahmt, legendenumwittert und leicht dampfend vorbeiglitt. In Feldafing stiegen zwei Teenies ein und verstöpselten sich schweigend mit einem Tandem-iPod. Sie drückten die Starttaste, und Jennerwein versuchte, von der unbeweglichen, hochkonzentrierten Mimik der beiden auf das zu schließen, was sie sich gerade anhörten. Keine Chance: Das hätte Bushido sein können, französische Grammatik oder ein neues Pumuckl-Abenteuer, alles war möglich. Gott sei Dank mordeten Teenies selten, dachte Jennerwein, man konnte in ihren Gesichtern nichts lesen. Der Zug hielt in Tutzing, dort stiegen sie, immer noch verkabelt, aus. Die festgefrorenen Felder von Huglfing flogen vorbei, sanft geschwungene Äcker, unter denen jetzt schon die Rapssamen lauerten, die im Frühjahr die Landschaft quietschgelb färben würden.

Jennerwein war von seinem Chef wegen dieser obskuren Angelegenheit in den Kurort geschickt worden. Die Meldung über den Sturz des Dänen war durch alle Medien gegangen. Ein Zeuge wollte einen Schuss gesehen haben, der Zeuge hatte das auch halbwegs plausibel dargestellt. Und bei einem noch so vagen Verdacht auf ein Kapitalverbrechen musste halt nun einmal ein Kriminaler ran. Als ob der Kriminaler nichts anderes zu tun hätte, dachte Jennerwein. Der obskure Zeuge hieß – Moment – Willi Angerer, aber jetzt musste man einfach aus dem Fenster sehen, die ersten Vorläufer der Alpen tauchten auf, wuchtig und urtümlich grüßten Karwendel und Wetterstein, silbrig glitzernde, vielzackige Arrangements von schmucken Zweitausendfünfhundertern, manche der Riesen konnte man bei Föhn schon von München aus erkennen, andere wiederum, wie etwa den Daniel, den kegeligen Piz Protz drüben in Tirol, den kleinen unverschämten Gruß aus Österreich, sah man erst beim Näherkommen. Das Murnauer Moos glitt vorbei. Krähen flogen auf, wie von einer Schaufel hochgeworfen, und stürzten zurück auf die loipenverzierten Schneehügel. Vor einigen Millionen Jahren, im Mesozoikum, war hier der Meeresgrund gewesen. Und dort, wo jetzt die Krähen landeten, tauchten wohl einst ihre Vorfahren, die Pterosaurier, die gefürchteten Räuber des Meeres, nach Essbarem.

Eschenlohe und Farchant glitten vorbei, dann hielt der Zug, es war die letzte Station vor Österreich. Jennerwein griff nach seiner Aktenmappe und stieg aus. Die beiden Polizeiobermeister vor Ort, Johann Ostler und Franz Hölleisen, holten Hubertus Jennerwein vom Bahnhof ab. Obwohl sie im vergangenen Jahr ein paar Wochen intensiv mit dem Hauptkommissar zusammengearbeitet hatten, hätten sie ihn fast nicht wiedererkannt. Nicht, weil er sich so verändert hatte, sondern weil Hubertus Jennerwein der unscheinbarste und unauffälligste Mensch war, den sie je getroffen hatten. Er war einer, dessen Gesicht man nicht behielt, selbst wenn man ihm zwei Stunden im Zug gegenübergesessen hatte. Er hatte nichts Prägnantes, Hervorstechendes, selbst seine Augenfarbe war undefinierbar, irgendetwas zwischen grün, braun und blau, *sonderbar* stand im Pass. (Nein, stand nicht drin, aber man konnte es sich vorstellen.) Manche behaupteten allerdings, dass er eine gewisse Ähnlichkeit mit Hugh Grant hätte. Sein volles, dunkles Haar war modisch kurz geschnitten. Er war immer glatt rasiert und sein schmales Gesicht war mit sympathischen Lachfältchen durchzogen. Mit einem Wort: Er sah aus wie Hugh Grant – und wie zwei Milliarden andere Männer auch. Auf dem Polizeirevier wartete schon der Zeuge, bereit, seine Aussage zu wiederholen. Johann Ostler brühte Kaffee auf und man setzte sich.

»Herr Angerer«, begann Jennerwein, »Sie haben eine Beobachtung gemacht.«

»Ja, Herr Kommissar, das habe ich.«

Jennerwein betrachtete den Zeugen. Der Oberforstrat trug, als ob er einem besonders vereinfachten Kinderbuch entstiegen wäre, nur grünes Gewand, sogar der Ledermantel, den er übers

Knie gelegt hatte, war in Dunkelgrün gehalten. Ein mächtiger, gezwirbelter Bart verdeckte sein Gesicht. Der Bart war nicht grün, aber viel fehlte nicht. Hinter dem Oberforstrat lehnte eine Gewehrhülle. Man glaubte den Geruch von Pulverdampf zu schnuppern.

»Ihre Waffe, Herr Angerer?«

»Ja, natürlich nur zu meinem Schutz.«

Ostler und Hölleisen gackerten mit kaum verhohlener Albernheit vor sich hin. Was war denn in die gefahren? Summten die beiden nicht sogar die ersten Takte des Liedes vom Wildschütz Jennerwein? *Er war ein Schütz in seinen besten Jahren …* Oder täuschte er sich?

»Nur zu Ihrem Schutz, aha. Aber Sie sind doch – wie soll ich sagen – pensioniert?«

Jennerwein wollte sich hier nicht aufspielen, solche Vergehen waren Sache der örtlichen Beamten hier, aber in einer Zeit, in der der Waffenmissbrauch wieder zunahm? Andererseits war der Oberforstrat immerhin ein Mitarbeiter im öffentlichen Dienst gewesen, so etwas wie eine Vertrauensperson. Einerseits, andererseits. Er blickte zu Ostler und Hölleisen. Die gickerten und prusteten, dass es eine Freude war.

»Pack es aus, das Gewehr, Willi!«, sagte Ostler. Angerer nahm einen Regenschirm aus der Hülle.

»Zu meinem Schutz«, sagte er.

»Seltsame Scherze auf einem Polizeirevier«, murmelte Jennerwein, spreizte Daumen und Mittelfinger, und massierte seine Schläfen mit einer Hand, um sich zu entspannen.

Hölleisen legte eine Kassette in den polizeieigenen Videoapparat. Der Sprung von Åge Sørensen, der die letzten Tage immer wieder gesendet worden war, erschien auf dem Schirm.

»Ich war selbst einmal aktiver Skispringer«, sagte Willi Angerer zu Jennerwein. Die beiden Ortskundigen verdrehten die

Augen und nickten wissend. Oberstdorf 1959, beim Ausscheidungsspringen für Squaw Valley 1960, klar.

»Ach ja?«, sagte Jennerwein höflich interessiert.

Anstelle einer Antwort stand Angerer auf. Er ging mit angewinkelten Armen in eine langsame Halbhocke, schlug dann beide Arme nach hinten, richtete sich gleichzeitig auf und verlagerte sein Gewicht, soweit es ihm möglich war, nach vorne. Er hatte die Augen weit aufgerissen, blickte in eine ideale Ferne, vielleicht ins Paradies, vielleicht noch weiter, stand jedenfalls eine Zeitlang so da.

»Ehrlich gesagt bin ich jetzt etwas verunsichert«, sagte Jennerwein zu Angerer. Lauter Verrückte hier in dieser Gegend, dachte er insgeheim. Wahrscheinlich lag das am Föhn, der jeden, der längere Zeit im Tal lebt, *bloaßdappasch* macht – was nur unzulänglich mit »völlig verrückt« übersetzt werden kann.

»Jens Weißflog? Matti Nykänen?«, rieten Ostler und Hölleisen.

»Falsch. So lag damals Helmut Recknagel in der Luft«, sagte Angerer und richtete sich wieder auf. »1962 im polnischen Zakopane. Man muss sich das einmal vorstellen: Einer der Kampfrichter hat nur 16.0 Punkte dafür gegeben. Fünfmal 20.0 Punkte hätte er verdient!«

»Schön. Aber jetzt zu unserem Fall«, sagte Jennerwein.

Angerer lockerte sich und nahm wieder Platz.

»Ich habe mir die Fernsehbilder jetzt oft genug angesehen«, begann er. »Es gibt verschiedene Theorien. Ein Windstoß. Ein Krampf. Die Sportreporter –«

»– haben das doch schon hundertmal durchgekaut«, kürzte Jennerwein ab. »So wie ich das verstanden habe, ist die derzeitig favorisierte Theorie die, dass Åge Sørensen richtiggehend überrascht gewesen sein muss, gar so gut weggekommen zu sein vom Schanzentisch. Er war deswegen einen Moment lang unaufmerksam –«

»Und das glaube ich eben nicht«, unterbrach der Angerer Willi und sein mächtiger Bart zitterte leicht. »Einer, der in der Weltspitze springt, ist nicht überrascht, gut weggekommen zu sein. Könnt ihr einmal auf Superzeitlupe schalten?«

Das Polizeirevier war gut ausgerüstet. Åge sprang nochmals gaaaaanz langsam.

»Aber auch das haben wir doch schon im Fernsehen gesehen«, sagte Ostler.

»Aber jetzt kommts. Hier sehen Sie: Der rechte Fuß rutscht leicht weg. Wenn Sørensen den Fuß selbst bewegt hätte, würde das anders ausschauen. Ich glaube, da hat einer auf den rechten Ski geschossen.«

»Sie meinen, es war ein Schuss?«

»Genau das meine ich. Ich bin Skispringer und Schütze. Ich kenne mich beim Springen und Schießen aus.«

»Herr Angerer, lassen wir das einmal so stehen. Dann müssten auf dem Ski ja Spuren des Geschosses sein.«

»Unser Problem ist halt«, sagte Hölleisen, »dass dieser rechte Ski, von dem der Willi da redet, verschwunden ist.«

»Verschwunden?«, fragte Jennerwein.

»Ja, haben Sie sich denn das Neujahrsspringen nicht angeschaut?«

Jennerwein schüttelte den Kopf.

»Ich weiß, ich bin ein rechter Sportmuffel. Ich habe zu Hause auch keinen Fernseher. Ich bin von einem Unfall ausgegangen, ich habe das Ganze deshalb auch nicht weiter verfolgt.«

Ostler spulte weiter.

»Hier: Der Ski löst sich, rutscht in die Menge, verschwindet darin.«

»Haben Sie –«

»Natürlich haben wir!«, sagten Ostler und Hölleisen gleichzeitig. »Wir haben diesen Teil des Geländes gleich am nächsten Tag abgesucht.«

»Niemanden wird es überraschen, dass wir ihn nicht gefunden haben, den rechten Ski«, sagte Hölleisen.

»Wir haben ein paar Leute in diesem Areal identifiziert, wir haben sie auch schon befragt«, sekundierte Ostler. »Niemand hat natürlich auf den Ski geachtet, alle haben wie gebannt auf den Unfall selbst gestarrt.«

»Vielleicht hat ihn sich ein Fan unter den Nagel gerissen«, sagte Jennerwein. »Als Trophäe. Bei Verkehrsunfällen haben wir manchmal auch so ein Problem.«

Hölleisen nickte.

»Das wäre eine Möglichkeit, ja. Auch die Herstellerfirma des Skis hätte Interesse, dass die Marke nicht mehr in Verbindung mit einem grausligen Unfall zu sehen ist.«

»Und dann gibt es noch eine Möglichkeit«, mischte sich Angerer ein. »Der Schütze selbst hat den Ski verschwinden lassen. Um Beweismaterial zu beseitigen.«

»Herr Oberforstrat«, sagte Jennerwein mit mildem Spott, »jetzt überlegen Sie doch mal: Ist das realistisch? Jemand schießt auf den Dänen, geht dann hin, um Spuren zu beseitigen? Welche Spuren eigentlich? Wenn der Ski nicht weggeflogen wäre, was dann? Und das Ganze kommt nur auf, weil ein Oberforstrat, der früher mal Skispringer war, etwas genauer hingeschaut hat.«

»Ich hab ja nur gemeint«, sagte der Angesprochene beleidigt. »Ich wollte ja nur helfen. Aber dann halt nicht.«

»Mal ganz ehrlich, Herr Angerer. Nachdem im Fernsehen tausendmal gezeigt worden ist, dass der rechte Ski verschwunden ist, kommen Sie und erzählen uns, dass genau dieser rechte Ski beschossen worden ist?«

Jetzt wurde der Oberforstrat ärgerlich.

»Was wollen Sie damit sagen?«

»Ich habe ja auch nur gemeint«, sagte Jennerwein besänftigend. »Ohne Schussspuren am Ski ist die ganze Theorie nicht haltbar.«

Der Angerer Willi war aber nicht mehr zu besänftigen. Er war stocksauer. Er machte eine wegwerfende Handbewegung, murmelte noch etwas, was niemand im Raum genau verstand, was aber wie *Saubande, verfluchte!* klang. Er erhob sich mit eiserner Miene. Jennerwein schlug einen amtlichen Ton an.

»Herr Oberforstrat, bleiben Sie noch einen Moment. Ich habe eine Frage an Sie. Ich brauche Ihre – äh – fachliche Meinung dazu. Kann man denn so genau zielen, dass man genau den Ski eines Springers trifft?«

»Schon«, sagte Angerer einsilbig. »Ein Tontaubenschütze zum Beispiel.«

»Und von wo aus könnte so ein Tontaubenschütze geschossen haben?«

»Da gibt es hunderttausend Möglichkeiten. Vom Hang aus, von ein paar kleinen Waldstücken aus. Von der Terrasse des Hotelrestaurants aus. Vom Schiedsrichterturm aus. Aus der Menge heraus – was weiß ich.«

Angerer, der Grünrock, nahm seinen Parapluie im Waffenrock, verbreitete damit noch etwas Waldatmosphäre, unterschrieb seine Aussage und verabschiedete sich. Er schien überhaupt nicht damit zufrieden zu sein, dass seine Theorie auch auf dem Revier nicht ernst genommen wurde. Nachdem er gegangen war, wandte sich Jennerwein an die beiden Ortspolizisten.

»Wir machen es so. Ich bleibe heute hier und wir versuchen morgen, dieser Theorie nachzugehen. Wir gehen zum Schanzengelände, ich will mir das einmal genauer ansehen. Ich lasse Hansjochen Becker und seine Spurensicherer kommen, die werden messen und rechnen und computersimulieren und was weiß ich noch alles. Vielleicht durchkämmen wir das Gelände auch nochmals. Wie viele Leute haben Sie?«

»Eigentlich gar keine.«

»Trifft sich gut. Ich eigentlich auch nicht.«

»Wo wollen Sie übernachten, Hauptkommissar?«

Jennerwein seufzte. Wenn er das geahnt hätte, hätte er ein Buch zum Lesen mitgenommen. Fernsehen und die Minibar plündern waren seine Sache nicht.

»Die Leitstelle in München hat natürlich diesmal keine Wohnung für mich organisiert. Und Sie haben noch immer keine Gästezimmer?«

»Sieht man von unseren Zellen ab: nein.«

»Was können Sie mir empfehlen?«

»Gästehaus Edelweiß, Gästehaus Gipfelglück oder, etwas außerhalb, Pension Alpenrose.«

»Ich kenne alle drei nicht. Edelweiß, das klingt gut, das nehme ich. Wird schon passen.«

Später musste Hubertus Jennerwein oft daran denken, dass er sich und den Bewohnern des Kurorts viel erspart hätte, wenn er sich an diesem Tag nicht für das Gästehaus Edelweiß, sondern für die Pension Alpenrose mit ihrer Direktrice Margarethe Schober entschieden hätte. Aber hinterher ist man natürlich immer schlauer.

11

Die Frau mit dem Lederhut betrachtete ihre Schuhe. Sie trugen hier alle Schuhe mit Sohlen aus Bärenleder und Oberteilen aus Hirschleder, auf die Sohlen war ein Netz aufgenäht, in das Gras gestopft wurde, das als Kälteschutz diente. Die Oberteile aus Hirschleder waren verschieden gefärbt, das konnte die Zugehörigkeit zu einer Gruppe zeigen, aber auch den sozialen Status. Das Oberleder ihrer Schuhe reichte bis an die Knöchel, war dort mit einer Schnur zusammengebunden, und der ganze Schuh erstrahlte in einem hellen Rosa, das der Morgenröte ähnlich sein sollte. Ihre Schuhe liefen vorne spitz zu, das Leder war dort fest zusammengenäht und mit einem Stückchen weichem Nussholz versteift. Die Frau mit dem Lederhut bewegte ihre Zehen und wippte mit diesen Spitzen. Man konnte damit nicht gerade zustechen, aber in irgendeiner Weise gefährlich sahen diese Spitzen schon aus. Das Mädchen mit dem Schakalsgesicht, das neben ihr saß, warf einen flüchtigen Blick hin zu ihren Schuhen, sie nickte anerkennend und doch neidisch.

Das Gebrüll der Untiere, das sie vorher gehört hatten, hatte sich bald wieder entfernt, die Männer drüben auf der anderen Seite der Klamm hatten das Seil neu eingeharzt und zusätzlich noch mit zähflüssigem Murmeltierfett bestrichen, so dass die beiden Frauen trotz aller Fährnisse Muße gehabt hatten, ihr Schuhwerk gegenseitig zu betrachten. Doch jetzt war die notdürftige Brücke wieder bereit, fertig zur nächsten Überquerung. Das Mädchen mit dem Schakalsgesicht hatte wieder eine ganz andere Technik. Sie hangelte sich, den Körper nach unten hängend, Hände und Knie um das Seil geschlungen, hinüber, man konnte am Muskelspiel ihrer freiliegenden Oberarme erkennen, welche Kraft sie besaß. Auch sie blickte nicht nach unten, sondern sah auf ihre Hände, Griff für Griff, ob diese auch an den richtigen Stellen zupackten. Noch schneller als die anderen hatte sie ihr Ziel erreicht, und schließlich war nur noch die Frau mit dem Lederhut übrig. Mutig geworden durch die geglückten Versuche ihrer Kameraden, kam sie rasch bis in die Mitte der Klamm, die mit dem Sonnenaufgang umso wütender zu toben schien, dann riss das Seil. Sie stürzte in die kalte Tiefe, und ihr Schrei nahm kein Ende.

12

»Der frühe Vogel fängt den Wurm!«

So originell begrüßte der Frühaufsteher Hansjochen Becker den Morgenmuffel Hubertus Jennerwein, der lustlos an seinem ersten Plastikbecher Kaffee schlabberte. Hansjochen Becker wiederum hatte vermutlich schon einige dieser Muntermacher hinter sich. Der Chef der Spurensicherung ging davon aus, dass alle Probleme dieser Welt mit Koffein und ausgefeilter Technik gelöst werden konnten. Er hatte das Gelände um die Skischanze vermutlich schon vor dem Morgengrauen abgesperrt, und eine Armada von antennenstarrenden Messgeräten und nervös flimmernden Outdoor-Rechnern belagerte jetzt den Fuß der Schanze. Beckers Truppe war bereit, die Computerjunkies klebten an den Displays wie die Geckos an den Badezimmerfliesen einer mexikanischen Hazienda. Jennerwein hatte sich die Frage verkniffen, ob so ein Aufwand nötig war angesichts des vagen Verdachts eines alten, wichtigtuerischen Kauzes. Er wusste aber, dass Becker schnell verstimmt war, wenn man ihm in irgendeiner Weise technikkritisch kam. Und manchmal lag er ja mit seinen digitalen Zangenangriffen gar nicht so falsch. Der letzte Fall Jennerweins, in dem es um einen USB-Stick mit brisantem Datenmaterial ging, wäre ohne die Mithilfe Beckers schwerlich gelöst worden. Deshalb ließ Jennerwein den Meisterjongleur stochastischer Stichprobenvarianzen vorerst in Ruhe und gab Anweisung an sein eigenes Team, an die konventionell ermittelnde Fußtruppe, an die schnüffelnden Bullterrier der Kriminalistik, die inzwischen eingetroffen waren:

Hauptkommissar Ludwig Stengele und Kommissarin Nicole Schwattke, verstärkt durch die beiden Ortspolizisten Johann Ostler und Franz Hölleisen.

»Stengele, Sie teilen die Leute ein, die das gesamte Gelände nochmals durchsuchen sollen. Im Areal C bitte ich Sie, besonders auf Spuren des verloren gegangenen Skis zu achten: Holzsplitter –«

»Äh – wie jetzt: Holzsplitter?«, fragte ein sportlich aussehender Polizeimeisteranwärter dazwischen.

»Ja gut, dann eben Plastiksplitter, Lackreste, Eisenteile von der Bindung, was auch immer. Im restlichen Gelände gilt unser Hauptaugenmerk der Pistolen- oder Gewehrkugel, die ja irgendwo liegen muss, falls Angerer recht hat.«

Stengele, Schwattke und die beiden Ortspolizisten nickten.

»Wir machen uns auf den Weg, Chef«, sagte Nicole Schwattke. Die Kommissarin aus Recklinghausen war die Jüngste im Team, und auch die Preußischste, wenn der Ausdruck bei einem westfälischen Hintergrund überhaupt angemessen ist. Sie zeigte auf die wuchtige Auslaufbahn der Sprunganlage. »Das ist ja mal ein ganz anderer Tatort.«

»Ein anderer Tatort als was?«

»Als die üblichen beengten Räume, die wir sonst immer hatten: Speisekammer und Schränke, vollgestopft mit Leichen von Nebenbuhlern und Kronzeugen, Mitwissern, Erbtanten, Erpressern –«

»Wir setzen uns ein Zeitlimit«, sagte Jennerwein. »Wenn wir bis zwölf Uhr mittags keine Kugel gefunden haben, ist die Angerer'sche These vom Tisch. Also, auf geht's!«

Das kleine Häuflein der kriminalistischen Infanterie zog nun in das eisverkrustete und vermatschte Gelände, ausgerüstet mit Stöcken, Plastiktüten und einigen Metalldetektoren. Sogar Spürhunde, zwei besonders ausgebildete »Mantrailer«, waren angefordert worden, sie hatten an dem sichergestellten linken Ski Åges und an seiner Kleidung geschnüffelt und versuchten nun ihr Glück im schmutzigen Gelände. Die beiden Labrador Retriever, die auf die Namen Skylla und Charybdis hörten, hatten allerdings nicht viel Freude am Spurensuchen, vor ein paar Tagen waren hier mehr als zwanzigtausend Menschen durchgelatscht – ein olfaktorischer Tornado schraubte sich durch ihre empfindlichen Nasen.

Am Fuße der Schanze brachte sich die digitale Gebirgstruppe unter dem Oberkommando von Hansjochen Becker in Stellung. Einer der Zwei-Punkt-Null-Freaks biss, ganz klassisch, in einen Hamburger und schüttete Cola in sich hinein, in der er noch extra ein paar zusätzliche Zuckerstückchen aufgelöst hatte. Jennerwein beobachtete das Treiben nachdenklich. Gab es eigentlich einen Grund, warum ausgerechnet der Däne hätte beschossen werden sollen? Müsste man dann nicht eher im Umkreis von Åge Sørensen als hier –

»Wir für unseren Teil sind dann fertig mit den Vorbereitungen«, unterbrach Becker den Gedankengang und deutete mit dem Daumen lässig nach hinten über die Schulter. Jennerwein griff nach einem Fernglas und schaute damit hoch zum Schanzenkopf. An der obersten Ausstiegsluke waren ein paar Figuren zu sehen, die sich langsam und vorsichtig bewegten. Die Hauptfigur trug eine rote Skimütze. Sie saß schon auf dem Balken, nervös zitternd, oder vielleicht auch nur mit Lockerungsübungen beschäftigt, jedenfalls bereit zur Abfahrt ins Tal. An dieser Figur nestelten zwei oder drei Männer herum, sie redeten ihr wohl gut zu und nahmen ihr die Angst. Schließlich wurde die Figur mit der Skimütze von hinten geschubst, und dann schoss sie los. Jennerwein verfolgte sie mit dem Fernglas. Ihr Fahrstil war beherzt, aber ungewöhnlich.

Gisela nahm Fahrt auf, genauso wie es Åge vor ein paar Tagen getan hatte, aber Gisela wollte Åge nicht übertreffen, sie wollte genauso springen wie er, sie war programmiert, genauso wie er zu springen. Gisela war der Stolz der bayrischen Polizei, sie war der einsatzfreudigste Dummy im Bundesgebiet. Gisela hatte schon Dutzende von Autounfällen nachgestellt, sie war zerquetscht, niedergestochen, angekokelt, durchsiebt, ertränkt, überfahren und in die Luft geschleudert worden – sie hatte jedes Mal ihre finalen Daten brav an die gierigen Rechner der Spurensicherer abgeliefert. Und Becker schickte sie heute, an ihrem freien Tag, wieder los. Sie war seine Wunderwaffe.

Sie war ein wenig abgespeckt worden, um auf Sørensens Gewicht zu kommen. Man hatte die Fernsehbilder analysiert und die gewonnenen Daten umgesetzt: Anfahrtsgeschwindigkeit, Absprungswinkel, Verhalten in der Luft. Die Skifirma hatte darüber hinaus noch die Originalbretter zur Verfügung gestellt, nicht ohne vorher den guten Markennamen mit schwarzem Tape abgeklebt zu haben. Jennerwein hatte bis dahin nicht gewusst, dass solche Skier das Jahresgehalt eines Beamten kosteten. Eines hohen Beamten im Innenministerium.

Man hatte vor, Gisela zu beschießen. Daran war sie gewöhnt, sie war mit ihrer Propylenhaut nach manchem Kugelhagel wiederauferstanden, und man hatte danach immer ganz genau gewusst, ob der Schuss aus dieser und jener Entfernung und in dem und dem Winkel tödlich gewesen wäre oder nicht. Heute sollte sie allerdings gar nichts abbekommen, man hatte vor, ihren rechten Ski genau an der Stelle zu treffen, auf die Angerer gezeigt hatte. Becker hatte mit den Seinen überlegt, ob man den Beschuss nicht händisch durchführen sollte, von einem oberfränkischen Polizeiobermeister, der 1992 in Barcelona die Bronzemedaille im Tontaubenschießen gewonnen hatte. Und auch Oberforstrat Willi Angerer hatte sich erbötig gemacht, seine jägerischen Schießkünste ins Spiel zu bringen, nachdem er von dem Plan auf verschlungenen Wegen erfahren hatte. Doch man kam schließlich überein, eine automatische, computergesteuerte Waffe zu benützen, die wesentlich genauere Ergebnisse lieferte. Angerer war beleidigt.

Das computergesteuerte Ding, das da unten aufgebaut war, glich weniger einem Gewehr als einem verrosteten Blasrohr, einem Requisit aus einem Splatter-B-Movie, das die Bahn von Gisela verfolgte und ihren Ski am Höhepunkt des Zenits beschießen würde.

»Welches Kaliber verwenden Sie?«, fragte Jennerwein. »Bevor wir die Kugel nicht gefunden haben, gibt es ja keinen Anhaltspunkt.«

»Wir schießen mit Kaliber 5,45 mm. Die Wirkungen aller anderen Geschossgrößen können wir vor- und zurückrechnen.«

»Und warum haben Sie Ihr Blasrohr gerade an dieser Stelle platziert?«, hakte Stengele nach. »Wir haben doch keine Ahnung, wo der Schütze gestanden oder gelegen hat.«

»Auch dieser Ort ist der Simulationsmittelpunkt. Alle anderen Orte lassen sich von hier aus berechnen.«

»Ist das alles gerichtsverwertbar?«, hatte Jennerwein gefragt.

»Nein, natürlich nicht. Aber wenn es gilt, einen Verdacht zu erhärten oder zu entkräften –«

– ist das schon einmal ein paar Zehntausender an Steuergeldern wert, setzte Jennerwein im Geiste fort.

Gisela sprang ab und lag fast wie einer der Großen des Skispringens in der Luft. Und toll anzusehen war das schon, auch für die Nicht-Techniker im Team, wie man einen Haufen Räder und Blech, einen – mit Verlaub, Gisela! – Schraubensack dazu bringen konnte, solch einen Sprung zu machen, auf den mancher Sportler stolz gewesen wäre. Nun gut, ein paar Punktabzüge hätte sie sicherlich bekommen fürs Flattern und Rudern, für die nicht ganz lupenreine Haltung, für die nicht-humanoide

Eckigkeit. Und jetzt, am höchsten Punkt der Kurve, verriss es ihr auch noch den rechten Ski, das rostige Blasrohr unten hatte losgeballert, und sie kam dadurch total aus der Bahn. Aber total. Gisela gab auf. Sie schickte noch einen Schwall Messdaten zur Bodenstation, dann bewegte sich ihre Flugparabel auf den unvermeidlichen Nullpunkt zu.

Und auch der hartgesottenste Techniker in der Truppe Beckers wandte den Kopf ab und dachte an Åge Sørensen. Die entsprechenden Fernsehbilder waren noch zu präsent.

»Weiß man eigentlich, wie es ihm geht?«, fragte Nicole Schwattke. »Dem armen Dänen?«

»Das weiß niemand so genau«, erwiderte Jennerwein. »Er ist auf jeden Fall noch nicht vernehmungsfähig.«

In der Tat war Åge Sørensen, der nur drei Krähenschreie von hier entfernt lag, immer noch nicht bei Bewusstsein, sein Denken hatte sich mehr und mehr in die ursprünglicheren Windungen des Gehirns zurückgezogen. Bei seiner Suche nach Thor beugte sich Åge von seinem Apfelschimmel Gulltopp und fragte Thökkhild, die Wegweiserin, die wies mit ihrer sehnigen Hand auf einen bewaldeten Hügel in der Ferne. Im Zimmer blubberte, piepste und knackste es nach wie vor, und Åge (oder der Rest von Åge, denn der Hüne mit der Knochensäge hatte ganze Arbeit geleistet) war nicht allein. Die kleine Frau, die jetzt im Zimmer stand, war ebenfalls grünblau gewandet, vom kecken OP-Käppi angefangen bis hinunter zu den derben Clogs war sie den Engeln in Grünblau durchaus ähnlich, aber man sah ihr sofort an, dass sie keine Ärztin oder Pflegerin war. Sie beugte sich über Åge, und zwischen dem Keuchen des Beatmungsgeräts und dem Piepsen des EKGs sprach sie zu dem Bewusstlosen, der jetzt durch Krygalds ritt, dem Wald des Vergessens. Die kleine Frau musterte sein Gesicht und berührte es mit den Fingerspitzen. Dann drehte sie sich um und machte sich an einem der Infusionsschläuche zu schaffen. Es war eine gastrale Infusion, die direkt in den Magen ging und ihn so künstlich ernährte. Die kleine Frau öffnete eine Tupperware-Dose und zog mit einer Spritze etwas von dem dickflüssigen Brei auf. Sie zögerte kurz, stach mit der Spritze in den Schlauch und drückte den rötlichen Inhalt hinein, bis die Spritze leer war.

13

Lieber Herr Kommissar,

wie viele Briefe habe ich jetzt schon geschrieben und nicht abgeschickt! Ob ich diesen abschicke, steht auch noch in den Sternen. Ich frage mich oft, was Sie mit so einem Brief machen. Legen Sie ihn gleich beiseite – weil ja noch nichts passiert ist? Handeln Sie streng nach den Dienstvorschriften? Oder setzen Sie da schon mal ein Team dran?

Aber jetzt zum Fortgang meiner Aktivitäten. Ich bin da gerade an einer Sache dran, die mir interessant genug erscheint, dass sie uns beide beschäftigen könnte. Es ist ein relativ seltenes, aber umso nachhaltigeres Delikt mit großer Breitenwirkung, das, gut genug vorbereitet, beiden Seiten viel Freude machen könnte. Das Wort, das es dafür gibt, ist nicht schön, es klingt nachgerade brutal, viele Pfuscher und Dilettanten haben sich schon daran versucht und das Blut spritzen lassen. Ich will das alles eleganter machen, das können Sie mir glauben, Herr Kommissar. Sie müssen mir deshalb einfach noch ein bisschen Zeit geben, es bleibt Ihnen natürlich auch gar nichts anderes übrig, aber ich verspreche Ihnen: Es lohnt sich.

Bis bald, mit vielen Grüßen aus – ich sag mal: Grainau –
Ihr (baldiger) Täter

14

Niemand sang *Do not forsake me, oh my darling!*, aber trotzdem war es zwölf Uhr mittags, und Kommissar Jennerwein scharte die Ermittler um sich. Alle hatten in einem kleinen Gastronomiezelt Platz gefunden, das der Skiclub freundlicherweise zur Verfügung gestellt hatte. Aber es gab keine Zimtsterne und keinen Glühwein, vielmehr schüttete Ludwig Stengele, der Dienstälteste im Team, gerade einen Haufen gefüllter und beschrifteter Plastiktütchen auf einen Holztisch.

»Wie sieht es aus?«, fragte ihn Jennerwein. »Ihre Ausbeute scheint ja reichlich gewesen zu sein.«

Stengele war nicht so begeistert.

»Reichlich schon, aber wahrscheinlich im Ergebnis nicht befriedigend. Wir haben insgesamt fünfzehn Pistolenkugeln gefunden, an verschiedenen Stellen, übers Gelände verstreut. Ich denke, wenn man genauer sucht, findet man noch mehr.«

Jennerwein sah nur flüchtig hin. Er war keiner, der Spaß daran hatte, vom Aussehen einer Pistolenkugel auf die Lebensgeschichte des Schützen zu schließen. Die Fundstücke würden ohnehin noch im Labor untersucht werden. Aber schon stand Becker am Tisch und beugte sich mit einer Lupe über die Tütchen. Hier fehlte nur noch der Deerstalker-Hut.

»Interessant, äußerst interessant«, grummelte er und hielt ein Tütchen hoch. »Diese Kugel hier ist vollkommen verrostet, sie muss schon Jahrzehnte da gelegen haben. Sie stammt aus einem Luftgewehr und muss auf etwas sehr Stabiles aufgeprallt sein. Sehen Sie, wie abgeplattet sie ist? Und auch die anderen –«

Becker ließ sich sehr viel Zeit. Sherlock Holmes hätte in dieser Zeit drei Fälle gelöst und zwei Moriartys niedergerungen.

»– sind mindestens ein paar Monate alt.«

»Keine ist vor kurzem abgefeuert worden?«

»Nein, sicher nicht, aber wir untersuchen das noch genauer.«

»Eine Frage, Becker«, sagte Jennerwein, »nur für den Fall, dass der Ski zwar nicht mehr auftaucht, wir aber doch noch eine Kugel finden, die am Neujahrstag abgeschossen worden ist. Können wir in so einem Fall nachweisen, dass sie an einem Brett wie diesem aufgeprallt ist?«

Jennerwein deutete auf den Sprungski, den der Vertreter der Skifirma zur Verfügung gestellt hatte.

»Natürlich können wir das nachweisen, gar keine Frage. Aber dazu müssten wir die Kugel halt haben.«

»Dann holen wir eben Verstärkung«, schlug Stengele vor, »und durchsuchen das Gelände noch einmal genauer.«

»Der Aufwand ist mir zu groß«, sagte Jennerwein. »Wir müssten das Gelände mehrere Tage lang absperren, vielleicht sogar umgraben, und das alles nur auf einen vagen Verdacht hin. Wissen Sie, was das für einen tourismusfixierten Kurort wie diesen bedeutet? Die Presse zerreißt uns, der Bürgermeister frisst uns. Wenn es um Leben und Tod ginge, ja, dann würde ich sofort damit anfangen. Aber unter diesen Umständen –«

»Ich habe mal alle Funde zusammengestellt, die nach einem zersplitterten Ski aussehen«, sagte Nicole Schwattke in die Pause hinein. Sie schüttete eine Ladung weiterer Tütchen auf den Tisch, in denen Federn, Schrauben, Scharniere und anderer Krimskrams zu sehen waren. »Entlang der Laufbahn des Skis von Sørensen ist das alles gefunden worden.«

Jennerwein winkte dem Vertreter einer weltbekannten Skifirma, dem einzigen Zivilisten hier am Tatort. Der trat an den Tisch und schüttelte den Kopf.

»Nein, auf den ersten Blick kann ich kein Teil von dem Modell entdecken, mit dem Sørensen gesprungen ist. Ich müsste mir das alles nochmals genau ansehen. Aber –«

»Was aber?«

Der Vertreter der weltbekannten Skifirma hielt ein größeres Tütchen aus dem polizeilichen Weihnachtsbasar hoch, und seine Augen leuchteten.

»Das ist ein Teil einer Frenelli-Federzug-Bindung, die in den fünfziger Jahren noch hergestellt wurde. Wunderschön. Absolut unzuverlässig – es gab drei Todesfälle damit –, aber trotzdem, ein Wunderwerk deutscher Nachkriegs-Ingenieurskunst. Darf ich die behalten?«

»Das sind Beweismittel«, knurrte Stengele.

»Aber der Inhalt dieses Tütchens beweist doch nichts.«

»Bis ein Fachmann festgestellt hat, dass ein Beweismittel nichts beweist, ist es ein Beweismittel.« Stengele war nach diesem Satz fast ein wenig erschrocken über dessen poetischen Widerhall.

»Aber ich bin doch der Fachmann.«

»Wenn es Ihnen Freude bereitet, dann gehen Sie raus und suchen sich selbst etwas zum Sammeln und Spielen. Dieses Tütchen bleibt hier«, sagte Jennerwein und wandte sich von dem enttäuschten Vertreter der großen Weltfirma ab.

»Wie sieht es bei Ihnen aus, Ostler?«

»Mein Fund ist, wie soll ich sagen, ziemlich peinlich«, entgegnete dieser. »Die Hunde haben etwas aufgestöbert, dort hinten, fast am Waldrand.«

»Ja«, sekundierte Hölleisen kleinlaut. »Die beiden Mantrailer, Skylla und Charybdis, sind eigentlich auf den Ski von Åge Sørensen heißgemacht worden. Sie haben plötzlich gewinselt und gegraben. Wir haben mitgeholfen und plötzlich lag ein halbes Dutzend Knochen frei.«

»Ja«, fuhr Ostler fort. »Zuerst ist uns fast das Herz stehen geblieben.«

»Die Knochen hatten eine verdammt große Ähnlichkeit mit menschlichen Oberschenkelknochen.«

»Wie bitte?«

»Wir sind medizinische Laien. Kein Doktor weit und breit, drum haben wir schnell ein Handy-Bild gemacht und in die Gerichtsmedizin geschickt.«

»Und?«

»Die haben sich kaputtgelacht. Aber wir habens uns auch schon gedacht. Vor der Fundstelle steht bei den großen Sportveranstaltungen normalerweise eine ambulante Imbissbude.«

»Lassen Sie mich raten: Spezialität sind echt bayrische Kalbshaxen?«

»Ja. Und den Rest kann man sich denken. Wir haben die Knochen also nicht zu den Beweismitteln gegeben.«

Der Vertreter der weltberühmten Skifirma mischte sich wieder ein.

»Das wäre aber doch die perfekte Möglichkeit, Leichen verschwinden zu lassen. Man vergräbt sie nachts hinter einer Imbissbude, und bedeckt sie mit Kalbsknochen. Man zeigt den Fund selbst an, die herbeigeholten Polizeihunde schlagen an, aber nach der Untersuchung des ersten Knochens heißt es: Falscher Alarm –«

»Ich werde es mir merken«, sagte Jennerwein. »Wenn ich mal vorhabe, mein Team gegen ein anderes auszutauschen. Und nicht weiß, wohin mit dem alten. Jetzt aber weiter.«

Jennerwein blickte in Richtung von Kommandant Becker und seinen Digitalhusaren.

»Gisela hat ganze Arbeit geleistet«, sagte dieser. »Um ein Haar hätte sie den Schanzenrekord der Damen gebrochen.«

»Wie geht es ihr?«

»Sehr gut. Wir haben sie nicht auf den harten Boden stürzen lassen, wir haben ihr ein paar weiche Matten ausgelegt. Trotzdem hat sie die Überlebenschancen berechnet.«

»Und?«

»Drei Prozent. Aber das war ja gar nicht der Untersuchungsgegenstand. Kommen wir zur vorläufigen Auswertung. Wir wussten ja nicht, mit welchem Kaliber der Ski von Sørensen beschossen worden ist – oder sein soll. Ein Luftgewehr wars nicht, das reicht nicht so weit, und Old Shatterhands Bärentöter, der auf sieben Meilen Entfernung angeblich noch trifft, wird es auch nicht gewesen sein. Wir haben einen Mittelwert von 5,45 mm angenommen, das würde auch in etwa so eine Ablenkung bewirken, wie wir sie im Film gesehen haben. Bei Gisela reißt es jetzt den Ski ziemlich stark weg, sie ist ja nicht darauf programmiert gewesen, ihren Kurs zu halten und gegenzusteuern. Bei Sørensen hat es den Ski mit ähnlicher Wucht abgelenkt, aber der Däne hat kraftvoll und geschickt dagegengesteuert. Er hat es zwar nicht ganz geschafft, wie wir alle wissen – aber so ein schlechter Skispringer kann er nicht gewesen sein. Er hat schier heldenhafte Anstrengungen unternommen, dagegenzuhalten.«

»– immer vorausgesetzt, dass die These Angerers stimmt«, fügte Jennerwein hinzu. »Ich darf trotz aller sicherlich interessanten Funde und Befunde festhalten, dass wir heute überhaupt nichts entdeckt haben, was eine Fremdeinwirkung beweisen würde. Keine Kugel, kein Ski, kein weiterer Zeuge –«

Jennerwein machte eine ähnlich große Pause wie vorhin Becker. Alle warteten auf das entscheidende Massa-Wort, auf das Statement des Chiefs, auf die Rede des Großen Vorsitzenden. Jennerwein fasste sich kurz.

»– deshalb werde ich meinem Chef und der Staatsanwältin heute noch vorschlagen, die Ermittlungen einzustellen.«

Basta. Keine Kugel, kein Ski. Keine Blutspur, die sich vom Schanzengelände über den Richtertisch bis in die Einzelzelle einer abgelegenen JVA zieht, in der wildgewordene Sporthasser und Dänenschänder lebenslang dahinschmoren.

»Dann packen wir zusammen?«

»Ja.«

Es war jetzt früher Nachmittag, einige Schaulustige hatten sich inzwischen schon angesammelt, sie konnten jedoch nur noch den Rückzug des Teams beobachten.

»Entschuldigen Sie, sind die Polizisten hier echt?«, fragte einer, als Beckers Leute ein paar Kisten vorbeitrugen. »Oder wird da vielleicht ein Krimi gedreht? Das da drüben ist doch der Hugh Grant, oder?«

15

Kalim al-Hasid und sein Leibwächter Jusuf standen irgendwo auf der Welt zusammen, im üblichen Abstand von fünf oder sechs Metern, in Sprungweite, in Rufweite, in Schussweite. Irgendwo auf der Welt deshalb, weil es mit den Hotelfoyers inzwischen so ist wie mit den Fastfood-Restaurants: Drinnen errät man nicht einmal mehr den Erdteil, auf dem man sich gerade befindet. Doch es war nicht Jusufs Job, zu wissen, wo auf der Welt er sich gerade befand. Es war sein Job, Kalim al-Hasid lebend über den Tag zu bringen, wo auch immer. Jusufs Objekt hatte den lang erwarteten Sponsor im Gedränge der Hotelhalle endlich entdeckt, er winkte ihm, und die beiden setzten sich auf eine allesverschlingende Ledercouch. Es vergingen keine fünf Minuten, und Kalim formte mit den Händen eine monströse Sprungschanze, die weit aufs Meer hinausreichte. So muss Odysseus seinen Gefährten den Weg nach Ithaka erklärt haben, ohne allerdings, wie Kalim gerade eben, eine Blumenvase umzustoßen. Jusuf positionierte sich so, dass er die Eingangstüren im Auge hatte.

»Soll es denn dann eine Mattenschanze werden?«, fragte der Sponsor.

»Wo denken Sie hin, nein, keine Mattenschanze!«, erwiderte der kühne Dubaier Sportvisionär und versuchte das Blumenwasser aufzutupfen. »Es wird eine richtige, originale, nordische Skischanze mit weißem Schnee, mit Pulverschnee, mit Firn, mit Harsch, mit Lumi, was auch immer.«

»Was heißt eigentlich Schnee auf Arabisch?«, fragte der Sponsor.

»Sehen Sie«, fuhr Kalim fort, »wir Wüstenbewohner umschreiben das immer gern. *Die blendende Himmelsgabe, die im Abendland die Wege der Menschen verkürzt und ihre Herzen erhellt* – so etwas in der Art.«

»Gibt es kein kürzeres Wort für Schnee?«

»Ich habe vor, ein paar Dutzend Ausdrücke für *Schnee* ins Arabische einzuführen. Wenn der Schnee erst einmal da ist, werden sich auch Wörter dafür finden. Aber zunächst soll der Schnee einen unmittelbaren Eindruck auf die Menschen ausüben. Der Schnee muss so weiß sein, dass die Kinder auf die Auslaufbahn laufen und eine Schneeballschlacht veranstalten möchten.«

»Eine Schneeballschlacht mit künstlichem Schnee?«

»Künstlicher Schnee!«, rief Kalim al-Hasid entsetzt. »Wo denken Sie hin. Das passt nicht zu meiner Philosophie. Echter Schnee natürlich!«

»Echter Schnee in Dubai?«

»Wir werden – um nur ein Beispiel zu nennen – echten Allgäuer Schnee einfliegen lassen. Am Montag gibt es also Oberstdorfer Schnee, am Dienstag original *champagne powder* aus Calgary, am Mittwoch finnischen *firn-lumi* aus Tampere. Und dann: abgestimmte Produktlinien. Am ersten Tag wird es in den umliegenden Restaurants original Allgäuer Kässpätzle geben, am nächsten Tag die saftigsten amerikanischen Steaks, die man sich vorstellen kann, am dritten Tag –«

»Jetzt bin ich aber gespannt«, sagte der Sponsor.

»Sie Schelm haben mich drangekriegt!«, lachte Kalim. »Aber das Prinzip ist klar. Nur Originale, keine Fälschungen. Das ist meine Philosophie.»

Jusuf beobachtete weiter die hereinströmenden Hotelgäste. Er erfasste jeden, er checkte alle durch, auch die alte kleine gebrechliche Dame, die sich jetzt gerade durch die Schwingtür kämpfte, und die so unglaublich harmlos aussah mit ihren blau gefärbten Haaren, mit ihrem abgewetzten Köfferchen und ihrem schusseligen Getue. Gerade solche unglaublich harmlos aussehenden Erscheinungen checkte Jusuf besonders genau. Doch diese spezielle gebrechliche kleine Dame war wohl eine echte gebrechliche kleine Dame, und er ließ sie unbehelligt ziehen. Dann kam einer herein, der ganz cool sein wollte und einen Prospekt an der Rezeption studierte, doch seine kleinen, verstohlenen Blicke hin zu den Überwachungskameras im Hotelfoyer verrieten ihn als einen, der seinen Lebensunterhalt nicht im Gemüsehandel verdiente. Jusuf kannte ihn, es war ein kleiner Hehler im Kunstgeschäft. Eine Alarmstufe zurück. Keine Gefahr für sein Objekt.

Jusuf entspannte sich. Er dachte über die Ereignisse am Neujahrstag nach. Er hatte seinem Arbeitgeber Kalim al-Hasid nichts davon erzählt. Er wollte sich nicht in die peinliche Situation bringen, zugeben zu müssen, dass er die Situation überhaupt nicht im Griff gehabt hatte. Die ganze Geschichte war alles andere als eine Empfehlung für einen Personenschützer. Er hatte mit einigen der damals anwesenden Kollegen Kontakt aufgenommen, ein bisschen mit ihnen geplauscht und sie dann, nebenbei, so unauffällig wie möglich gefragt, ob ihnen etwas außer der Reihe aufgefallen wäre. Fehlanzeige. Niemand hatte etwas gesehen. Er hatte den Teppichfetzen aus der VIP-Lounge in einem Labor überprüfen lassen, die endgültigen Ergebnisse waren noch nicht da, aber der Chemiker hatte ihm schon mal gesagt, dass es tatsächlich Blutspuren auf dem Teppich waren, die ihm selbst damals als schwärzliche Verfärbung aufgefallen waren. Die Blutspuren konnten sogar von verschiedenen Personen stammen. Aber Jusuf hatte natürlich, anders als die

Polizei, keine Datenbank, mit der er die Spuren vergleichen konnte.

Jusuf hatte gehört, dass es in der Umgebung der italienischen Mafia einen Verrückten gäbe, der ein Netz aufgebaut hatte, das in der ganzen Welt Blut, Speichel und Fingerabdrücke von prominenten Zeitgenossen sammelte. Man konnte diese Dinge dazu verwenden, falsche Spuren zu legen, politische Entscheidungen herbeizupressen, um so auf höchster Ebene in den Lauf der Welt einzugreifen. Jusuf nahm sich vor, diesen Österreicher (und ein solcher war es) zu kontaktieren.

16

Rechner wurden heruntergefahren, Cinch-0,5-Genderchanger-XY4-Stecker wurden herausgezogen, Kisten wurden geschleppt, Wagen wurden beladen und Hauptkommissar Hubertus Jennerwein ging ein wenig beiseite, um über eine Kleinigkeit nachzudenken, die ihm noch im Kopf herumspukte. Bevor er seinen Chef anrief, um den Fall endgültig abzuschließen, wollte er noch einer letzten Spur nachgehen.

Er hatte schon am Morgen mit Maria telefoniert. Dr. Maria Schmalfuß war Polizeipsychologin und gehörte eigentlich mit zum Team. Man hatte sie nicht mitgenommen, weil der Fall zu vage schien. Jennerwein aber hatte Maria einen Auftrag gegeben. Jetzt rief er sie an, sie nahm schnell ab, sie hatte seinen Anruf schon erwartet.

»Was haben Sie über Sørensen herausbekommen, Maria?«

»Alles, Chef. Die dänischen Kollegen waren äußerst kooperativ. Åge Mikkel Sørensen, 24, abgeschlossene Ausbildung zum Sportlehrer, ledig, keine Freundin, keine Kinder, keine Drogen, keine Verstrickungen in Dopingskandale. Nicht vorbestraft, keine Kontakte zu irgendwelchen Halb- und Unterwelten. Wohnhaft in Skagen in Nordjütland, schuldenfreies Häuschen mit Blick aufs Meer. Eine stockbürgerliche Existenz.«

»Es gibt also niemanden, der einen Grund hätte –«

»Absolut niemanden, sieht man mal von seiner Mutter ab, die seine einzige Verwandte ist, und die im Falle von Åges Tod eine stattliche Summe von der Sportlerversicherung kassieren würde.«

»Eine Mutter, die mit einem Präzisionsgewehr quer durch Europa fährt, ihren einzigen Sohn beim Skispringen erschießt, um sich mit der Versicherungssumme in Nordjütland ein schönes Leben zu machen?«

»Wohl eher auszuschließen. Auch sonst gibt es kein plausibles Motiv, Sørensen umzubringen. Aber –«

Maria machte eine Pause. Jennerwein sah jetzt zu, wie Stengele und Schwattke von Schaulustigen genötigt wurden, für ein Urlaubsfoto zu posieren. Man war eben in einem Fremdenverkehrsort. Jennerwein hatte eine vage Ahnung, auf was Marias Aber hinauslaufen könnte.

»Nun?«

»Ich habe mir mal die Ergebnisse der großen internationalen Skisprung-Turniere in den letzten beiden Jahren angesehen, Chef. Bei solch einer luxuriösen Disziplin ist es wohl keine Überraschung, dass da immer wieder dieselben Namen auftauchen, vor allem ganz vorn an der Spitze.«

»Ich frage mich sowieso, was an der Sportart überhaupt spannend sein soll.«

»Unser bedauernswerter Musterdäne hat normalerweise nicht in der allerersten Liga mitgespielt«, fuhr Maria fort.

»Ich weiß: Er ist glücklich ins Finale gekommen.«

»Aber äußerst glücklich! Doch es gibt einen anderen Kandidaten, der normalerweise dabei gewesen wäre. Und ebenfalls nie ganz vorne mitgemischt hat. Ein Russe namens Juri Agassow, mit neununddreißig Jahren eigentlich schon zu alt fürs Springen, aber er ist ein harter Hund. Kein Wunder: Er hat seine Ausbildung an der Woroschilow-Militärakademie in Moskau absolviert.«

Jennerwein wurde hellwach.

»Militärakademie? Er war Soldat?«

»Ja, er hatte dort den Rang eines Generaloberst. Und den kann man in dem Alter eigentlich nur haben, wenn man für das *Komitet Gossudarstwennoi Besopasnosti* gearbeitet hat.«

»Also für den KGB.«

Jennerwein ließ die drei dröhnenden Buchstaben eine Weile im Raum stehen.

»Genau. Für den KGB«, fuhr Maria fort, »den es zwar seit Einundneunzig nicht mehr gibt, trotzdem ist dieser Juri Agassow ein *ehemaliger* KGB-ler, der nur zufällig *nicht* an der Stelle gesprungen ist, an der Åge Sørensen gesprungen ist.«

»Ich kann mir denken, worauf Sie hinauswollen, Maria. Versuchen Sie alles über Agassow herauszubekommen.«

»Da bin ich die ganze Zeit schon dabei, Chef«, sagte Maria. »Ich melde mich wieder.«

»Dosvidania, Marija.«

»Spassibo, Chubertus.«

Er klappte sein Mobiltelefon nachdenklich zu, dann ging er ins Gastronomiezelt. Dort standen die Spurensicherer um Becker und die konventionell ermittelnden Beamten um Stengele tatsächlich getrennt voneinander. Becker wandte sich an ihn.

»Neue Erkenntnisse?«

»Wie mans nimmt. Eine Spur, noch ziemlich unkonkret.«

»Wundert mich nicht: so ganz ohne Kugel!«

Die Spurensicherer grinsten, Becker wurde immer spottlustiger. Wenn er fachlich nicht gar so gut wäre ... Jennerwein musste jetzt sein Revier markieren.

»Es besteht ja auch noch die Möglichkeit, dass so ein glitzerndes Projektil, das im Schnee liegt, von einem Zuschauer bemerkt wurde, und er hat es als Souvenir mit nach Hause genommen.«

»Das ist möglich«, sagte Becker und grinste breiter. Er führte etwas im Schilde. »Ach übrigens: Habt ihr denn bei eurer eifrigen Suche die 5,45-er-Kugel gefunden, die wir mit dem Blasrohr auf Giselas Ski abgeschossen haben?«

Betretenes Schweigen.

»Diese Kugel, die ganz sicher abgeschossen wurde, ist von einem Dutzend Beamten nicht entdeckt worden? Vielleicht hat sie ja auch der Hund verschluckt«, spottete Becker. Die kriminalistischen Fußtruppen waren 0:1 im Rückstand.

Soweit zum Thema händische Ermittlungsarbeit, dachte Becker, und Jennerwein wusste, dass Becker das dachte. Und Becker wusste, dass Jennerwein das wusste.

»Meinten Sie die?«, fragte Jennerwein, griff in die Jackentasche und warf Becker ein Tütchen mit der 5,45-er-Kugel zu.

Drüben im Klinikum, im Zimmer des einbeinigen Åge, vermischte sich der zähflüssige rosa Brei, den Mutter Sørensen in den Infusionsschlauch gespritzt hatte, langsam mit der klaren Infusionsflüssigkeit. Schlierig wirbelte er sich nach unten, bis zur Magensonde und verschwand dort in Åges Bauch. Mutter Sørensen hatte ihrem Sohn eine gute Portion *Rødgrød med fløde* mitgebracht. Und der Pfleger hatte sich dazu überreden lassen, sie etwas von der dänischen Roten Grütze, die sie mit dem Pürierstab gemixt hatte, in die Infusion spritzen zu lassen. Die Leib- und Magenspeise Åges sickerte ein, Mutter Sørensen betrachtete das Gesicht ihres einzigen Sohnes. Sie glaubte zu bemerken, dass er zufrieden lächelte.

17

Die luftsüchtigen Gäste der Pension Alpenrose waren samt und sonders außer Haus, denn an diesem Januartag leuchtete der Himmel in einem so lebendigen Blau, wie man es sich als dunstgrau-gewohnter Stadtmensch nur wünschen konnte. Allein die Direktrice war im Haus, Frau Margarethe Schober las an der Rezeption in einem Groschenheft mit dem nachdenkenswerten Titel *Drei Herzen im Zwiespalt* und hörte dazu krachende Blasmusik, die aus dem Ghettoblaster tönte. Dadurch hatte sie vorher den Schuss nicht gehört, sie sollte durch die *Hitparade Deutscher Märsche* auch die weiteren Schüsse nicht hören. (Oder zumindest für einen besonders schneidigen Effekt des großen Beckens halten.)

Die einzigen Pensionsgäste, die sich im Haus aufhielten, waren die von Zimmer 12a, und als unten der *Tölzer Schützenmarsch* seinem brachial-stampfigen Höhepunkt entgegenkletterte, hatte der Terminator Xun Yü geschossen. Shan und Wong standen vor dem Bett. Sie hoben Dr. Steinhofers Kopf hoch und prüften die Augenreflexe. Es war nicht zu übersehen, dass er keine mehr hatte. Vorsichtig hoben sie ihn von Xun Yü herunter und legten ihn auf dem Boden ab. Der Terminator, der Führer ihrer Gruppe, ihr krimineller Kopf, wie es keinen zweiten in Chaoyang gab, hatte den tödlichen Schuss mit letzter Kraft abgegeben. Dann war er zurückgesunken in die Kissen und hatte das Bewusstsein verloren.

»Wir müssen die Kugel selbst herausholen«, sagte Wong.

»Oder wir schaffen einen neuen Arzt her«, sagte Shan.

»Das halte ich für zu riskant. Wir müssen operieren. Ich habe das schon einmal gesehen. Es muss sehr schnell und beherzt gehen.«

»Willst du es machen?«

»Ja, ich will es machen. Xun Yü ist noch nicht bei Bewusstsein und er sieht so aus, als ginge es ihm vorläufig nicht schlechter. Ich will deshalb die Operation vorher vorsichtshalber an einem anderen Objekt ausprobieren.«

Ein kleines schreckhaftes Blitzen erschien in Shans Augen.

»Nein, keine Angst«, sagte Wong, »ich gehe nur schnell zur Metzgerei um die Ecke.«

Mit den Metzgereien um die Ecke ist das aber jetzt in Bayern so eine Sache. Shan und Wong wussten nicht, dass sich in den bayrischen Fleischhauereien die geschwätzigsten Geschäftsleute des Ortes tummelten und dass man dort nicht einfach und wortlos ein Stück Schinken zum Probeschießen kaufen kann. Wong trat ein und die Metzgerin sprang ihn fast an, so kundenorientiert war sie.

»Was wollen der Herr denn?«

»Ich möchte zehn oder fünfzehn Kilo Fleisch.«

»Haben der Herr was Größeres vor? Wollen wir grillen?«

»Ja. Ich habe da draußen im Schaufenster ein Schweineviertel gesehen, das will ich kaufen.«

»Jetzt im Winter wollen Sie grillen? Andere Länder, andere Sitten, gell!«

»Geben Sie mir einfach das Stück da.«

»Ja, mit Freunden grillen macht immer mehr Spaß!«

»So ist es.«

»Aber das bekommen Sie ja gar nicht in den Ofen! Ich mach's Ihnen klein.«

»Nein, bloß nicht!«

»Wie Sie wollen. Kochen Sie nicht chinesisch?«

»Doch, doch.«

»Und ich dachte immer, die Chinesen schnetzeln alles.«

Wong hätte gedacht, dass das unauffälliger ging. Er packte die halbe Schweinehälfte auf die Schulter und ging zurück zur Pension Alpenrose. Frau Margarethe Schober war so vertieft in die *Drei Herzen im Zwiespalt*, dass sie nichts von der schweinernen Last des Chaoyangers mitbekam. Im Zimmer oben angekommen, packte Wong seinen Einkauf aus und beschoss ihn aus ein paar Metern Entfernung. Dann nahm er die Pinzette des alten Dr. Steinhofer und stocherte im Einschusskanal der Schweineschulter herum. Triumphierend hielt er nach einiger Zeit eine Kugel hoch.

»Probier es zur Sicherheit nochmals«, sagte Shan.

Wong schoss abermals auf die arme Sau, die doch auf einem gutbürgerlichen, schön arrangierten Mittagstisch landen sollte, als Medaillon vielleicht oder als klassischer Schweinsbraten, und nun auf eine Weise zweckentfremdet wurde, die sich die neugierige Fleischhackerin nie hätte träumen lassen. Und die durch ihre Verratschtheit auch ein bisschen in Lebensgefahr gekommen war.

»Und jetzt bei Xun Yü«, sagte Shan in bestimmtem Ton. Sie war zum Führer der kleinen Gruppe aufgestiegen.

Doch als er sich mit der Pinzette näherte, bemerkten Shan und Wong, dass Xun Yü die Augen geöffnet hatte.

»Habt ihr die Kugel schon entfernt?«, sagte er leise, aber deutlich. »Ich spüre keine Schmerzen mehr. Wer von euch hat mich operiert?«

»Niemand von uns hat dich operiert.«

Dass Xun Yü überhaupt keine Schmerzen mehr verspürte, das hätte Shan und Wong stutzig machen müssen, aber sie dachten sich nichts dabei und freuten sich für den Terminator.

»Ich bin noch etwas benommen, aber mir ist so, wie wenn alle Schmerzen auf einen Schlag weggeblasen worden wären.«

Er machte Anstalten, aufzustehen, sich zu reinigen, sich anzukleiden und die Führung der schlagkräftigen Dreiertruppe wieder zu übernehmen. Doch die Beine gehorchten ihm nicht, auch die Arme versagten ihren Dienst, Xun Yü konnte lediglich den Kopf bewegen. Er war querschnittsgelähmt. Die letzte Aktion des armen Dr. Steinhofer war erfolgreich gewesen: Durch den Stich mit letzter Kraft hatte er eine inkomplette Halsquerschnittslähmung S 14 bei seinem Peiniger herbeigeführt. Das Skalpell war stecken geblieben, doch auch das spürte der Terminator nicht mehr.

»Du weißt, was eine solche Lähmung bedeutet?«, sagte Shan.

»Ja, das weiß ich.«

»Bei guter ärztlicher Betreuung hast du durchaus Überlebenschancen. In Chaoyang gibt es Spezialkliniken –«

»Und wie wollt ihr mich nach Chaoyang bringen, ihr Hohlköpfe?«, unterbrach Xun Yü unwirsch. »Das Projekt, das wir durchführen wollen, muss ohne mich weitergeführt werden.«

»Dann wäre mein Vorschlag der«, sagte Wong nach einer Pause, »dass wir dich ein paar hundert Kilometer von hier wegbringen und dich vor irgendeiner Klinik aussetzen. Du gibst dich als Opfer der Sun-Yee-On-Triaden aus. Und bis die Fährte hierher aufgenommen werden kann, haben wir Zeit, unsere Spuren zu verwischen und zu verschwinden.«

»Nein, so werden wir es nicht machen«, sagte Xun Yü in befehlsgewohntem Ton. »Die Gefahr, dass unsere Pläne entdeckt werden, ist zu groß. Das Projekt, das das Ansehen unseres Landes mehren wird, darf nicht gefährdet werden.«

Er hielt nun eine Rede vor seinen beiden Kadetten, in der es um heldenhafte Aufopferung ging, um die Unterordnung unter größere, weitreichendere Ziele und um die Ehre Chaoyangs.

»Wir haben die Aktion gut vorbereitet, Freunde«, sagte er mit bebender Stimme. »Du, Wong, hast hervorragende Arbeit geleistet. Und auch du, Shan, hast deine Aufgabe glänzend gemeistert. Ich weiß nicht, welche feige und hinterhältige Ratte es war, die auf mich geschossen hat. Aber das ist nicht so wichtig. Wichtig ist, dass die Olympischen Spiele im Jahre 2018 in Chaoyang stattfinden.«

Xun Yüs Stimme war jetzt so markig geworden, dass sie für die Ansprache auf einem Appellplatz gereicht hätte.

»Unser kühner Plan, einen Anschlag auf Jacques Rogge durchzuführen, wurde vereitelt. Aber wir haben einen Plan B, denn Rogge kommt im Frühjahr noch einmal hierher in den Ort. Holt Hilfe und greift ihn ein zweites Mal an. Führt den Plan ohne mich zu Ende.«

Shan und Wong schwiegen betreten.

»Wir erschießen dich also«, sagte Wong leise.

»Nein«, sagte Xun Yü, »erschießen ist nicht ehrenvoll für einen verdienten Mann wie mich. Verwendet das Ka-to, ihr wisst den Weg ins Herz.«

»Jetzt gleich?«, fragte Wong.

»Jetzt gleich«, sagte Xun Yü.

Und so musste es wohl auch geschehen. Xun Yü, der Terminator, war der Chef. Sein Wort galt. Wong holte sein *Gnadgott* heraus, setzte die Spitze an der Brust Xun Yüs an und stieß zu. Der terminierte Terminator hatte keine Schmerzen, doch es war etwas schiefgegangen, Blut rann ihm aus dem Mund, aber er lebte noch. Wong zog das kleine Rapier heraus und wollte es noch einmal versuchen.

Es klopfte an der Tür.

»Ich habe die Tiefkühltruhe saubergemacht«, schrie Frau Margarethe Schober von draußen. »Wollen Sie sie gleich rauftragen?«

Shan und Wong gingen zur Tür und öffneten. Sie hatten sich die Haare zerzaust und taten so, als wären sie gerade bei einem der Liebesspiele des alten Pai-Ti-O'o gestört worden. Wong hatte sogar die Hose geöffnet.

»Übertreib es nicht«, hatte Shan gesagt.

»Ach so«, sagte Frau Schober und sah an Wong herunter.

»Macht nichts«, sagte Wong.

»Überhaupt nichts«, sagte Shan. »Wir sind ohnehin fertig. Wir kommen gleich mit.«

Die beiden gingen mit, in den Keller, Frau Schober musste erst eine Tür aufsperren, sie bestand darauf, die Funktionsweise der Tiefkühltruhe anhand der Gebrauchsanweisung zu erklären. Die beiden trugen die Tiefkühltruhe über die Treppe hinauf, setzten sie vor der Tür ab und unterhielten sich noch einige Zeit höflich mit der Pensionswirtin. Sie wollten auf keinen Fall irgendein auffälliges Verhalten an den Tag legen. Als sie schließlich gegangen war, stürzten Shan und Wong atemlos ins Zimmer und mussten feststellen, dass Xun Yü inzwischen gestorben war. Die aufgerissenen Augen und der verzerrte Mund verrieten einen qualvollen Tod. Er war erstickt. Es war das erste Mal, dass Wong mit seinem Ka-to nicht richtig getroffen hatte.

Die Tiefkühltruhe von Frau Schober war fast zu klein für zwei Leichen, Wong hatte einige Mühe, beide hineinzupressen. Shan, die Lotusblüte, setzte sich an den Tisch, klappte ihre Reiseschreibmaschine auf und begann einen Brief zu schreiben.

18

Ilse Schmitz fluchte, sie war im Netz gelandet, knapp einen Meter über der tosenden Wasseroberfläche, und weil sie momentan niemand hören konnte, fluchte sie wie ein Oberammergauer Holzschnitzerlehrling. *Kreizkruzifixalleluia* war noch der druckbarste Fluch. Hier unten in der Höllentalklamm war es eisig kalt, wenn nicht bald jemand mit einer warmen Decke käme, würde sie sich einen derben Schnupfen holen, die nächsten drei Tage krank im Bett liegen, an wichtigen karrierefördernden Gesprächen nicht teilnehmen können, deshalb nicht in den mittleren Führungskreis aufsteigen, sich das Haus am Starnberger See nicht mehr leisten können – oder zumindest keinen neuen Winterwhirlpool einbauen lassen können. Beim Herunterstürzen hatte sie ihre schönen jungsteinzeitlichen Fell-Stilettos verloren, am meisten fror sie deshalb an den Füßen, sie fühlte, wie die Erkältung von dort aus ihren Anfang nahm und sich über die ganze restliche Ilse Schmitz ausbreitete. Gerade gestern war sie noch beim Friseur gewesen, jetzt war sie patschnass, und ihre spiralig herunterfallenden Locken (die Risikobereitschaft und Taffheit ausdrücken sollten, wie der Imageberater gesagt hatte) klebten ihr an der Backe. Frau Ilse Schmitz, die Stellvertreterin der zweiten Personalchefin der Firma QQu, die unbedingt eine erste solche werden wollte, rollte sich ungeschickt herum und beschloss, allein und ohne fremde Hilfe vom Sicherungsnetz herunterzuklettern – vielleicht brachte das ja noch ein paar zusätzliche Punkte bei einem solchen *high risk adventure event*.

Früher einmal waren Skifahren, Wandern und Klettern naturgemäß die sportlichen Hauptangebote eines alpenländischen Tourismuszentrums, früher, viel früher – doch mit solch abgestandenen Fortbewegungsarten konnte man die Jungen (das waren für den Kurort die unter sechzig) nicht mehr locken. Die Geschäfte der Agenturen, die so etwas noch anboten, liefen auf Grundeis. Der klassische Bergführer mit Knebelbart und langem Stock hatte längst ausgedient. In einem nächsten Schritt hatten sich abgehalfterte Sportgrößen über das Rafting, Trekking und Base-Jumping hergemacht, doch auch solche Großmuttersportarten waren inzwischen out. Denn wie würde es sich in Barcelona beim Manager-Meeting ausnehmen, wenn man erzählte, dass man mit Rosi Mittermaier beim Slow-Walking Eichkätzchen gefüttert hätte? Uncool. Gut hingegen konnten sich auf dem Outdoor-Event-Markt workshopbegleitende, gefährlich anmutende Adventurespiele behaupten, und genau auf dieser Welle ritt die Münchner Incentive- und Eventagentur *IMPOSSIBLE*. Sie bot besonders ausgefallenen Nervenkitzel für Extremtouristen an, im Programm standen: Nacktklettern, Steilwandpolo, historisches Berggehen, Wanderung mit ungeeignetem Schuhwerk, Lawinenhopping auf künstlichen Lawinenabgängen, Bergbahnsurfen, Weinverkostungen in reißendem Wildwasser, Hochgebirgslesungen, inszenierte Begegnungen mit Bären und Yetis und viele andere mondäne Verrücktheiten mehr, die sich hauptsächlich an ein verwöhntes Business-Publikum richteten.

Das Fremdenverkehrsamt des Kurorts war begeistert, zog man doch durch solche Aktivitäten ein neues, zahlungskräftigeres Publikum an. Selbst die Unfälle, die ab und zu passierten, warben indirekt für den Tourismus: In den Bergen geht es eben gefährlich zu, das ist das Wesen von beidem, der Wirtschaft und den Alpen. Und auch Bergsteigen ist eben kein Halma.

Frau Schmitz hatte hier im Kurort an einer Tagung zum Thema Personalführung teilgenommen, einen Workshop mit dem Titel *Unser Personal – unser Kapital* besucht, was eine Umschreibung dafür war, wie man die luschigsten Luschen im Arbeitsleben schnell und ohne juristische Nachspiele wieder losbringt. (Oder, auf höhere Ebenen, auf Positionen hievt, wo sie keinen Schaden mehr anrichten können, die Luschen.) Es wäre ein No-go gewesen, nicht an dem angegliederten Event »Ab in die Jungsteinzeit« teilzunehmen. Kaum jemand konnte die Frage beantworten, was der tiefere Sinn von solchen teuren Spielen war, aber irgendwie hielt sich die von Arbeitspsychologen verbreitete These, dass sie teambildend seien.

Es hatte eine Einführung gegeben, man musste das Gebrüll eines gefährlichen Säbelzahntigers von dem eines ungefährlichen Mammuts unterscheiden, floh man vor dem zweiteren, gab es Punktabzug. Bei einem *adventure* tödlich verletzt zu werden, gab ebenfalls Punktabzug. Inwieweit dies in die wirkliche Personalbeurteilung einfloss, konnte niemand sagen, aber jemand, der dauernd abstürzte, von Kannibalen aus Oberammergau in den Kochtopf gesteckt wurde, getötet, gehängt, gepfählt wurde wie Frau Schmitz, die Frau mit dem Lederhut, würde auch sicher nicht in den engeren Kreis der Personalmanager gewählt werden. So dachte sie sich das und sah sich schon wieder ohne Whirlpool in der Gosse sitzen. (Und das Mädchen mit dem Schakalsgesicht, ihre Hauptkonkurrentin in der Firma QQu, beugte sich zu ihr herunter, und flüsterte ihr eine Unverschämtheit ins Ohr.)

Jetzt endlich kamen zwei Helfer der Agentur *IMPOSSIBLE* in grellen Westen den Weg herauf, der durch die Höllentalklamm führte.

»So, Frau Schmitz, sind wir wieder einmal tot?«

»Ja, scheint so«, sagte die klatschnasse Personalmanageranwärterin zerknirscht und ließ sich herausziehen. Eine Decke wurde ihr umgeworfen, einer der Helfer reichte ihr Tee und Traubenzucker.

»Das nächste Mal, Frau Schmitz, das nächste Mal, da klappt es bestimmt.«

Man kannte sich, die Agentur *IMPOSSIBLE* hatte schon einige Events für die Firma QQu durchgeführt, die Personalabteilung stellte ihre Manager ausschließlich aufgrund der Ergebnisse der *adventures* ein.

Die Helfer mussten die durchweichte und abgestürzte Ilse die Höllentalklamm hinuntertragen, denn sie war barfuß und der Weg war vollkommen vereist. Im Jeep, der sie ins Hotel fuhr, schlief sie ein.

»Was hat der nächste Event für eine Gefahrenklasse?«, fragte einer der beiden Helfer.

»Du meinst *Auf den Spuren des Märchenkönigs*? Das ist Gefahrenklasse II, eine historische Wanderung zum Jagdschloss auf den Schachen – mit einem Schlitten, Zithermusik, frisch geschossenem Wildbret und einem Überraschungsgast.«

»Und wer ist dieser Überraschungsgast?«

»Ich habe gehört, dass sie Pierre Brice engagiert haben.«

Der edle Wilde und Mädchenschwarm der auslaufenden Sechziger, Winnetou, der Häuptling der Apachen, war der Dauerbrenner in der Agentur.

19

Der Geländewagen der Agentur *IMPOSSIBLE* bretterte nun durch den Kurort, um die tropfnasse Ilse Schmitz ins Hotel zu verfrachten. Sie und die beiden *Adventure Scouts* achteten dabei nicht auf den unscheinbaren Mann in altmodischem Staubmantel, der gerade auf dem Weg zum Bahnhof war. Jetzt blieb er auf dem Fußweg stehen und drehte sich langsam zu jemandem um, der ihn von hinten angesprochen hatte.

»Ja bitte?«, sagte Kommissar Jennerwein zu der Gestalt, der man sofort ansah, dass sie gewohnt war, in der Öffentlichkeit aufzutreten.

»Mein Name ist Toni Harrigl«, sagte die Gestalt, »Mitglied des Gemeinderats hier im Kurort, Fraktionsvorsitzender der Partei, Vorsitzender des Eisstockclubs, zweiter Vorsitzender des Hotel- und Gaststättenvereins, ehemaliger Ehrenpräsident und Trainer der Eishockey-B-Jugend, zweiter Kassier der örtlichen Sektion des Alpenvereins, Abteilungsleiter der Skeet-Abteilung des Sportvereins –«

»Ich muss zum Zug«, sagte Jennerwein.

»Ich erzähle Ihnen ja bloß, wie ich hier vernetzt bin. Ich repräsentiere diesen Ort. Ich bin seit Generationen schon hier. Und nicht als Privatperson, sondern als Repräsentant der lokalen Interessen muss ich mit Ihnen reden.«

»Und woher kennen Sie mich?«

»Ihr Bild war in allen Zeitungen, Hauptkommissar.«

»Ach so? Das wusste ich nicht.«

»Mehrmals. Und ich frage Sie jetzt in meiner Eigenschaft als eingefleischter Bürger, als gewählter Repräsentant der Mehrheit der Bevölkerung, wie es im Fall Sørensen weitergeht.«

Es geht gar nicht weiter, dachte Jennerwein. Euer siebengescheiter Willi Angerer wollte einen Fall draus machen, nicht ich. Laut sagte er zu Harrigl:

»Die Ermittlungen sind abgeschlossen, der Verdacht auf eine Straftat konnte nicht erhärtet werden. In Übereinstimmung mit der Staatsanwaltschaft wurden die Ermittlungen deswegen eingestellt.«

»Sie graben alles um, und dann stellen Sie die Ermittlungen ein?«

»Ja, und zwar in dieser Reihenfolge.«

Jennerwein verlor langsam die Geduld. Für ihn gab es wirklich keinen Fall Sørensen mehr, vor allem, als sich auch noch herausgestellt hatte, dass die Spur nach Russland, die Spur zu Juri Agassow, keine heiße Spur war. Es war überhaupt keine Spur, es war ein Holzweg. Agassow war nie beim KGB gewesen, zum Generalmajor war er nachgewiesenermaßen wegen seiner großen Verdienste um den russischen Skisport befördert worden, er war nur pro forma beim Militär, bei einer reinen Sporteinheit, und hatte vermutlich in seinem Leben noch keine Kalaschnikow in der Hand gehabt.

»Ich habe mich gleich gewundert«, hatte Nicole Schwattke gelästert, »dass er auf den Fotos keine Zobelpelzmütze mit einer Lenin-Anstecknadel drauf trug.«

Agassow war ein Saubermann, das hatte Jennerwein nach einer Anfrage beim BKA am Samstag erfahren. Der Russe hatte zwei Fachbücher über den Skisprung veröffentlicht, war verheiratet, hatte mehrere Kinder, war in keine Drogen- und Dopingskandale verstrickt, sein einziger Luxus war eine kleine Datscha in Sotschi mit Blick aufs Schwarze Meer – alles ähnlich bürgerlich wie bei Sørensen, bloß russisch.

Nachdem die Ermittlungen am Samstagmittag abgeschlossen waren, hatte sich Jennerwein entschlossen, ein geruhsames Wochenende im Gästehaus Edelweiß zu verbringen. Jetzt war er auf dem Weg zum Bahnhof und wollte sich wieder Fällen in den üblichen beengten Räumen zuwenden, vollgestopft mit Leichen von Nebenbuhlern und Kronzeugen, Mitwissern, Erbtanten, Erpressern –

»Wissen Sie, so einen Wirbel können wir nämlich hier nicht brauchen.«

»Bitte sagen Sie mir, was Sie von mir wollen, Herr Harrigl. Haben Sie eine Zeugenaussage zu machen?«

»Nein, habe ich nicht, ich meine halt bloß. Weil ich Sie hier grade treffe.«

»Ich bin auf dem Weg zum Zug. Ich habe einen wichtigen Termin.« Und zwar den wichtigsten Termin seit langem, dachte Jennerwein. Einen ganz privaten Termin. Eine Unterredung, um die er sich schon lange gedrückt hatte. Eine Aussprache, zu der er sich jetzt endlich durchgerungen hatte.

Im Grunde genommen haben alle Polizeiermittler einen Defekt, eine dunkle Stelle, einen Schatten, einen Schmiss, eine hinter vorgehaltener Hand geflüsterte Unregelmäßigkeit. Vielleicht kann man sie auch nur dadurch auseinanderhalten. Ausgestorben ist der Kommissar ohne Fehl und Tadel, und die Schrammen, Macken, Außergewöhnlichkeiten und Fehlfarben, die Deformationen und Renoncen sind vielfältiger Art. Manche Kommissare haben Übergewicht, Höhenangst oder Beziehungsprobleme. Ermittler sind auch gerne alkoholkrank, einäugig, dezent drogensüchtig, leben in abschüssigen Ehen, kleben trotz heroischer Arbeit seit Jahren in derselben Gehaltsklasse fest oder sind einfach nur weit über fünfzig. Manche leiden an ihrem falschen Geschlecht, Parteibuch oder Sternzeichen, andere können kein Blut sehen, keine spätgotischen Bauwerke oder keine spitzen

Messer. Einige schaffen es nicht, das Rauchen aufzugeben oder haben einfach nur Pech mit ihrem Team, mit ihrem Chef oder mit ihrem eigenen Temperament. Irgendetwas ist immer, und auch bei Kommissar Jennerwein war etwas. Dieses Etwas hieß Akinetopsie, und er hatte ziemlich daran zu knabbern.

Er litt an einer schweren Wahrnehmungsstörung, die bei ihm nur deshalb nicht zum sofortigen Vorruhestand mit ewigen Spaziergängen rund um alpenländische Seen geführt hatte, weil niemand außer ihm davon wusste. Sie war bisher selten aufgetreten, und vor allem glaubte er, sie ganz allein und ohne fremde Hilfe in den Griff zu bekommen. Er hatte insgesamt nur fünf solcher Anfälle gehabt, dann aber waren sie heftig und verstörend gewesen. Ein Wort zum Polizeiarzt, und er hätte den Dienst, seinen heißgeliebten Polizeiberuf, auf der Stelle quittieren müssen. Ein Gespräch mit einem Psychiater, und er hätte vielleicht sogar befürchten müssen, nachhaltig aus dem zivilisatorischen Verkehr gezogen zu werden. Er hatte eine ausgesprochen seltene Behinderung, eine Störung des Bewegungssehens, bei der die Umgebung nicht in Form eines Films, sondern in Form eines Comic Strips erscheint. Bei einem Akinetopsie-Anfall springt die Welt von Bild zu Bild, und die Momentaufnahme bleibt längere Zeit stehen, während die Geräusche rundherum ungerührt weiterlaufen. Jennerwein fuhr deshalb nicht Auto, er unternahm keine größeren Reisen, er vermied ausgesetzte Bergtouren – aber er hielt hartnäckig am Polizeidienst fest. Während eines Einsatzes hatte ihm seine Akinetopsie sogar einmal das Leben gerettet. Und genau dieser Vorfall war zu seiner allergrößten Ausrede geworden, nicht zu einem Arzt zu gehen.

Aber jetzt hatte er sich durchgerungen. Er hatte mit sich und seinen Bedenken gekämpft während dieses Wochenendes, auf einsamen Spaziergängen im Loisachtal hatte er sich etwas vorgenommen. Er wollte sich jetzt endlich mit Maria treffen, der Polizeipsychologin Dr. Maria Schmalfuß, einem Mitglied seines kleinen Teams, zu der er inzwischen Vertrauen gefasst hatte. Er hatte sich auch schon die Anfangssätze zurechtgelegt, die dringende Bitte um Diskretion, die Besprechung des Falles in der dritten Person. Er war auf dem Weg zum Zug, der Punkt 10.04 Uhr nach München fuhr. Jetzt war es 09.55 Uhr.

Toni Harrigl, der so fest in der Gemeinde verwurzelt war, hatte sich nochmals vor ihm aufgebaut.

»– Mitglied des Volkstrachtenerhaltungsvereins, stellvertretender Löschzugführer der freiwilligen Feuerwehr, zweiter Vorstand des SC Riessersee, Mitglied im *Komitee pro 2018* –«

»Haben Sie eigentlich Familie?«, fragte Jennerwein.

»Aber natürlich«, sagte Harrigl, »meine Frau ist Präsidentin des Tennisclubs, zweite Vorsitzende des Bogenschützenvereins, ständige Aktivistin der Initiative *Ja zur Alpenolympiade*, Mitglied des –«

»Ja, schon gut, ersparen Sie mir das«, unterbrach ihn Jennerwein zerstreut. Denn das Wort *Bogenschützenverein* hatte sich in irgendeiner der zehn Milliarden Synapsen, die einem Ermittlerhirn gemeinhin innewohnen, festgehakt und arbeitete dort still weiter. »Jetzt sagen Sie mir, was Sie wollen, Herr Harrigl, ich muss wie gesagt zum Zug. Und der fährt in fünf Minuten.«

»Ja, genau. Sie fahren jetzt weg und hinterlassen hier einen solchen Saustall.«

Jennerwein musste sich sehr beherrschen, nicht laut zu werden. Er atmete durch, dachte an angenehme Dinge und sagte:

»Der Begriff *Saustall* trifft meines Erachtens nicht ganz den Sachverhalt. Welchen Saustall haben wir angerichtet, der nicht schon da gewesen wäre?«

»Haben Sie den Fall nicht zu vorschnell abgeschlossen? Was ist mit Agassow, dem Russen?«

»Was soll mit dem sein?«

»Sørensen hatte genau den Startplatz, den Agassow normalerweise hat. Haben Sie das überprüft?«

»Ja, das haben wir überprüft«, sagte Jennerwein beherrscht.

»Überprüft schon, aber wie! Hatten Sie dazu überhaupt die Mittel? Ich kann Ihnen helfen. Ich kann meine Beziehungen zum Innenministerium spielen lassen.«

»Doch nicht etwa gar zum bayrischen?«

»Sie sind nicht in der Position, patzig zu werden.«

Ich wäre aber in der Position, dich achtundvierzig Stunden ohne Begründung einzulochen, dachte Jennerwein fast. Dieser Gedanke nahm jedoch keine Gestalt an. Der Gedanke rund um das Wort *Bogenschießen* verfestigte sich hingegen weiter.

»Wenden Sie sich an die zuständige Staatsanwältin!«, sagte Jennerwein zu dem wackeren Vereinsmeier, und bevor der etwas antworten konnte, drehte er sich um und ging.

»Ja, genau das werde ich tun!«, rief ihm Harrigl nach. Als Jennerwein am Bahnhof angekommen war, fuhr der Zug am Gleis 1 gerade ab. Er wählte Marias Nummer.

»Ich komme erst mit dem nächsten Zug.«

»In Ordnung, Chef. Ich dachte nur, es ist etwas Wichtiges.«

»Bis dann, Maria.«

Er legte auf. Er war eigentlich ganz froh, dass die Psychologin auf diese Weise nur noch eine halbe Stunde Zeit zum Gespräch hatte. So konnte er sich kurz und knapp fassen, dachte er. *Bogenschießen.* Das Wort rumorte weiter in irgendeinem Areal seines Hirns. Er ging noch ein wenig spazieren und versäumte dadurch auch den nächsten Zug. Er rief Maria abermals an und sagte den Termin ganz ab. Bogenschießen. Vielleicht haben wir die Kugel ja deshalb nicht gefunden, dachte Jennerwein, weil Sørensen mit etwas anderem beschossen worden ist als einer Projektilwaffe.

20

»Wieso musste es aber gerade ein Tennisturnier sein, Herr Bürgermeister? Ein Grand-Slam-Turnier in einem Wintersportort? Die ganzen Aufbauten, der ganze Aufwand – mit dem Geld hätte man doch –«

»Herrschaftszeiten, verstehen Sie, Fräulein, wir haben das Tennisturnier hier veranstaltet, weil wir ein anderes Image – weil wir uns nicht auf den Wintersport reduzieren lassen wollen –«

»Wer reduziert Sie denn auf den Wintersport?«

»Ja, Sie zum Beispiel, jetzt grade vorhin, und überhaupt die ganzen Medien: Immer ist nur vom *Winter*sportkurort die Rede, vom *Ski*paradies, von der *weißen* Hölle oder gleich von den Olympischen *Winter*spielen 1936. Wie das schon klingt: 1936! Neunzehnhundert! Sechsunddreißig!«

»Wie klingt das denn?«

»Ja, grauslig klingt das. Wie wenn wir etwas damit zu tun gehabt hätten.«

»Herr Bürgermeister, seien Sie doch froh, dass es eine Hochsaison im Winter gibt, im Sommer haben Sie dann ein bisschen Zeit und Muße –«

»Zeit und Muße? Ja, zum Schluss sind wir im Sommer dann die Einzigen, die noch da sind.«

»Wäre das so schlimm?«

»Ja freilich wäre das schlimm, wir machen ja keinen Umsatz mit uns selbst, kein Einheimischer geht zum Beispiel in die Hotels hier. Wir haben ja auch ein Sternelokal hier im Ort, da geht auch kein Einheimischer rein. Ich war ja selber noch nicht drin.«

»Warum das denn? Ist es so schlecht?«

»Nein, es ist so gut wie alle anderen. Aber wenn ich als Bürgermeister da hineingehe, muss ich in alle anderen auch hineingehen, auch in die schlechten.«

»Es gibt also doch schlechte? Grade haben Sie noch gesagt: Es ist so gut wie alle anderen.«

Die Radioreporterin schaltete das Aufnahmegerät aus. Es sollte ein lockeres Interview werden, für eine lockere Sendung, doch jetzt war der Bürgermeister ins Schwitzen gekommen, hier in der Bäckerei Krusti, in der es selbstverständlich eine *Bürgermeister-Semmel* gab, eine Nachbildung seines ortsbekannten Charakterkopfes, in die mancher verstreute wackere Sozialdemokrat herzhaft hineinzubeißen Gelegenheit hatte. Das Radiointerview sollte hier, mitten im Ort, zwischen den Bürgern stattfinden, der Bürgermeister hatte sich, Volksnähe demonstrierend, darauf eingelassen. Aber die Ohren an den Nachbartischen waren immer größer geworden, die Gespräche waren verstummt, einige der Lauscher waren sogar näher gerückt. Was als eine lockere Befragung zwischen zwei magistralen Terminen begonnen hatte, näherte sich einem inquisitorischen Interview, er war eingezwängt in seine eigene Leutseligkeit.

Er war so eingezwängt wie der Kurort selbst, dessen geographische Lage als zentral *und* abgelegen gleichzeitig bezeichnet werden kann. Im Süden und im Osten dräuen die wuchtigen Berge, die die Grenze zu Österreich bilden. Nimmt man einmal den Föhn aus, kommt aus diesen Himmelsrichtungen kaum jemand auf die Nordseite der Alpen, finden doch die Rotweißroten weder landschaftliche noch kulturelle noch sonst welche Gründe, zu den Piefkes zu fahren. Im Westen: das Allgäu. Nicht viel mehr als ein paar Waldwege führen dorthin, nach ein paar Kilometern schwäbelt es schon kräftig in der quellgrünen und milchweißen Natur, und die Alemannischen, sonst in der ganzen Welt unterwegs, verirren sich selten in den Kurort. Der einzige nennenswerte Zu- und Abfluss ist im Norden zu finden. Und von daher wälzen sich also die Touristenlawinen durch künstlich mittelalterlich gehaltene Handelsgässchen und Winkelwege, stauen sich vor den bekannten Engpässen – um mehrheitlich dann doch nach Italien weiterzufahren.

Dieser Widerspruch zwischen dörflicher Abgelegenheit und globaler Mittigkeit führte dazu, dass einiges an internationalem Publikum da war, und es war nicht irgendein Publikum, nicht ein paar holländische Zwangscamper oder irische Guinnessdosen-Rucksackler, sondern richtig geldige Ansiedler und Großeinkäufer von Grund und einem *Sach*, wie der Bayer zu der Immobilie sagt. (Sonderbarerweise redet er, wenn die Immobilie größer ist, von einem *Sachl.*) Da waren die Amerikaner mit ihrer Garnison, die sich seit dem Ende des Krieges immer noch gehalten hat. Da waren einige arabische Scheichprinzen, die sich mit ihrem Gefolge an den Sonnenhängen niedergelassen und einen uneinsehbaren Staat im Dorf aufgemacht hatten. Und da waren seit neuestem viele Russen, Weißrussen und Ukrainer, die sich in einige marode Hotels eingekauft und diese renoviert hatten. Und diesem internationalen Publikum wollte man eben etwas bieten.

»Das mit dem Tennisturnier ist noch gar nichts«, flüsterte der Bürgermeister verschwörerisch hinter vorgehaltener Hand.

»Ach ja?«, sagte die Funkjournalistin und schaltete das Aufnahmegerät wieder ein. »Was kann denn da noch kommen?«

»Im Sommer werden wir ein Paragliderfestival veranstalten. Zweitausend Teilnehmer haben sich schon angemeldet. Die Drachen- und Gleitschirmflieger bewerben sich bekanntlich schon lange darum, als olympische Disziplin anerkannt zu werden. Und über dem ganzen Talkessel wird es Dutzende von Flugdemonstrationen geben. Zielspringen, Höhenrekordflüge, Military Gliding –«

»Was ist denn das?«

»Das muss man sich wie Biathlon vorstellen, nur geht es eben in der Luft von Schießstand zu Schießstand.«

»Military Gliding. Kann sich so eine Randsportart überhaupt durchsetzen?«

»Jacques Rogge, Sie wissen schon, der IOC-Präsident, der hat schon zugesagt, sich das einmal anzusehen.«

»Und Sie meinen: Wenn der dabei ist –?«

»Na klar. Wenn Rogge bei einer Schneeballschlacht mitmacht, dann ist Schneeballwerfen am nächsten Tag olympisch.«

»Herr Bürgermeister, ich danke Ihnen für dieses Gespräch.«

»Danke auch. Vielleicht könnten wir den letzten Satz weglassen. Der Präsident ist sehr wichtig für unseren Ort. Da will ich ihn nicht lächerlich machen.«

Die Reporterin nickte und verabschiedete sich. Von dem Interview mit dem Bürgermeister wurde nur der letzte Satz gesendet.

21

Lieber Herr Kommissar,

was habe ich da gehört: Sie geben auf? Sie schmeißen hin? Das finde ich aber jetzt ausgesprochen schade. Sie brechen die Ermittlungen mir nichts dir nichts ab – und waren doch so nahe dran an der Lösung des Falles Sørensen! Ich habe es in der Zeitung gelesen, dass Sie endgültig abgereist sind, weil kein hinreichender Verdacht mehr besteht, dass da irgendetwas Krummes gelaufen ist. Dass es also lediglich ein bedauerlicher Unfall war! Sie haben ein pfundiges Team, Herr Kommissar, ich habe es selbst gesehen, auf dem Gelände der Skischanze, ich war da, und es sind auch meine Steuergelder, die in so ein Team fließen, auch ich bezahle die ganzen Geräte und Computer – also gehen Sie bitte verantwortungsvoll mit meinen Abgaben um! Seien Sie Ermittler und ermitteln Sie! Denn es war kein Unfall, so viel kann ich Ihnen schon mal sagen.

Ich habe mich unter die Gaffer gemischt – wenn Sie das gewusst hätten, gell! Ich habe einen Ihrer Beamten gefragt, was denn da los ist, ob da ein Film gedreht wird. Nein, ich habe natürlich nicht selbst gefragt, aber ich habe gehört, wie so ein Trottel neben mir gesagt hat:

»Entschuldigen Sie, sind die Polizisten hier echt? Oder wird da vielleicht ein Krimi gedreht? Wo steht denn aber dann die Kamera? Und wann wird der gesendet? Oder ist es sogar was Amerikanisches? Das da drüben ist doch der Hugh Grant, oder?«

Mit besorgten Grüßen – Ihr (zukünftiger) Gejagter und braver Steuerzahler

PS: So viele Steuern sind es natürlich nicht, die ich zahle. Denn was verdient man schon als Sachbearbeiter, Hebamme, Koch (wäre ich gerne!), Volksschullehrer, Gärtner, Bergführer, Pfarrer, Stewardess, Fußballtrainer, Bauingenieur, Ornithologe, Journalist, Elektriker, Kunstmaler, Tierpfleger, Türsteher, Zauberkünstler …

22

Des|in|for|ma|ti|on [deːsinforˈmazion] Die bewusst falsche oder unvollständige Information; <*Militär:*> zum Zweck, den Gegner über die wahren Absichten der Kriegsführung zu täuschen (siehe auch **»Potemkinsche Dörfer«**); <*Psychologie:*> Versuch des psychiatrischen (meist simulierenden) Patienten, den Psychiater zu einer falschen Diagnose zu bringen; <*Mathematik:*> = **Eisegese** (Das Fälschen von Statistiken und deren absichtliche Fehlinterpretation); <*Zeitungswesen:*> = **Grubenhund**, die absichtlich gesetzte Zeitungsente; <*Kriminalistik:*> nach A. Süttermayr findet man bei Tatankündigungen die **versteckte Desinformation**, bei der die zu platzierende falsche Information inmitten nachprüfbarer Tatsachen untergebracht wird; (auch »Rumsfeldisierung« genannt): Die gezielte Überversorgung mit objektiv nutzlosen Informationen. (Siehe auch **Se|ri|en|tä|ter**)

Ja, zugegeben, *ein* Österreicher war doch in den Kurort gekommen. Er war mit dem Föhn über die Alpen geflogen und auf der ungewohnten Nordseite gelandet. Er trug einen Ziegenbart, und er hatte kleine schwarze Augen, die unstet umherirrten und scheinbar ziellos von Punkt zu Punkt sprangen.

Der Spitzbärtige schlenderte die Fußgängerzone entlang und betrachtete den ausgestellten Krimskrams. Besonders genau sah er sich die Hauseingänge zwischen den Schaufenstern an, dort las er die Klingelschilder. Er verschränkte dabei die Hände auf dem Rücken, als wäre er ein rüstiger Frührentner, der seit Jahren schon Urlaub im Kurort machte und heute mal anhand der Klingelschilder ein wenig die ortsüblichen Namen studieren wollte, die Graseggers und Schnitzers, die Hauterers und Bibergbachers, die es hier eben so gab. Dann hatte er aber wohl den Namen gefunden, den er gesucht hatte. Er hustete, er nieste, er schnäuzte sich. Was war mit dem Mann mit Spitzbart los? War er krank? Hatte er sich bei mützenlosen Spaziergängen in den Loisachauen einen Schnupfen geholt? Es hatte den Anschein, denn er klingelte Sturm bei dem Allgemeinarzt *Dr. med. O. Steinhofer*. Er klingelte mehrmals. Niemand öffnete. Natürlich nicht.

Shan und Wong wussten allzu genau, dass die Tiefkühltruhe nur eine vorläufige Lösung war. Vor allem Xun Yüs sterbliche Hülle musste dauerhaft entsorgt werden. Xun Yü hatte sie angewiesen, Hilfe zu holen und den eigentlichen Auftrag zu Ende zu führen. Der direkte Kontakt nach Chaoyang kam nicht in Frage, in diese Richtung durften keinerlei Spuren führen. Was nun? Nachdem sie ihren Einsatz nun schon einmal verpatzt hatten, hatten sie sogar erwogen, die Chaoyanger Variante des ehrenvollen Freitods zu wählen, des gleichzeitigen, gegenseitigen Abschlagens des Kopfes, aber zum einen hätten sie dazu zwei rituell geschmiedete Schwerter gebraucht, die im Kurort kaum aufzutreiben gewesen wären, auch im bestsortierten Andenkenladen nicht, zum anderen hätten sie in diesem Fall noch zwei weitere Leichen zurückgelassen und dadurch eine autobahnähnliche Spur in ihren Heimatort gelegt. Shan und Wong steckten in enormen Schwierigkeiten. Aber sie hatten einen Auftrag. Sie mussten handeln.

Sie hatten einige Nummern gewählt. Viele Teilnehmer hatten gleich aufgelegt. Bei anderen hatte die Nennung des Ortes *Chaoyang* genügt, das Gespräch zu beenden. Sie waren ins

Internetcafé gegangen, hatten einige Mails verschickt und um Rückruf gebeten. Bisher waren sie noch nicht zurückgerufen worden. Sie waren in einige Internet-Foren gegangen. Sie hatten sich in fremde WLAN-Netzwerke eingeklinkt, sie hatten herumgetwittert – alles ohne Erfolg. So schmorten sie wortlos dahin in der Pension Alpenrose. Nach einer Stunde besonders bedrückten Schweigens sagte Wong:

»Eine letzte Möglichkeit wäre, sich an Padrone Spalanzani zu wenden.«

Sie gingen die Risiken im Kopf durch. Die Mafia war ein mächtiges, in manchen Fällen hilfsbereites, aber auch äußerst neugieriges Unternehmen – Geheimnisse waren bei dieser Community nicht gut aufgehoben. Doch es blieb ihnen nichts anderes übrig. Sie wählten schließlich eine Nummer im südlichen Italien. Dort hob der Padrone sogar selbst ab. Im Hintergrund hörte man einen stählernen Tenor eine Opernarie von Giacomo Puccini schmettern, *»Recondita armonia!«* – »Wie sich die Bilder gleichen!« – sang Mario Cavaradossi, gleichzeitig lief im Fernsehen ein Fußballspiel aus der *Serie A*.

»Meine Mutter konnte das noch«, knurrte Spalanzani.

»Was konnte sie noch?«, fragte Shan höflich.

»Ein Ragù alla siciliana, das diesen Namen auch verdient. Es dauert fünf oder sechs Stunden, in dieser Zeit muss das Ragù leise vor sich hinköcheln. Aber am Ende lohnt es sich.«

Jetzt hörte man Schüsse und einen Schrei durchs Telefon. Shan hoffte, dass die Geräusche nur aus dem Fernsehapparat kamen.

»Ich werde mal sehen, was ich für euch tun kann«, knurrte Spalanzani wieder. »Früher wäre ich selbst gekommen.«

Der Tenor sang wieder, *»E lucevan le stelle«* – »Und es blitzten die Sterne«, alle drei hörten sich die Arie bis zum Ende an, Spalanzani mit Genuss, Shan und Wong wäre ein klares Wort lieber gewesen.

»Ich schicke euch einen, der das erledigen kann«, sagte Spalanzani schließlich, dann legte er auf.

Es vergingen noch ein paar Tage, bis sie, nach all dem digitalen Gezwitscher, ganz altertümlich, einen Brief bekommen hatten, der an die Rezeption gelegt worden war, als Margarethe Schober gerade *Für kleine Kitschromanleserinnen* gegangen war. Von der baldigen Ankunft eines Helfers war da die Rede, eines Mitarbeiters, der versuchen würde, ihre Probleme zu lösen. Shan und Wong war nichts anderes übrig geblieben, als weiter zu warten.

Nachdem der Mann mit dem Ziegenbart seine Beobachtungen im Kurort abgeschlossen hatte, nachdem er sich umgekleidet und die Maske des rüstigen Frührentners entfernt hatte, nachdem er die Kleidung entsorgt hatte und nachdem es auch noch Abend geworden war, ging er auf Umwegen in die Pension Alpenrose, ungesehen, ungehört, unbemerkt. Er klopfte an die Tür.

»Parole?«, fragte Shan leise.

»Vierschanzentournee«, sagte der späte Gast und wurde eingelassen.

Da stand er nun vor ihnen: Karl Swoboda, der sich fast im ganzen mitteleuropäischen nicht-legalen Raum seinen guten Ruf als *risalvatore*, als Problemlöser, erworben hatte. Der Österreicher ließ sich jedoch ungern als Mafioso bezeichnen, er arbeitete selbständig, er arbeitete auch hie und da für legale Firmen und Administrationen. Er arbeitete für Regierungen und Dienststellen, er hatte auch noch einige globale Projekte am Laufen. Jetzt aber war der österreichische Problemlöser zu Shan und Wong geschickt worden. Denn er hatte sich gerade in der Nähe aufgehalten, er kannte sich in der Gegend aus, gerade erst letztes Jahr hatte er hier zu tun gehabt.

»Also, zuerst einmal habt ihr da einen ziemlichen Schaas gebaut«, sagte Swoboda und nahm seinen aufgeklebten Ziegenbart ab, den er sorgfältig säuberte und in seinem Schminkkoffer verstaute.

»Schaas?«

»Bockmist. Scheiß. Pfusch. Ich weiß nicht, wie ihr das nennt. Jedenfalls kostet das einiges, das kann ich euch sagen.«

Shan und Wong hörten sich die ruppige Begrüßung des Österreichers mit unbewegtem Gesicht an.

»Wenn der Herr Problemlöser seine Arbeit erledigt hat«, sagte Shan in ihrer Muttersprache zu Wong, »wird er für diese Frechheiten büßen!« Sie sagte es mit einer Gestik und in einem Tonfall, dass Swoboda den Eindruck haben musste, sie hätte Wong gerade etwas übersetzt. Swoboda lächelte. Shan lächelte. Wong lächelte.

»Wollen der Herr Problemlöser etwas trinken?«

»Ganz lieb, nein danke. Zuerst einmal will ich die vollständige Vorgeschichte wissen, dann werde ich entscheiden, wie es weitergehen soll. Soweit ich verstanden habe, wolltet ihr den Rogge bedrohen, um die Spiele Nullachtzehn zu kriegen?«

»Genauso war es geplant«, sagte Shan. »Keine aufwendigen Bestechungen von Komiteemitgliedern, sondern der direkte Angriff auf den Kopf des großen Olympiafisches. Wong hatte dabei die Aufgabe, einen Skispringer beim Neujahrsspringen aus der Bahn zu werfen, der Unfall sollte für große Verwirrung sorgen, vor allem bei den Sicherheitskräften und Personenschützern im VIP-Bereich.«

»An und für sich gesehen gar keine schlechte Idee«, sagte Swoboda. »Eine große Katastrophe als Ablenkungsmanöver, nicht übel. Und weiter?«

»Ich und der verstorbene Xun Yü«, fuhr Shan fort, »wollten die Verwirrung nützen, um in die VIP-Lounge zu gelangen. Wir waren als lokale Helfer verkleidet, warteten vor dem Eingang und schlenderten gemütlich hinein, in dem Augenblick, als sich Åge Sørensen in die Lüfte erhob. Niemand hielt uns zurück, es war wirklich ein Spaziergang. Ein Zitherspieler ließ eine liebliche Weise erklingen, und wir waren guter Dinge.«

»In der VIP-Lounge selbst, kurz nach dem Sturz«, fuhr Wong fort, »im Moment der größten Verwirrung, sollte Shan den Präsidenten finden, ihn in seiner Muttersprache ansprechen, wie eine alte Bekannte, oder wie eine Autogrammjägerin, ihn aber dann sofort auf Xun Yüs gezückte Waffe hinweisen.«

»Das sollte Rogge nur zeigen, dass er für uns jederzeit erreichbar ist«, sagte Shan.

»Waffen, Gewalt, Drohungen, Abschüsse, Katastrophen, Stürze!«, sagte Swoboda kopfschüttelnd. »Das geht alles viel einfacher und eleganter, glaubt mir. Ich hätte den Angriff auf Rogge anders durchgeführt. Aber ganz anders!«

»Wir haben die Aktion zu Hause tausendmal geübt. Aber vor Ort ist sie schiefgegangen.«

»Warum?«

»Als wir in den VIP-Bereich kamen, war Rogge nicht im Raum, er tauchte erst nach einiger Zeit wieder auf, aber da war das Gedränge schon zu groß. Ich habe mich trotzdem dazu entschlossen, wie geplant auf ihn zuzugehen, ihn um ein Autogramm zu bitten und ihm den Zettel zu zeigen:

Herr Präsident!
Diese Aktion zeigt, dass wir Sie überall finden können.
Wir raten Ihnen dringend, keinen Alarm zu schlagen.
Wir wollen, dass die Spiele in Chaoyang stattfinden.
Folgen Sie unseren weiteren Anweisungen.

– aber dann hat uns so eine Kröte beschossen. Xun Yü wurde getroffen, ich habe ihn gerade noch stützen können und wir konnten entkommen. Wir haben ihn äußerst mühsam und umständlich hierhergebracht.«

»Sakra, sakra!« Swoboda blies die Backen auf und stieß mehrmals Luft aus. »Da ist ja alles danebengegangen, was danebengehen konnte.«

Er trat ans Fenster und blickte in den klaren Nachthimmel. Dann wandte er sich zu den beiden Unglücksraben und sagte:

»Erst einmal müssen wir die Leichen aufräumen. Die von eurem Chef muss vollständig und ganz verschwinden. Und die von dem Arzt – da müssen wir uns eine gute Geschichte drumherum einfallen lassen.« Er schüttelte den Kopf. »Wie kann man nur so blöd sein!«

»Es war eine Verkettung unglücklicher Umstände«, verteidigte sich Shan.

»Reine Unfähigkeit war das«, unterbrach Swoboda. »Jetzt aber: Disziplin! Habt ihr schon eine Idee?«

Wong holte eine Wanderkarte und legte sie auf den Tisch. »Es gibt rundherum viel Natur, viel Wald, viele Wiesen, viele Felder. Und der Herr Problemlöser kennt sich ja wohl gut in der Gegend aus.«

Swoboda zog die Augenbrauen hoch. »Vergraben? Vergraben würde ich die beiden nicht, Freunde. Es gibt hier nämlich auch viele Wanderwege, viele Querfeldeinläufer, Jogginghaserl, Schmetterlingssammler, und, was am meisten gegen das Vergraben spricht: viele Hunde. Unendlich viele Hunde, man hat den Eindruck, jeder hier hat zwei und noch drei daheim in Reserve.«

»Zweite Möglichkeit«, sagte Wong und deutete mit dem Finger auf einen großen hämatomblauen Fleck auf der Karte.

»Das ist der Eibsee, Freunde. Ja, da habt ihr schon recht, der wäre tief genug, aber da ist mir die Umgebung zu belebt: Hotels rundum, mit vielen schlaflosen Rentnern drin; ein Spazierweg, der direkt und brettlbreit um den ganzen See führt; schließlich Liebespaare, die nachts auf die Insel rausfahren –«

»Wir können so ein Liebespaar spielen«, sagte Shan. »Die letzten Abkömmlinge zweier ceylonesischer Teepflückerdynastien auf Hochzeitsreise –«

»Nein, nichtsda, der Eibsee gefällt mir nicht, Freunde.«

»Wie steht es mit diesem Moor nördlich von hier?«

Wongs Finger wanderte Richtung Norwegen.

»Das Murnauer Moos? Ja, schon besser. Aber ihr wisst, dass Moorleichen mitunter ewig konserviert werden. Wenn der Huminsäure-Anteil im Moor sehr hoch ist, können die sich schon zehn- oder zwanzigtausend Jahre halten.«

»Was dann?«

Swoboda machte eine unwirsche Handbewegung.

»Ich werde mir da was überlegen.«

Wong brachte Tee und sagte:

»Dann müssen wir herausfinden, ob das Verschwinden dieses schändlichen und mörderischen Doktors aufgefallen ist.«

»Wegen dieser Sache habe ich mich schon umgesehen«, sagte Swoboda. »Da brauchen wir uns zunächst einmal keine Sorgen zu machen. Ich bin in das Geschäft neben seiner Praxis gegangen. Ein Andenkenladen, natürlich, was sonst. Habe nach dem Doktor gefragt. O Jeggerl, hat die mich zugeschwallt! Ich hab alles erfahren, was ich wissen wollte. Und noch mehr. Er hat die Praxis schon verkauft, ein Nachfolger soll erst im Lauf der nächsten Wochen kommen. Ich war auch in seiner Privatwohnung und habe ihm den Briefkasten geleert.«

»Sein Verschwinden kann jederzeit bemerkt werden.«

»Das sehe ich auch so, Freunde. Da müssen wir was tun.«

»Wie wäre es damit«, sagte Shan, »die Leiche eben nicht zu entsorgen, sondern offen hinzulegen, so, dass sie gefunden werden muss?«

»Was soll das für einen Sinn haben?«, raunzte Swoboda.

»Wir schieben dem Doktor das Attentat auf Sørensen in die Schuhe. Die Lokalpolizei, die ohnehin nicht sehr effektiv zu arbeiten scheint, beißt sich an dem Fall fest, der Ruf des Kurorts wird weiter beschädigt – und wir können in Ruhe den zweiten Angriff auf Rogge vorbereiten.«

»Und wie erklärt ihr das Einschussloch in dem allgemeinärztlichen Köpferl? Nein, nein, das ist ein schlechter Plan. Der Doktor muss genauso verschwinden wie euer Boss. Aber ihm das Attentat in die Schuhe zu schieben ist gar keine üble Idee. Wir geben seine Fingerabdrücke an die Präzisionswaffe und bauen um ihn eine Verschwindibus-Legende auf: Verwirrter alter Mann begeht Bluttat, hebt seine Ersparnisse ab und verschwindet spurlos. Da haben die Kieberer was zu beißen!«

»Das machen wir«, sagte Wong.

»*Ihr* macht zunächst einmal gar nichts! Ihr haltet schön still und spielt weiter die kichernden und knipsenden Europatouristen. Ich werde jetzt einmal ein paar falsche Spuren auslegen. Als ob ich sonst nichts zu tun hätte. Pfuscher, ausländische.«

Er ließ sich zur Tiefkühltruhe führen, öffnete ein Plastiktütchen und gab einiges aus dem unfreiwilligen Nachlass von Dr. Steinhofer hinein: einen Hosenknopf, ein Büschel Haare und noch ein paar Dinge mehr. Er steckte das Tütchen in seine Tasche und sagte zu Wong:

»Dann brauche ich deine Präzisionswaffe.«

»Es ist nicht ehrenvoll –«

»Pfeif aufs Ehrenvolle«, unterbrach Swoboda. »Her mit dem Prügel.«

Es war ein mehrteiliges, zur völligen Harmlosigkeit auseinandernehmbares und wieder zusammensteckbares Gerät, das Wong selbst entworfen und gebaut hatte und jetzt nur widerwillig hergab. Swoboda pfiff durch die Zähne.

»Aber das ist ja –!«

»Ja, natürlich, es ist *keine* Pistole«, sagte Wong stolz. »Eine Pistole oder gar ein Gewehr hätten bei über zwanzigtausend Ohrenzeugen viel zu viel Lärm verursacht. Und ein Schalldämpfer ist auf diese große Entfernung nicht möglich.«

»Dann nehme ich das Wort *Pfuscher* wieder zurück.«

Swoboda reinigte das Gerät, das ihm Wong gegeben hatte, sorgfältig, steckte es ebenfalls in eine Plastiktüte und machte sich ausgehfertig. Der Morgen graute schon, als sich Swoboda aus der Pension Alpenrose schlich, um einen fröhlichen Bergsteiger mit Bundhose, kariertem Hemd und Rucksack zu mimen – dabei war er bloß damit beschäftigt, falsche Spuren zu legen, Dr. Steinhofers Verschwinden mit dem Attentat zu verknüpfen und einen Platz im Skistadion zu suchen, an dem er Wongs Wunderwaffe verstecken konnte. Seine Überlegung war einfach: Die Kieberer würden erneut nach der Pistolenkugel suchen, sie würden stattdessen das Gerät der Chaoyanger finden, da war er sich sicher. Nur ein Zusammenhang mit dem kleinen fernen Wintersportort Chaoyang durfte nicht erkennbar sein.

Swobodas Überlegung war einfach, aber falsch. Die Wunderwaffe wurde nicht gefunden. Es vergingen Aschermittwoch, Palmsonntag, Ostermontag und weitere Stationen des katholischen Kirchenjahres, die Polizeiobermeister Ostler und Hölleisen jagten wieder Parksünder und Ladendiebe, es starb der alte Hauterer Anton im gesegneten Alter von siebenundneunzig, es verstrichen die Namenstage von Ursula, Petrus, Kasilda und Damian. Ostler und Hölleisen nahmen eine Vermisstenanzeige bezüglich Dr. Steinhofer auf, die ersten Krokusse brachen heraus, dann feierte man das Fest der hl. Stephanie. Am Tag darauf entdeckten zwei Burschen die angebliche Wunderwaffe aus Chaoyang unter einem Sitz im Skistadion, erkannten sie aber nicht als solche, sondern nahmen die paar Röhren und

Bolzen mit nach Hause und warfen sie zu anderem Gerümpel. Der letzte Schnee schmolz, der Bürgermeister beauftragte eine internationale Werbeagentur, ein Logo für die *Kampagne 2018* zu entwerfen (er wurde deswegen nur knapp wiedergewählt), der Schützenverein und die beiden miteinander verfeindeten Blaskapellen im Ort bereiteten sich schon auf die sommerlichen Festumzüge vor. Eine Urlaubspostkarte aus Lima traf ein, die Suche nach Dr. Steinhofer wurde eingestellt, es sah so aus, als wäre er in den Urwäldern Südamerikas verschwunden. Es geschah alles Mögliche, aber weder Kugeln noch Tatwaffen, die Licht ins Dunkel hätten bringen können, wurden gefunden. Wie auch.

23

»Ein handgeschriebener Bekennerbrief?«, fragte Maria Schmalfuß verwundert und rührte unendlich lange in ihrem Kaffee herum. »Das wäre ja mal ganz was Neues!«

»Genauso ist es aber«, sagte Polizeiobermeister Johann Ostler und legte das Fundstück vorsichtig auf den Tisch des Besprechungsraums. Alle standen auf und beugten sich darüber.

»Unglaublich.«

»So was habe ich noch nie gesehen.«

Neben der klugen Psychologin in ihren farbigen Klamotten und den beiden wackeren, bieder gekleideten Ortspolizisten Ostler und Hölleisen war auch das ganze übrige Team von Kommissar Jennerwein nach drei Monaten wieder auf dem Polizeirevier versammelt. Da war die junge, ehrgeizige Recklinghauser Kommissarin Nicole Schwattke. Sie hatte ihre halblangen, dunkelblonden Haare zu einem lockeren Pferdeschwanz gebunden und schaute interessiert in die Runde. Da war Hauptkommissar Ludwig Stengele, der bedächtige Allgäuer mit der auffallend gesunden Gesichtsfarbe. Sie alle waren gekommen, mit dem Zug, mit dem Auto, sogar mit dem Fahrrad, um den außergewöhnlichen Fund des unbescholtenen Ehepaars Traudl und Maximilian Utzschneider zu begutachten, den diese von ihrer morgendlichen Bergtour mitgebracht hatten.

Es war ungewöhnlich warm und mild für diese Jahreszeit. Die beiden waren noch vor Anbruch der Dämmerung zu der Wanderung aufgebrochen, in aller Herrgottsfrühe sozusagen. Auf die beliebte Krottenkopfspitze sollte es gehen, wie jedes Jahr an ihrem Hochzeitstag. Nachdem sie nach fast vier Stunden ohne größere Ausfälle oben angekommen waren (nur einmal waren sie auf einem Schneebrett ausgerutscht), packten sie unter dem Gipfelkreuz zunächst einmal ihre Brotzeit aus. Sie waren allein auf der Krottenkopfspitze an diesem klaren Aprilmorgen, ein flüchtiger Blick ins Gipfelbuch hatte allerdings gezeigt, dass vor ihnen schon ein anderer da gewesen sein musste, ein noch früherer Vogel.

»Wahrscheinlich ein Bergfex, der inzwischen schon wieder unten im Ort ist«, sagte Traudl Utzschneider schmatzend.

Maximilian Utzschneider ließ den Finger über dem Talkessel kreisen.

»Und der irgendwo da unten frisch geduscht mit seiner Frühschicht anfängt.«

Solche gab es zuhauf im Werdenfelser Land. Ihr Frühsport bestand aus der Begehung von Zweitausendern im Laufschritt. Der neue Pfarrer zum Beispiel war so einer. Oder der Rechtsanwalt Silbermiller.

»Dem Buchwieser Korbinian trau ich's auch zu«, sagte die silberblonde Hochzeitstraudl. »Oder meinem Bruder.«

»Ja, da gibt es schon einige«, sagte Maximilian und biss sinnend in einen knackigen Apfel. Die Sonne ging jetzt auf, das schauten sich die Utzschneiders noch an, weil so etwas ja bestens zu einem Hochzeitstag passt, sie stießen mit zwei Pappbechern voll warmem, gut durchgeschüttelten Prosecco an, dann standen sie auf, um sich und ihren Jahrestag im Gipfelbuch zu verewigen. Zuerst aber blätterten sie ein paar Seiten zurück und lasen die vielen originellen Einträge:

17. März, frühmorgens
Ein Wahnsinnsausblick! – Tina und Bert

17. März, abends
Ebenso! – Gundi und Max
18. März, mittags
Das erstemal auf dem Krottenkopf! – Familie Buchhartinger-Brömse (Eva, Flocki, Bert, Ines samt Hund)
18. März, 18.32 Uhr
Liebe Familie Buchhartinger-Brömse,
wenn Sie jemals wieder hier heraufkommen, sei Ihnen gesagt, dass man »das erste Mal« seit der Rechtschreibreform auseinander schreibt – OstR Gundolf Mützenberger (D, G, Soz)
19. März
Trotzdem schön hier oben! – Hubsi
20. März
Herrlicher Ausblick! Ein bisschen viel Schnee liegt noch – Gustl Pfeiffberger
23. März, 09.30 Uhr, 12 °, leicht bewölkt
Strammer Marsch, übersichtliches Gelände, respektables Plateau! Generalmajor a. D. Alfred Ritz
29. März
Schön hier oben – Tschüs Pit und Anni aus Flensburg
2. April
Toller Ausblick! – Herbert und Charlotte
5. April
Lieber Kommissar Jennerwein,
Sie haben auf meine bisherigen Briefe nicht reagiert. Vielleicht nehmen Sie mich ernster, wenn ich mich auf diesem Weg an Sie wende: Den Anschlag am Neujahrstag diesen Jahres habe ich verübt. Es war Anschlag Nummer eins, es werden weitere folgen. Bei Sørensen hat alles nicht ganz so geklappt, wie ich mir das vorgestellt habe, aber die nächsten Aktionen werden perfekt sein – versprochen! Fangen Sie bitte jetzt endlich an, zu ermitteln, Herr Kommissar, Sie

werden es nicht bereuen. Ich muss jetzt schließen, Sie hören wieder von mir, denn ich sehe gerade, dass die nächsten Wanderer schon den Bergweg von der Weilheimer Hütte heraufkommen. Es ist ein Ehepaar – ich kenne sie, sie kennen mich – drum hurtig weg von hier. Ich bitte Sie dringend um eine Antwort, Herr Kommissar, sonst macht das wirklich keinen Spaß.

Mit vielen Grüßen – Ihr (flüchtiger) Täter

Maximilian und Traudl Utzschneider lasen den Eintrag, dachten an einen Scherz, an den höhenluftbeschwingten Einfall eines frühen Vogels, packten aber das Gipfelbuch trotzdem sicherheitshalber in den Rucksack und brachten es auf dem Rückweg bei der Polizeidienststelle vorbei. Dort lag es jetzt aufgeschlagen auf dem Tisch.

»Eines hat der Spaßvogel zumindest erreicht«, sagte Jennerwein, der seinen Staubmantel noch gar nicht ausgezogen hatte. »Wir müssen die Ermittlungen im Fall Sørensen wiederaufnehmen.«

Maria hatte sich eine starke Lupe besorgt und sah sich das Schriftbild des luftigen Eintrags genauer an. Mit vielen Lauten der Überraschung und der fachkundigen Verwunderung fuhr sie die Schriftzüge nach. Sie war ganz in ihrem Element. Sie hatte ihre Doktorarbeit über Serientäter geschrieben. Über Trittbrettfahrer, Machtspielchen, Schnitzeljagden, Bekennerschreiben, Psychostress und Profilerirrtümer. Sie hatte damals im Studium dieses Spezialgebiet gewählt, das, statistisch gesehen, von äußerst geringer Bedeutung war. Denn der Typus des Hannibal Lecter ist so selten wie das australische dreizehige Pinselohrfaultier. Der Serientäter ist die rarste Spezies in der großen und bunten Familie der kriminellen Welt, der seltenste Schmetterling unter den Nachtfaltern. Jetzt hatte Maria endlich einen im Netz.

24

Protokoll Zeugenbefragung durch
POM Johann Ostler, AZ 8458-000029-9/2

(Ein Mikrophon pfeift.)

Ostler Test, Test. Einundzwanzig, zweiundzwanzig. Test, Test. Passt. Zeugenbefragung Polizeiobermeister Johann Ostler – Uhrzeit – äh –
Zeuge Viertel nach elf ist es.
Ostler Gut, danke. Also 11.15 Uhr. Dann – Traudl und Max, schön, dass ihr da seid. Alles Gute zum Hochzeitstag. Und jetzt erzählt bitte die ganze Geschichte noch einmal von vorn.
Zeuge Also, Johann, das war so –
Ostler Ich glaube, wir sollten ›Sie‹ zueinander sagen. Das ist ein offizielles Protokoll.
Zeuge Ist das vorgeschrieben?
Ostler Nein, aber wie klingt denn das: *Servus Traudl, hast du was gesehen? – Nein! Nix hab ich gesehn, Johann!* – das klingt ja nach einem Bauerntheaterstück und nicht nach einem offiziellen Protokoll.
Zeuge Ja, gut, dann siezen wir uns halt.
Ostler Also. Was haben Sie eigentlich jetzt gesehen, Herr – sag einmal, wie heißt du eigentlich mit Nachnamen, Max. Ich kenne bloß deinen Hausnamen: Hauterer.
Zeuge Utzschneider ist mein Nachname. Hauterer

heiße ich, der Maximilian *bin* ich und Utzschneider *schreibe* ich mich.

Schwattke Ähem – wenn ich mich da einmischen darf: Das habe ich jetzt nicht so ganz verstanden.

Ostler Entschuldigung, das ist die Frau Kommissarin Schwattke, die kommt aus Recklinghausen, da gibt es wahrscheinlich keine Hausnamen. Also: Der Hausname, der Vulgoname, das ist im ländlichen Bayern immer noch der eigentliche Name, mit dem man angeredet wird. Das ist der Name der Sippe, des Clans, der bäuerlichen Familie. *So hoaßt ma*. Wie man sich schreibt, das ist der amtliche Name.

Schwattke So ho-asst ma.

Zeuge Ja, fast, Frau Kommissarin – das »a« müssen Sie aber noch etwas dunkler aussprechen: »So hoaßt ma«.

Schwattke »So ho-asst-ma«. Ich werde es nie lernen.

Ostler Das ist richtig. Jetzt aber weiter. Den Hausnamen Hauterer lassen wir dann hier weg und sagen bloß Utzschneider zueinander. Maxi und Traudl Utzschneider, richtig?

Zeuge Ja fast. Maximilian und Waltraud Utzschneider.

Ostler Also Befragung Maximilian und Waltraud Utzschneider. Aber Moment einmal: Utzschneider? Utzschneider? Ich habe eine angeheiratete Großtante, die heißt auch Utzschneider. Theresia Utzschneider. Bist du denn mit der –

Zeuge Das ist die Dommele Resl, eine Kusine von einer Tante von mir. Utzschneider *schreibt* sie sich. Dommele *heißt* sie. Die Theresia *ist* sie.

Ostler Ja Herrschaftszeiten, dann sind wir ja miteinander verwandt!

Zeuge Ist das schlimm?
Ostler So schlimm auch nicht. Aber ich glaube, in diesem Fall darf ich die Zeugenbefragung mit euch gar nicht durchführen.

(Ratloses Schweigen, Stühlerücken, eine Tür wird geöffnet.)

Hölleisen Störe ich?
Ostler Nein, bleib da, das trifft sich gut, da kannst du gleich die Zeugenbefragung Utzschneider an meiner Stelle weiterführen.
Hölleisen Ja freilich.

(Die Tür wird geschlossen, Schritte, jemand setzt sich, Räuspern und Blättergeraschel.)

Hölleisen Test, Test. Einundzwanzig, zweiundzwanzig. Test, Test. Passt. Zeugenbefragung Polizeiobermeister Franz Hölleisen – Uhrzeit – äh –
Zeuge Kurz vor halb zwölf ist es.
Hölleisen Gut, danke. Also 11.30 Uhr. Herr und Frau Utzschneider, jetzt erzählen Sie einmal die Geschichte ganz von –
Zeuge Hölleisen? Hölleisen? Entschuldigen Sie, dass ich Sie unterbreche, aber Sie sind doch nicht etwa *der* Franz Hölleisen, der Sohn vom alten Hölleisen, der auch Gendarm war?
Hölleisen Ja, genau der bin ich. Das heißt: *Sein* tu ich der Franz, *heißen* tu ich Kunterer, weil unser Hausname Kunterer ist – und *schreiben* tu ich mich Hölleisen –

(Ein Mikrophon pfeift.)

25

Maria Schmalfuß glaubte einen Serientäter im Netz zu haben, der Rest des Teams war mehrheitlich noch skeptisch. Ein handgeschriebener Bekennerbrief? Abgelegt an einem derart unkonspirativen Ort? Und dann noch so lange nach dem angeblichen Anschlag?

»Meiner Ansicht nach deutet das eher auf einen Jux hin«, sagte Stengele. »Ein Späßle nach dem Motto: Einsamer Wanderer liest oben auf dem Krottenkopf eine drei Monate alte Zeitung, in die er seine Brotzeit eingewickelt hat, er trinkt etwas Enzianwasser, kommt in Höhenlaune und schreibt ins Gipfelbuch spontan etwas hinein, was ihn beim Runtergehen schon wieder reut.«

»Einspruch, Stengele, denn nach einem spontanen Eintrag sieht mir das nicht aus«, sagte Maria. »Ohne dem Schriftsachverständigen vorgreifen zu wollen, würde ich sagen, dass sich der Schreiber vorher sehr gut überlegt hat, was er da zu Papier bringt.«

»Gut, warten wir den Graphologen ab. Viel halte ich ja allerdings nicht von diesem Hokuspokus«, sagte Stengele.

»Sie meinen Graphologie? Nun ja, es ist zugegebenermaßen eine Grenzwissenschaft. Aber einiges kann man aus einer Handschrift schon herauslesen.«

»Ich weiß nicht so recht«, sagte Stengele. »Vielleicht bin ich auch vorbelastet. Ich habe als Volksschüler, wie viele andere Kinder auch, mehrere Schriften verwendet. Bei mir waren es zwei: eine flüssige, nach rechts geneigte, kleinere – und eine senkrechte, eckigere, größere. Ich konnte mich nie für eine der Schriften entscheiden – und ich schreibe heute noch mit beiden. Gaudihalber habe ich meine zwei eigenen Schriftproben mal einem – immerhin gerichtlich anerkannten – Schriftsachverständigen gezeigt, der hat mir etwas von einer weit über neunzigprozentigen Wahrscheinlichkeit erzählt, dass die beiden Proben von zwei unterschiedlichen Personen stammen. Wenn man Pech hat und vor Gericht an so einen gerät –«

»Ich will Ihnen nicht zu nahetreten, Stengele«, sagte Maria mit sanfter Psychotherapeutenstimme, »aber das kann auch heißen, dass Sie zwei vollkommen unterschiedliche, schizoide Persönlichkeiten in sich tragen, so dass der Mann mit seiner Expertise gar nicht so falsch gelegen ist.«

Stengele ordnete den Stapel Blätter vor sich. Er war ein klein wenig beleidigt. Schizoid. So was.

»Wenn unser Gipfelstürmer nun auch mit zwei oder mehreren Schriften bestückt ist«, sinnierte Jennerwein, »dann ist es also für ihn gar nicht so riskant, den Bekennerbrief handschriftlich zu verfassen?«

»Eigentlich nicht«, sagte Maria. »Wohlgemerkt: Wenn jemand seine Schrift *verstellt*, das bekommt ein guter Schriftsachverständiger heraus. Wenn dieser Jemand hingegen seit Jahren mehrere Schriften beherrscht, eine davon nie öffentlich benutzt, plötzlich aber damit herausrückt, ja dann –«

»Lernen nicht die Chinesen auch mehrere Schriften?«, warf Stengele ein. »Oder verwechsle ich das jetzt mit den Koreanern? Eine Alltagsschrift für die laufenden Geschäfte, und eine für Briefe privaten Inhalts?«

Es entstand eine nachdenkliche Pause, in der alle an ihren Getränken nippten.

»Andere Frage«, sagte Schwattke, zu Ostler gewandt. »Ist es ganz sicher, dass die beiden Utzschneiders niemanden oben auf dem Gipfel gesehen haben? Und dass ihnen auf dem letzten Wegstück auch niemand entgegengekommen ist? Ich meine: Wenn der Gipfelbuchschreiber sie gesehen hat, dann müssen sie ihn doch ebenfalls gesehen haben. »

»Nein, Nicole«, erwiderte Ostler. »Gerade nach diesem Detail haben wir die beiden mehrmals befragt. Sie geben allerdings auch an, nicht so sehr darauf geachtet zu haben. Sie hätten auf den letzten paar hundert Metern, von der Weilheimer Hütte bis zum Krottenkopf-Gipfel, andere Probleme gehabt. Eher konditionelle.«

»Wenn man jetzt aber den Gipfel nach der anderen Seite verlässt wie unser mutmaßlicher Bekenner, wo kommt man da hin?«

»Vom Gipfel aus muss man immer wieder zur Weilheimer Hütte zurück, da gibt es nur einen Weg. Von da aus führen dann allerdings mehrere Routen in die umliegenden Täler.«

»Also hat er sich da oben versteckt, bis die Utzschneiders den Gipfel wieder verlassen haben. Vielleicht hinter ein paar Latschen?«

»Da oben gibt es keine Latschen.«

Nicole Schwattke gab sich immer noch nicht zufrieden.

»Es gibt doch auch die Möglichkeit, dass unser Drohbriefschreiber querfeldein gelaufen und auf keinem der eingezeichneten Bergsteige nach unten gekommen ist.«

»Ja«, sagte Ostler, »möglich ist das schon, aber dann müsste er ein sehr guter Bergsteiger sein, der sich auskennt, der den Krottenkopf schon x-mal gegangen ist. Ich selbst würde es mir nicht zutrauen, es wird dahinten auch sehr schneeig, ohne Schneeschuhe ist es eigentlich nicht mehr zu schaffen – aber theoretisch möglich ist das schon.«

»Und dann gibt es natürlich auch noch eine ganz andere Möglichkeit –«, fuhr Nicole Schwattke fort.

»– die ich auch schon überprüft habe«, unterbrach Ostler sie.

»Ich habe beide Utzschneiders deshalb Handschriftenproben machen lassen. Auch wenn solche Proben vielleicht zu gar nichts führen. Als Maxi und Traudl begriffen haben, aus welchem Grund ich das verlangt habe, waren sie eingeschnappt. Ich hoffe, ich habe die gerade eben erst geknüpften verwandtschaftlichen Beziehungen nicht gleich wieder zerstört.«

»Sie sind verwandt mit denen?«, fragte Maria.

»Das hat sich bei der Befragung herausgestellt, ja. Aber äußerst weitläufig.«

»Ich gehe davon aus, dass wir die Drohung mit weiteren Anschlägen ernst nehmen müssen«, sagte Jennerwein. »Wenn das Ganze allerdings ein Jux ist, dann ist es ein strafrechtlich riskanter Jux. Wenn ich mich recht erinnere, wird hier der § 145d StGB berührt, das ist die *Vortäuschung einer Straftat*, und für so etwas gibt es bis zu drei Jahre.«

»Wie wäre es mit einem, der sich der Straftat nicht bewusst ist«, wandte Nicole ein. »Wie wäre es zum Beispiel mit einer Gruppe von Jugendlichen, die diese Aktion voll zugekifft durchgezogen hat?«

»Nur so interessehalber«, sagte Stengele. »Kann man voll zugekifft auf den Krottenkopf gehen?«

»Da müsste ich im Wanderführer nachschauen«, entgegnete Ostler trocken. »Der Krottenkopf ist, glaube ich, ein Dreitütenberg.«

»Ich denke«, fuhr Maria fort, »dass sich der mutmaßliche Täter voll und ganz der Reichweite dieses Briefes bewusst ist. Der Mann oder die Frau hat etwas vor. Und ob der Täter mit dem ersten Anschlag etwas zu tun hat oder nicht – er plant einen weiteren Anschlag. Die Oberlängen der Schrift sind – energisch, tatendurstig, willensstark.«

Fängt die schon wieder an, dachte Stengele. Laut sagte er: »Und meinen Sie, er schreibt uns vorher nochmals?«

»Ja, unbedingt. Der eigentliche Reiz für einen Serientäter ist das Katz-und-Maus-Spiel mit der Polizei. Ich bin mir sicher, dass vor dem Anschlag noch ein Brief kommt.«

»Und das ist wahrscheinlich unsere Chance«, sagte Stengele, »denn der Brief muss ja irgendwo deponiert werden. Die Kommunikation mit der Polizei, das ist die Schwachstelle, mit der der Täter oder die Täterin –«

»Und jetzt reden wir endlich mal von *dem* Täter und nicht dauernd von dem Täter oder der Täterin, Herrgott nochmal«, sagte Jennerwein. »Einverstanden?«

»Einverstanden«, sagte Maria, »und ich würde auch gleich das polizeiintern vorgeschriebene *mutmaßlich* noch streichen. Von uns hier im Raum ist ja niemand der mutmaßliche Täter oder die mutmaßliche Täterin und kann sich auch später nicht über Vorverurteilung und Diskriminierung beschweren.«

»Geben wir ihm oder ihr, dem Mutmaßlichen oder Wirklichen, einen *nickname*«, sagte Nicole Schwattke. »Geschlechtsneutral, verdachtsneutral, politisch korrekt.«

»Der Bekenner?«

»Zu vorverurteilend.«

»Wie wäre es mit *X*?«

»Das ist ja gerade nicht geschlechtsneutral.«

»Der Briefschreiber.«

»Der Marder, basta«, sagte Jennerwein. »Und ich will jetzt nicht hören: Warum gerade der *Marder*? Ich will jetzt endlich zur Sache kommen. Rauchpause!«

Die Rauchpausen im Team Jennerweins wurden immer noch so genannt, obwohl niemand dabei rauchte. Nicole Schwattke hatte vor zwei, Maria vor fünf, Stengele vor zwanzig Jahren aufgehört, ihre jeweiligen Ersatzdrogen waren das Gummibärchenkauen, das Kaffeetrinken und der übermäßige Genuss von *Ofenschlupfern* geworden. Jennerwein wiederum hatte noch nie geraucht, seine einzige Sucht war der Beruf des Kriminalbeamten. Ostler rauchte heimlich auf der Toilette, jeder wusste es, nur er wusste nicht, dass alle es wussten. Hölleisen schließlich rauchte zwar nicht, schnupfte aber Schnupftabak, was sich immer appetitlicher liest als es ist.

So standen sie also bald alle draußen im Grünen, hinter dem Polizeirevier, bei der rauchlosen Rauchpause. Und alle betrachteten sie nochmals die Einschusslöcher in der Wand, die so belassen worden waren, weil sie an den heldenhaften Einsatz von Hölleisens Vater erinnerten, der anno Dreiundsechzig hier eine Bande von Schmugglern in Schach gehalten hatte, die vom Karwendelgebirge herübergekommen waren. Man saugte die würzige Luft ein, vertrat sich die Beine auf der von prallen Milchkühen blank gefressenen Wiese. Was noch fehlte, war eine Blaskapelle, die im Hintergrund *Gott mit dir, du Land der Bayern* aufspielte. Wenn es einen Wettbewerb gegeben hätte unter dem Motto *Die schönsten Ausblicke aus den rückwärtigen Zimmern von Polizeirevieren*, dann hätte Ostlers und Hölleisens Revier durchaus Chancen gehabt.

Auch Jennerwein hatte sich die barocke Pracht besehen, jetzt aber massierte er die Schläfen mit Daumen und Mittelfinger: Die Pause war zu Ende, und man ging hinein. Drinnen im Besprechungszimmer waren zwei Gestalten in weißen Plastikoveralls gerade dabei, das Gipfelbuch hochzuheben und in eine ebenso weiße Kiste zu legen. Die beiden getreuen Knechte Hansjochen Beckers bewegten sich zeitlupenartig langsam, als würden sie das Originalmanuskript des Lukas-Evangeliums hinaustragen. Das Team setzte sich wieder, und Jennerwein ergriff das Wort.

»Ich schlage vor, wir suchen zuallererst die anderen Briefe unseres Marders zusammen.«

»Die anderen Briefe?«, fragte Nicole. »Sie glauben seiner Behauptung, schon mehrere Briefe geschrieben zu haben?«

»Ich bin mir ganz sicher«, sagte Jennerwein, »dass das nicht sein erster Brief ist. Ich tippe auf drei oder vier vorher.«

»Echt? Warum?«

»Erfahrungswerte. Die anderen befinden sich vermutlich im Archiv der Hauptdienststelle.«

»Das verstehe ich nicht ganz.«

»Nicole, Sie machen sich ja gar keine Vorstellungen davon«, schmunzelte Jennerwein, »wie wir zugemüllt werden mit solchen Schreiben. In den Landeshauptstellen haben wir eine eigene Abteilung dafür.«

Ostler nickte zustimmend.

»Selbst wir hier in unserem kleinen beschaulichen Kurort«, sagte er, »bekommen jede Woche mindestens ein solches Schreiben. Das sind meistens Bekennerbriefe für Verbrechen, über die in den Zeitungen schon berichtet worden ist, das sind aber auch Sympathiekundgebungen für den Täter, Ermittlungstipps für die Polizei, vage und absurde Verdächtigungen gegen den und jenen im Dorf, oder einfach nur Beleidigungen und Beschimpfungen der Polizei im Allgemeinen und des armen Duos Hölleisen/Ostler im Besonderen – wenn wir all diesen Briefen und Mails nachgehen würden, bräuchten wir hier im Revier ein eigenes Büro.«

Nicole schüttelte ungläubig den Kopf.

»Es sind also die ganze Zeit seit dem Neujahrstag schon Bekennerschreiben bei Ihnen eingegangen?«

Sie blies sich eine Haarsträhne aus dem Gesicht.

»Natürlich«, sekundierte Hölleisen. »Wir haben sie flüchtig überprüft und sie unter der Rubrik *Die üblichen Verdächtigen* abgeheftet. Nebenbei: Auch nach dem 11. September hat uns einer gemailt, dass die Anschläge eigentlich hier im Kurort geplant worden sind, und natürlich unter seiner Leitung. Und ich bin dem selbstverständlich nicht nachgegangen.«

»Und wie verläuft der Dienstweg dann weiter?«

»Wenn die Informationen aus den sogenannten Bekennerbriefen schon in den Zeitungen gestanden haben (und das ist bei neunundneunzig Prozent der Schreiben der Fall), dann heften wir sie ab und schaffen sie ins Archiv. Der Staatsanwalt schaut sicherheitshalber noch einmal drüber, ob nicht doch eine Straftat vorliegt – und das wars dann meistens.«

»Aber jetzt fischen wir diese Briefe selbstverständlich wieder raus«, sagte Jennerwein. »Nicole, das ist dann gleich eine Aufgabe für Sie. Sie sehen sich zunächst die Ordner der Polizeidienststelle hier durch, dann setzen Sie sich aber auch mit den außerregionalen Stellen in Verbindung. Fordern Sie alles an, was nach Marder riecht. Maria, Sie bitte ich, all das zu überprüfen, was Schwattke ranschafft, um auf diese Weise ein genaueres Profil zu erstellen.«

Nicole und Maria nickten.

»Ostler und Hölleisen, Sie beide ermitteln in eine ganz andere Richtung. Sie kennen sich hier im Ort aus. Sie kennen die meisten der Alteingesessenen persönlich. Sie überlegen einfach mit dem gesunden Menschenverstand, ganz ohne psychologischen –«

Maria zog die Augenbrauen hoch. »Wollten Sie gerade Schnickschnack oder so etwas sagen?«

»– Hintergrund, welchen im Ort ansässigen Personen so etwas zuzutrauen ist.«

»Nach all dem, was wir gehört haben, ist unser Marder höchstwahrscheinlich ein Einheimischer«, sagte Hölleisen, »er kennt die beiden Utzschneiders.«

»Zumindest behauptet er das«, sagte Jennerwein. »Jetzt zu Ihnen, Stengele«, fuhr Jennerwein fort. »Sie waren doch einmal so etwas wie ein Bergfex.«

»Na ja, in jungen Jahren schon. Ich ahne Übles: Ich muss doch jetzt nicht täglich alle Berggipfel persönlich überprüfen?«

»Nein, ich will auch gar keine Polizeipräsenz auf den Bergen.

Noch nicht. Das bringt so einen Marder eher dazu, woanders umso frischer weiterzumachen. Aber Sie haben doch Beziehungen zum Alpenverein, zur Bergwacht und solchen Organisationen.«

»Ein Allgäuer kommt da kaum dran vorbei.«

»Gut. Können Sie Ihre Kontakte spielen lassen und eine Truppe zusammenstellen, die diese Krottenkopfspitze diskret überwacht?«

»Das ist machbar. Ein, zwei Mann werden da genügen. Sollen die auch fotografieren?«

»Das kann ich natürlich jetzt offiziell nicht bejahen«, sagte Jennerwein. »Aber wenn zwei oder drei Bergwachtler jeden, der auf die Krottenkopfspitze geht, ablichten, nur so zum Spaß, dann kann ich natürlich nichts machen.«

»Hab schon verstanden, Chef.«

»Also, an die Arbeit, Bergkameraden! Morgen früh um acht ist Besprechung.«

Das Team trennte sich.

»Soll ich Sie zur Pension fahren, Hubertus?«, fragte Maria.

»Ja, gerne.«

Im Auto saßen sie schweigend nebeneinander. In Jennerweins Hirnzentrum für abwegige Gedanken hatte sich das Wort *Bogenschießen* immer noch nicht ganz aufgelöst, er grübelte in alle möglichen Richtungen, und er war es durchaus nicht gewohnt, vor so einem Rätsel zu stehen. Auch Maria war in Gedanken versunken.

»So etwas habe ich auch noch nicht erlebt«, sagte sie halblaut. »Ein handschriftliches Bekennerschreiben. Hm. Aber irgendetwas an der ganzen Sache, nicht nur das Schreiben, die Schrift und der Stil, auch die restlichen Umstände erinnern mich an etwas. An etwas anderes. Ich weiß bloß nicht, *was* mich *an was* erinnert. Kennen Sie das Gefühl?«

»Nur zu gut.«

»Ich werde darüber nachsinnen.«

»Hier ist das Gästehaus Edelweiß«, sagte Jennerwein. »Holen Sie mich morgen früh wieder ab?«

»Natürlich«, sagte Maria und schaltete den Motor aus.

O nein, dachte Jennerwein, jetzt will sie bestimmt wissen, um was es damals bei dem abgesagten Termin eigentlich ging. Drei Monate waren seitdem verstrichen, und er hatte ihr natürlich immer noch nichts von seinem gesundheitlichen Problem erzählt. Wenn dieser Fall abgeschlossen ist, dachte er, dann gehe ich es an. Dann aber wirklich. Hundertprozentig.

»Gute Nacht«, sagte Maria und schaltete den Motor wieder an.

26

Ein polizeilicher Profiler hat auch ein Privatleben, wahrscheinlich liegt auch er einmal entspannt an einem italienischen Urlaubsbadestrand, ohne die im Wasser Planschenden sofort in Tat-Wahrscheinlichkeits-Matrizen einzuteilen. Wie ist das aber bei einem Serientäter? Bei einem Marder? Hier fällt es schwerer, sich vorzustellen, was er macht, wenn er gerade nicht seriell mordet, wenn er gerade nicht davon träumt, das Hirn der neuesten E-Mail-Bekanntschaft auszuschlürfen. Was treibt er, wenn er nicht gerade Botschaften mit Bibelstellen verschlüsselt, Schieß- und Schlitzübungen macht, Spurenverwischkurse belegt? Wie sieht das Privatleben eines Marders aus? Hat er überhaupt eines? Treiben ihn zusätzlich zu seiner morbiden Schwäche noch andere Leidenschaften um? Diesen Marder schon. Er war ein passionierter Bergsteiger.

6.11 Uhr, Ochsenwiese
Der Marder war heute sogar schon um fünf Uhr aufgestanden, hatte sich beim Frühstück noch die Wettervorhersage in der Sendung *Rucksackradio* angehört und war dann in der Dämmerung losgegangen. Das kurze steile Stück, das nach der Ochsenwiese zum Kölbertritt führte, regte ihn an, das Tempo noch einmal zu verschärfen. Der Marder war in Form. Schon in jungen Jahren war er immer dann auf den Berg gegangen, wenn er über ein Problem nachdenken musste. Diese Verknüpfung von ansteigenden Bergpfaden und langsam sich abzeichnenden Lösungen hatte ihn geprägt. Mit jedem Tritt der

Bergschuhe brachen die großen und kleinen Sorgen weg. Die Skrupel, die faulen Kompromisse und die halbherzigen Übergangslösungen bröckelten wie die Steine den Steilpfad hinunter, unten im Tal zerbarsten sie krachend und lösten sich in Wohlgefallen auf.

7.51 Uhr, Kölbertritt

Der Marder hatte heute viel vor. Bei der Wegmarkierung nach dem Kölbertritt, bei dem Stein mit den zwei gelben Kreuzen, bog er vom üblichen Pfad der Freizeit-Alpinisten ab und bahnte sich den Weg durchs Unterholz. Zielsicher ging er zu seinem Versteck. Der zweite Rucksack dort war prall gefüllt mit Zündschnüren, Explosiva, präparierten Küchenweckern und ähnlich netten Requisiten. Er stapfte mit zwei schweren, senfgelben Rucksäcken weiter. Obwohl es schon April war, lag noch viel Schnee. Er war unterwegs auf den Pfaden, auf denen einst König Ludwig gewandelt (respektive auf einer Sänfte getragen worden) war. Er hatte heute, an diesem schönen Frühlingstag, vor, die Piste auf seine ganz persönliche Weise zu präparieren.

9.32 Uhr, Sauwald

Er musste keine Sorge haben, dass ihm jemand entgegenkam, so früh war er losgegangen. Und dass ihn jemand überholte, war zwar nicht ausgeschlossen, aber es war unwahrscheinlich. Das erinnerte ihn allerdings an sein unangenehmstes Erlebnis. Ausgerechnet beim Aufstieg auf seinen Lieblings-Problemlösungs-Berg war ihm auf derbe Weise klargemacht worden, dass es noch fittere Kameraden als ihn gab. Etwa in der Mitte der Strecke hatte er das Keuchen eines anderen Wanderers hinter sich gehört, für sich gesehen nichts Außergewöhnliches, aber dieses unverhüllte Stampfen und Schnauben war immer näher gekommen. Hätte ihn dieser anonyme Angreifer damals ins Genick gebissen oder mit einem Stock ins Kreuz geschlagen, hätte der

Marder keinen solchen Schmerz verspürt wie den, überholt zu werden. Es war das erste Mal in seinem Leben gewesen.

10.56 Uhr, Froschbachel
»Da draußen läuft ein Serientäter frei herum. Und wir müssen ihn finden.« In jeder amerikanischen Serial-Schmonzette kam dieser Satz vor, dachte der Marder. Es waren nur noch ein paar Meter bis zum Ziel. Auf der kleinen Anhöhe legte er seine zwei Rucksäcke ab, setzte sich und schnaufte tief durch. Er war ziemlich außer Atem gekommen, und so blickte er jetzt keuchend hinunter ins Tal. Irgendwo da unten, dachte der Marder, irgendwo da drunten sitzt ein Kommissar. Und ich muss ihn beschäftigen.

11.02 Uhr, Schachenhäuser
Der Marder riss das Päckchen mit den Einmalhandschuhen auf und streifte sich ein Paar über. Dann fummelte er Stift und Papier aus der Plastikfolie und schrieb:

»Lieber Herr Kommissar Jennerwein!

Ich bin siebenundzwanzig, ich bin dreiundvierzig, ich bin Ende sechzig. Ich bin bekennender Presbyterianer, ich bin gläubiger Buddhist, ich bin praktizierender Voodoo-Priester im Voodoo-Sprengel Duisburg-Nord. Ich bin alteingesessener Ur-Hammersbacher. Ich bin Mann, ich bin Frau, ach ist das herrlich, wenn man in einem virtuellen, potentiellen Raum schwebt, wenn man noch das Ding an sich ist und nicht eines seiner vielen Ausgestaltungen.

Das ist das eigentlich Geile an der Serientat, dass man (eine gewisse Zeit zumindest) profil-los alles ist, dass man viele Existenzen in sich vereint, die sich langsam erst zu der einen, langweiligen, konkreten verengen. Das Erregende für alle

Seiten ist genau diese Zeit, in der der Täter so ein unscharfes Profil hat, dass jeder der Beteiligten denkt: Das könnte ich auch selbst sein, ich habe nur nicht den Mut gefunden, so weit zu gehen.

Der zweite Anschlag steht kurz bevor, Herr Kommissar!

Mit vielen Grüßen – aus Grainau, aus Hammersbach, aus Klais, aus Farchant, aus Krün …

Ihr hochgestimmter Unfassbarer

27

Åge Sørensen ritt hoch zu Ross durch den Wald von Morr, auf einem Apfelschimmel, den ihm die Asengöttin Krygalde geschenkt hatte. Ihre Hütte war sauber eingerichtet gewesen, er war eingetreten und hatte nach Thor mit dem Hammer gefragt. Als er weggeritten war, hatte er überlegt, ob er nicht einen großen Fehler gemacht hatte. Ganz hinten auf einem Tisch in Krygaldes Hütte hatte er einen Beutel Sago, einen Becher Sahne und eine Schale Brombeeren gesehen. Sago, Sahne und Brombeeren, das waren doch die Zutaten für – na? Auf der Höhe von Lypiswiøulde fiel es ihm ein, Åge musste lächeln, und Mutter Sørensen entging das nicht.

Sie hielt die Hand ihres Sohnes, aber sie hätte genauso gut eines der Kabel halten können, die aus den medizinischen Geräten quollen und auf Åge herabstürzten wie würgelustige Schlangen. Mutter hatte die Erlaubnis erhalten, hier zu bleiben. Sie wusste, was diese Erlaubnis bedeutete. Dass Åge eigentlich keine Chance mehr hatte.

Mit dem Klinikum selbst war sie zufrieden. Das Krankenhauspersonal war freundlich und die Ärzte auskunftswillig. Einzig kritisierenswert fand sie die Tatsache, dass es im ganzen Haus kein Ø gab. *SOERENSEN* hatten die Pfleger stattdessen auf die Karte an der Fußseite des Bettes geschrieben, als ob das das Gleiche wäre. *SÖRENSEN* stand auf den Infusionsflaschen, und auf einem der medizinischen Geräte war *A_GE SO_RENSEN* zu lesen. Wie man das wohl aussprach? In einer Zeit, in der ein @ und ein € auf jeder Spielzeugtastatur zu finden waren, war ein Ø anscheinend kein Zeichen, das die Welt brauchte. Sie hatte in den ganzen Wochen, in denen sie hier war, kein Å und kein Ø gesehen. Dabei hatten die Dänen doch einmal halb Europa beherrscht. Das war allerdings schon etwas länger her, tausend Jahre, zur Zeit Knuts des Großen: Nørwegen, Schøttlånd, Litøuen, Nørddeutschlånd bis hinunter nach Hånnøvør und sogar Nørnbørg, alles dänisch!

Aber sonst konnte sie nicht über das Klinikum klagen. Vor ein paar Tagen war sogar der Chefarzt zu ihr gekommen, ein glatzköpfiger Zweimetermann mit großen, wachen Augen, der auf dem Gang einen Bob-Dylan-Song gesummt hatte: *A hard rain's a-gonna fall*, Humor hatte der Mann jedenfalls. Dann hatte er sich geräuspert:

»Drunten steht schon wieder einer von der Presse, Frau Sørensen. Er will mit Ihnen sprechen.«

»Wie oft soll ich den Leuten noch sagen, dass ich das nicht möchte. Ich habe schon alles gesagt.«

»Da haben Sie recht, das ist auch mein Problem. Es sind immer dieselben Fragen. Und ich kann nicht voraussehen, ob und wann er wieder aufwacht und ob er sich daran erinnert, was wirklich geschehen ist.«

»Er ist immer noch nicht transportfähig, nicht wahr?«

Draußen dämmerte es, sie zog ein Buch aus ihrer Tasche und las ihrem Sohn daraus vor, wie jeden Tag um diese Zeit. Das Buch trug den Titel *Eine kurze Geschichte des Skispringens*, aber es war dicker als die Bibel.

28

Karl Swoboda war ganz in seinem Element. Er hatte sich als altes gebrechliches Männchen verkleidet, auf seiner Vollglatze klebten ein paar weißliche Haare, eine zerkratzte Brille verdeckte seine umherirrenden, wachen Augen. Er streifte, auf einen Spazierstock gestützt, im ganzen Ort herum und studierte in Ruhe alle öffentlichen Anlagen und privaten Gehöfte, er studierte Misthaufen und Versitzgruben, suchte nach Hinweisen auf unterirdisch verlegte Rohrleitungen mit blinden Abzweigungen, er studierte den Wuchs von großen, augenscheinlich morschen und innen hohlen Bäumen, er schätzte das Fassungsvermögen dieser Hohlräume, er verfolgte die wilden Strudel in den Mühlbächen und Wasserwehren, studierte auch, wie auf dem Golfplatz neue Bahnen von Rollrasen auf satter, schwarzer Erde verlegt wurden. Wenn man ihn beobachtet hätte, wäre man von einem allseits interessierten Rentner ausgegangen, man wäre nie drauf gekommen, dass er nach einem ganz besonderen Versteck suchte. Nach einem endgültigen Versteck für den bedauernswerten Allgemeinarzt Dr. Steinhofer und den heldenhaften Xun Yü samt einer halben zerschossenen Schweinehälfte. Karl Swoboda stapfte zu den beiden hoch gelegenen Badeseen hinauf, dem Riessersee und dem Pflegersee, landschaftlich beide wunderschön, aber die Seebestattung wählte der Problemlöser nur im Notfall. Er ging zurück in den Ortskern und kam an einigen Baustellen vorbei. Sakra, Sakra, dachte Swoboda angesichts eines voluminösen Lidl-Projekts mitten im Ortskern, eine reizvolle Idee wäre es schon, diesem

Brachial-Discounter zwei einbetonierte Leichen in den Grundstein zu legen. Doch die Baustelle lag zu zentral, man konnte sie von allen Seiten einsehen, hier etwas zu verstecken schien ihm zu riskant. Swoboda spazierte wieder aus dem Ort heraus. Und am Ortsrand entdeckte er dann das, was er suchte.

Das Baugeschäft Schwaiger bestand aus ein paar verstreuten, altmodisch anmutenden Lagerhäuschen inmitten eines weitläufigen Geländes. Ein paar Arbeiter waren gerade damit beschäftigt, frischen Beton anzurühren und in ein mit Holzbrettern verschaltes Erdloch zu füllen. Drei rednerpultgroße Betonklötze, die schon auf einen Lastwagen geladen worden waren, zeigten die Endergebnisse ihrer Bemühungen. Es waren maßgefertigte Stabilisierungselemente, wie sie für Hochspannungsmasten, aber auch Kellergeschosse in schrägen Hanglagen, verwendet wurden. Jedem der Quader stand auf der Oberseite ein T-förmiger Bügel aus Eisen heraus, der augenscheinlich dazu diente, den Kranhaken einzuhängen. Swoboda stapfte im Greisentempo zum Zaun des Baugeschäftes. Der neue Block war schon gegossen, der eiserne Haken wurde gerade in den weichen Brei gesteckt und fixiert.

»Wann wird er denn hart sein?«, fragte er einen der Arbeiter und versuchte, bayrisch und nicht österreichisch zu reden, was einem Österreicher eigentlich nie so ganz gelingt. Mit jahrelangem Training schaffte es meinetwegen der Kieler, das halbdunkle a im bayrischen *Mass* (oder das helle in *Leberkaas*) einigermaßen korrekt auszusprechen, der Österreicher versucht es normalerweise gar nicht erst.

»Der Beton, meinst du?«, antwortete der Arbeiter und bemerkte Swobodas gekünsteltes Bayrisch nicht, denn erstens war er ein Tiroler Leiharbeiter, zudem hatte er eine monströse Bierfahne, wie sie nur ein Bauhofverschaler um fünf Uhr, kurz vor Feierabend, haben kann.

»Ja, den Beton meine ich«, sagte Swoboda, und sein Bayrisch wurde von Wort zu Wort besser.

»Drei oder vier Stunden dauerts immer, bis er hart wird.«

Perfekt, dachte Swoboda.

»Und wo kommen die Blöcke hin?«

»Die kommen in ganz Europa umeinander.«

Noch perfekter, dachte Swoboda.

»Bis wann ist denn hier jemand da?«

»Bis um fünf.«

Sakra, heute läufts aber, dachte Swoboda.

»Das ist ein absolut sicheres Versteck, Freunde«, sagte Swoboda zu Shan und Wong in der Pension Alpenrose.

»Wann machen wir's?«

»Heute noch. Jetzt gleich. Um fünf schließt das Baugeschäft Schwaiger, dann ist dort kein Mensch mehr. Es ist ein handgemischter Spezialbeton, den die da verwendet haben. Sie lassen ihn über Nacht hart werden. Am nächsten Tag ziehen sie den Block mit einem Flaschenzug heraus und verladen ihn. Mehr brauche ich nicht zu sagen, oder?«

»Festes Schuhwerk empfehlenswert?«, fragte Shan.

»Für Wong und mich schon, für dich nicht«, sagte Swoboda. »Du ziehst dir Pumps an und richtest dich ein bisserl auf Sexy Hexy her. Während wir unsere Arbeit machen, stellst du dich auf die Straße und pfeifst, wenn was ist. Wenn es ganz wild wird, lenkst du sie mit deinem Outfit ab, bis wir verschwinden können.«

»Übertreib es nicht«, sagte Wong zu Shan.

»Be-ei-lung!«, bellte Swoboda wie ein k. u. k. Feldwebel. »In einer halben Stunde fahren wir zum Baugeschäft.«

Und so geschah es. Man konnte mit Swobodas Auto direkt auf das Gelände fahren. Shan, die nun eine große Ähnlichkeit mit China Blue aus dem gleichnamigen Film aufwies, bezog

Position. Swoboda fotografierte den frisch gegossenen Betonblock mit einer Digitalkamera, markierte auch die Einfüllhöhe des Betons. Sie zogen das Eisenstück aus der zähflüssigen Masse und legten Dr. Steinhofer und Xun Yü auf die Oberfläche. Die beiden Leichen waren tiefgefroren und zusammengekrümmt. Beides war von großem Vorteil, denn labbrig und ausgerollt hätte man einige Mühe gehabt, sie in dem Steinquader unterzubringen. Sie hatten die Körper einige Meter tragen müssen, das war der gefährlichste Teil der Aktion. Hier durfte kein Radfahrer oder Spaziergänger vorbeikommen. Doch Shan hatte keinen Warnpfiff ausgestoßen, und es war alles gutgegangen. Der Beton hatte schon an Festigkeit gewonnen, Swoboda und Wong mussten mit Brettern nachhelfen, um die Körper unterzutauchen. Die Abenddämmerung brach herein, der alte Dr. Steinhofer schien noch einen letzten neugierigen Blick in diese Welt zu werfen, sein festgefrorenes Gesicht versank dann endgültig in der grauen Masse. Xun Yü war auf Wongs Wunsch hin mit dem Gesicht nach unten beerdigt worden, wenn *beerdigt* hier überhaupt ein zutreffender und pietätvoller Begriff ist. Der Beton war jetzt etwas über den Markierungsstrich gestiegen, und auch das hatte Swoboda bedacht.

Er wies Wong an, eine Schaufel aus dem Auto zu holen, schöpfte den überschüssigen Beton ab und gab ihn in einen mitgebrachten Kübel. Schaufel und Kübel ließ er Wong wieder im Auto verstauen. Swoboda verglich nun das Ergebnis seiner Glättungsarbeiten mit dem vorher geknipsten Foto. Er machte da und dort noch einige kleinere Korrekturen und scheuchte Wong mit einigen Handlangeraufgaben herum. Der war überhaupt nicht begeistert von der Rolle des Hilfsarbeiters und fluchte leise in seinem Min-Yue-Dialekt. Doch schließlich hatten sie ihr Werk vollendet. China Blue hatte nicht gepfiffen, niemand war dort bei ihr vorbeigekommen außer einem Nordic Walker mit Ohrstöpseln und einem Liebespaar mit momentan wenig Interesse für ein verfallenes Baugeschäft.

»Sakra, manchmal läuft es wie geschmiert«, sagte Swoboda und steckte das eiserne T wieder in den Beton, genau zwischen Dr. Steinhofer und dem Terminator hindurch. Er legte noch eine dicke Plane darüber, die den Zement vor Regen schützen sollte – und wie um die Sache perfekt zu machen, zog jetzt ein Unwetter auf, und ein erfrischender Schauer verwischte alle Fußspuren.

29

Rol|le [ro:lä], die; –, -n <*Kunstflug*> Figur mit einmaliger Rotation um die Längsachse des Flugzeugs; <*Bodenturnen*> Vollständige Drehung mit gekrümmtem Körper; <*Mechanik*> Scheibe zur Umkehrung einer Kraftrichtung; <*Schifffahrt*> Bewegung des Schiffs, die sich aus dem Schlingern (um die Längsachse) und dem Stampfen (um die Querachse) zusammensetzt; <*Soziologie*> Summe der Erwartungen an das soziale Verhalten eines Menschen; <*Geographie*> Bezirkshauptort im Kanton Waadt, Schweiz, am Nordufer des Genfer Sees, 4300 Einwohner, Weinbau, Fremdenverkehr; <*Biologie*> *(umgangssprachlich)* Zeitabschnitt, in dem ein Tier → rollig ist (siehe ›Katze‹); <*Musik*> Rolle, Christian Friedrich (1681–1751), deutscher Barockkomponist; <*Adventure Plays*> zugewiesene Figur innerhalb eines ›role playing game‹, die ursprünglichen Online-Rollenspiele werden zunehmend abgelöst durch real gespielte ›living adventures‹ (siehe auch **high risk ad|ven|tu|res**)

Ilse Schmitz, die ehemalige Stellvertreterin der zweiten Personalchefin der Firma QQu, die unbedingt eine erste solche hatte werden wollen, war inzwischen nicht mehr Mitarbeiterin der Firma QQu, sie war outgesourct worden, nachdem sie als Frau mit dem Lederhut beim letzten jungsteinzeitlichen Outdoor-Event auf der ganzen Linie versagt hatte. Der Kausalzusammenhang zwischen Rauswurf und Absturz war natürlich nirgends schriftlich festgehalten worden, aber sie hatte erfahren, dass das Mädchen mit dem Schakalsgesicht sofort danach ihre

Stelle bei QQu eingenommen hatte. Ilse hatte sich daraufhin bei einer anderen Firma vorgestellt, bei einer großen Weltfirma, war auch probeweise eingestellt worden, konnte der Hölle der Outdoor-Event-Teambildungs-Adventure-Kultur jedoch nicht entgehen, sie war gleich nach dem Einstellungsgespräch abermals zu einem solchen Wochenende verdonnert worden –

»Zu einem Event, veranstaltet von *der* führenden Eventagentur, der Eventagentur *IMPOSSIBLE*!«, hatte die interne Eventmanagerin der neuen Firma geschwärmt – und jetzt stand sie eben wieder da, im Eventgelände der Eventalpen, diesmal nicht an den Klippen der eisigen Höllentalklamm, sondern, ein paar Meter weiter östlich, im Wettersteingebirge, auf dem Weg zum Schachen, bei einer historischen Wanderung mit dem Titel *Auf den Spuren des Märchenkönigs*, zum berühmten Jagdschloss von Ludwig II. Vom QQu-Regen in die Traufe der großen Weltfirma. Sie hätte ihre Teilnahme absagen können, ja, durchaus. Aber solch eine Absage hätte bedeutet, nicht teamfähig zu sein, nicht innovativ genug für die Firma. Nicht hip, nicht taff, nicht knitz, gar nichts. Also musste sie jetzt da durch.

Im April hielt man den Aufstieg zum Jagdschloss noch gesperrt für normalsterbliche Romantiker, zu schneebedeckt und eisig waren die Wege. Doch die Agentur war ein nachhaltiger und vor allem zahlungskräftiger Nutzer der felsigen Locations rund um den Talkessel, sie füllte die Hotels, Restaurants und die Gemeindekassen, und ihre Kunden kamen, anders als die Hamburg/Sizilien-Raser, die ohne anzuhalten die Alpspitze knipsten und weiterhetzten, immer und immer wieder. Die Agentur bekam eine Sondererlaubnis.

Eine historische Wanderung mit der Agentur *IMPOSSIBLE* bedeutete allerdings auch eine Wanderung in historischen Gewändern, und die waren höllisch unbequem, wie Ilse Schmitz schon nach den ersten paar Schritten bergan feststellen musste.

Jeder der zwanzig Teilnehmer war bis in die Unterwäsche hinein authentisch verkleidet, das zwickte und zwackte, das rötete die Haut, und die gute alte Zeit war jetzt schon ein kleines bisschen lästig. Die Klamotten der Jungsteinzeit waren bequemer gewesen. Am Anfang lachte und scherzte die Gesellschaft noch, doch dann, als der Weg steiler und rutschiger wurde, als die Mitarbeiter der großen Weltfirma knöcheltief im Schnee wateten, verstummten die Gespräche. Jeder versuchte sich auf seine Rolle zu konzentrieren. Ilse Schmitz selbst trug das Gewand einer höfischen Kurtisane, der mächtige Reifrock und der knappe Spenzer über der drückenden Korsage, der ausladende Lady-Chatterley-Hut und die filigranen Schnürschuhe siedelten sie irgendwo zwischen Madame de Pompadour, Lola Montez und Camilla Parker Bowles an. Den Herren in der historisch verbürgten Wandergruppe erging es bezüglich solcher Unbequemlichkeiten nicht besser. Vor Ilse stapfte ein ungarischer Gardeoffizier in vollständiger Paradeuniform, bestehend aus Pickelhaube mit Rosshaarbusch, Mantel und Gardesäbel (Herr Schuchart von der Entwicklungsabteilung), hinter ihr schritt ein Bischof im bestickten Zeremoniengewand, natürlich mit Mitra, Stab und dem stets sichtbar zu haltenden Siegelring (Herr Bröseke vom Marketing), und ganz hinten buckelte ein Diener in der schweren, leinernen Livree der Wittelsbacher Domestiken (Herr Häuptl vom Controlling) – trotz des Buckelns trug Herr Häuptl ein großes rotes Kissen mit ausgestreckten Armen vor sich her, auf dem eine silbern verzierte Jagdbüchse lag – ein dramaturgisches Element, das zu mancher Spekulation bezüglich des heutigen Events Anlass gab. Man stapfte jetzt an der Ochsenwiese vorbei, die Sonne zwängte sich durch knospende und tropfende Zweige, das versöhnte ein wenig mit den Mühen des Aufstiegs. Die Regeln dieses *history walks* waren einfach: Man musste die Rolle, die einem durch das Kostüm zugewiesen worden war, möglichst durchgängig verkörpern: Wer war am

Schluss der schneidigste Gardeoffizier, der glaubhafteste Bischof, der buckligste Diener, die verführerischste Kurtisane? In diesem Bewusstsein bewegte sich der kleine Hofstaat hinter einem Hornschlitten her, der von vier Lakaien gezogen wurde. Vorne auf dem Kutschbock saß ein fünfter an der Lenkstange. In der blumengeschmückten Sänfte, die auf dem Schlitten montiert war, musste König Ludwig II. selbst, der unangefochtene Herrscher aller Bayern, vermutet werden. Die Lakaien waren in Wittelsbacher Blau gewandet, die gleichwohl dunkelblauen Samtvorhänge der Sänfte waren geschlossen, nur einmal, bei der ersten Pause am Kölbertritt, war eine behandschuhte Hand erschienen und hatte den Vorhang leicht aufgezogen. Sie hatte gewinkt, die königliche Hand, und gleich darauf ein Glas Champagner erhalten. Alle hatten versucht, einen Blick ins Innere der Sänfte zu erhaschen, undeutlich konnte man da einen Mann mit langen schwarzen Haaren erkennen, Nase und Mund waren mit einem purpurnen Tuch verhüllt. In einer Kurve zog er den Vorhang etwas weiter auf und blickte huldvoll heraus.

»Ist das überhaupt der König? Ich meine, unser *Kini*?«, fragte Herr Wurchterdinger vom Vertrieb, der den Großherzog von Regensburg verkörperte und ein bis zu den Knien reichendes Kettenhemd trug. »Der schaut ja ganz anders aus! Der schaut ja aus wie –« Dann war der Vorhang wieder geschlossen worden.

Man ächzte eine weitere halbe Stunde hinter dem schwankenden Gefährt her, einmal tauchten vier Jäger aus dem Dickicht auf, brachten sich in Stellung und bliesen auf ihren messingblitzenden Jagdhörnern – Halali, halala! – ein Ständchen. Dann gab es erste Ausfälle. Das verspielte Fin-de-Siècle-Schuhwerk war die Schwachstelle der ganzen Unternehmung. Die Marquise de la Luxembourg (Frau Bröckl von der Telefonzentrale) hatte ihre Seidenschleicher ausgezogen und war in den mitgebrachten Turnschuhen weitergegangen. Spielverderberin!, hatte ihr der Bischof zugerufen. Selber!, hatte die Marquise zurückgegeben, beiden war ein Punktabzug sicher, die eingeschleusten Spione der Agentur *IMPOSSIBLE* hatten das sicher schon notiert. Doch am Sauwald ging ein Raunen durch die erschöpften Schneetrapper. Dort oben war endlich die berühmte Holzhütte in Sicht gekommen, des Königs Jagd- oder Lustschloss. Alle waren sich sicher, dass es in der davor liegenden Schachenhütte eine authentische Verköstigung mit regionalen Produkten gab. Die unvermeidlichen Spitzenköche, die Businessbrutzler waren schon angekündigt worden, das Wildbret, die Gemsen, waren vielleicht auch erst noch zu schießen, von wem auch immer. Der Hornschlitten wurde angehalten, der Hofstaat kam zum Stehen, Ilse Schmitz zog und zerrte an ihrem Mieder, das sie höllisch einschnürte, und befahl ihrer Zofe (Herrn Fröhlich von der Lohnbuchhaltung), ihr das Gesicht ein wenig abzutupfen und zu pudern. Aber jetzt ging der Vorhang auf und eine melancholisch anmutende Gestalt stieg, von zwei Dienern gestützt und geschoben, eine kleine Treppe herunter.

Der Märchenkönig stand vor ihnen. Ein großer, blauer Mantel umhüllte ihn, und die dunkle Brosche aus Smaragdsteinen wirkte wie eine fette Spinne, die ihm gerade an den Hals gesprungen war. Allein die Kostüme mussten ein Vermögen gekosten haben, dachte Ilse. Das Gesicht des Königs war immer noch verhüllt. Nur die Augen lagen frei, und er blickte sich um, hob den Kopf, zog den Mundschutz von der Nase, und schnüffelte in alle Himmelsrichtungen, wie um sie alle in seinem Reich zu riechen, die Franken, die Schwaben und die Oberpfälzer, die Nürnberger, die Augsburger und alle, die da sonst noch lebten in den weißblauen Gefilden der Glückseligen. Er sah sich um, und von irgendwoher, aus den Wäldern, aus den Anhöhen, ertönte jetzt leise Musik, eine zarte Melodie, ein paar schlichte Takte im ewigen Rhythmus alles Werdens und Vergehens. Die Bäume summten ihr grünes Lied, die Luft war erfüllt von purem Glück. Ein schönes Detail, dachte Ilse, Musik, die von irgendwoher kommt, ein wirklich schönes Detail, diese Agentur lässt sich was einfallen. Doch die Musik kam nicht von irgendwoher, sie kam vom Fischer Beppi, dem international bekannten Zitherspieler, der in die Saiten griff und diese Klänge produzierte. In der Sänfte war er bisher gesessen, ganz nahe beim König, jetzt stieg er heraus, sein Instrument vor sich hertragend wie Orpheus seine Leier. Angetan war er mit einem schwarzen Cape und einem Barett. Und für diejenigen, die sich nur ein bisschen vorbereitet hatten auf diesen *history walk* mit dem Titel *Auf den Spuren des Märchenkönigs*, war es ersichtlich: der Zither Beppi sollte den Richard Wagner darstellen, den großen, eigentlich fast schon bayrischen Komponisten Richard Wagner, der dem Herrscher etwas aus seinen Opern vorträgt. Die Outdoor-Fassung des Tannhäuser-Vorspiels, auf der Zither dargebracht von einem authentischen Bewohner der Berge. Nicht übel, dachte Ilse Schmitz. Und das erste Mal hatte sie das Gefühl, dass es hier doch nicht so schlimm werden würde wie damals in der Höllentalklamm.

Einer der Lakaien machte ein Zeichen mit dem Taschentuch. Jetzt verlangte es die Hof-Etikette, sich kratzfüßig und knicksend zu verneigen, und ein Dutzend erwachsener Managermenschen buckelte wortlos vor dem Ludwig-Darsteller. Ilse Schmitz richtete sich wieder auf. Nur gut, dass sie sich pudern und nachschminken hatte lassen, denn die Aufmerksamkeit des *Kini* galt plötzlich ihr, der kleinen Ilse im gebauschten und gerafften Kurtisanengewand. Mit einer herrschaftlichen Handbewegung winkte er ihr zu kommen. Neidvoll beobachteten sie die anderen, Klaus Wondrikat von der Werbung knirschte mit den Zähnen, bewahrte aber die Contenance. Der Märchenkönig sprach nicht, er gestikulierte nur, er zeigte nach oben zu einer Anhöhe. Ilse blinzelte mit den Augen und erkannte, gegen die Sonne, einige bewegliche Punkte. Gemsen!, flüsterten einige im Hofstaat, diejenigen, die französisch konnten, flüsterten *Les chamois!*, um noch etwas authentischer zu sein. Ilse Schmitz hörte auch Gekicher, achtete aber nicht weiter darauf. Der Herrscher aller Bayern deutete auf den livrierten Wittelsbacher Diener, auf dessen Samtkissen das altertümliche Gewehr lag. O nein! War es also heute ihre Aufgabe, eine Gemse zu schießen? Warum gerade sie? Sie hatte noch nie in ihrem Leben ein Gewehr in der Hand gehabt, nicht einmal auf dem Rummel, aber von einer Managerin erwartete man wohl, genau dieses Problem zu lösen. Blitzschnell, beherzt, nachhaltig. Sie nahm den Stutzen vom Kissen und legte an. Kurzsichtig blinzelte sie durch das Visier. Musste man das Ding nicht erst laden? Der Beppi zitherte sich gerade in den *Liebestod* aus Tristan und Isolde, er mischte die Wagnermusik mit ein paar alpenländischen Liedern: *As Gamsalschiaßn is mei Freid*. Sie tat indessen so, als suche sie den Hang nach der fettesten und unbeweglichsten Gemse ab. Wahrscheinlich waren sie aus Pappe, die Viecher, und irgendwelche Helfer zogen sie mit Seilen hin und her, aber man wusste ja in Bayern nie so genau, was Kulisse war und was echt. Sie hielt das Gewehr fest umklammert, und alle blickten auf sie, die beherzte Kurtisane und Gamsjägerin, die in feinsten Kalbsleder-Stiefeletten auf der Froschbachel-Höhe stand. Doch dann geschah es. Oben am Waldrand erschien ein Pferd. Ach was, ein Pferd: Ein edler Rappe, ein tiefschwarzer Zosse wurde über die Wiese geführt, die Nüstern gebläht, die Flanken schweißnass, den Kopf trotzig zurückgeworfen, und Ludwig der Zweite schritt auf das Ungetüm zu und bestieg es erstaunlich behende. Und als er hoch droben zu Ross saß und den Blick über das Gelände schweifen ließ, als er noch dazu den Mundschutz vollständig abstreifte, da erkannten ihn einige.

»Das ist doch –«

»Wie der auf dem Pferd sitzt!«

»Das kann doch nur –«

Und er war es: Pierre Brice, der einst den Häuptling der Apachen gegeben hatte, und der jetzt, nicht minder majestätisch, den König verkörperte. So hätte Ludwig der Zweite ausgesehen, wenn er, wie Pierre Brice, achtzig geworden wäre. Einige der über Dreißigjährigen bekamen weiche Knie, darunter Ilse Schmitz. Pierre Brice war auch ihr heißer Jugendschwarm gewesen. Der indianisch veredelte Ludwig winkte ihr nun, und sie trat näher. Obwohl sie um die Inszenierung wusste, gingen ihr seine silberseeblauen Augen durch und durch. Was für ein Blick! Er bedeutete ihr mit einer Geste, zu ihr auf den Rappen zu steigen, sie nahm seine angebotene Hand und schwang sich mithilfe einer schnell bereitgestellten Treppe zu ihm auf das Pferd. Ihr Gewehr immer noch in der Hand, kam sie hinter ihm zu sitzen wie eine bewaffnete Motorradbraut, und er ritt sofort los. Applaus brandete auf, fast neidlos beklatschten alle im Team diese Szene, und juchzend schwang sie das Gewehr über ihrem Kopf. Trotzdem: Sie war noch nie geritten, und nach ein paar Sätzen stieg leichte Übelkeit in ihr auf. Doch gottlob hielt der König am Fuß eines schneebedeckten, steilen Hanges an, schroff ragten die zackigen Felsen in die Höhe und boten ein wenig Schutz vor dem Wind, der aufgekommen war. Er drehte das Pferd bei, griff behutsam nach ihrem Gewehr und führte es in Richtung der Gemsen, deren fleischliche Existenz sie immer mehr bezweifelte. *Pappgemsen!* hatte sie vorher im Gekicher gehört. Aus der Ferne hörte man Zitherklänge, ihr Zeigefinger spannte jetzt den Abzug. Doch es kam nicht zum Schuss.

Die Hofschranzen des bayrischen Königs drunten sahen die Lawine als Erste, alle fielen sie plötzlich aus der Rolle und deuteten schreiend nach oben. Dass etwas Unvorhergesehenes passiert war bei diesem Adventure Event, etwas katastrophal Unvorhergesehenes, erkannte man daran, dass die livrierten Diener hastig davonliefen, ohne sich um ihren König zu kümmern. Die ganze hochherrschaftliche Gesellschaft stob, alle Etikette hinter sich lassend, davon, aus der Sturzbahn der Lawine heraus.

Ilse Schmitz und Pierre Brice blickten ebenfalls nach oben. Dort in fünf- oder sechshundert Meter Entfernung hatte sich ein großes Schneebrett gelöst, es glitt beängstigend majestätisch herunter, es rutschte in die Tiefe, direkt auf sie zu. Der Schnee war nass und schmutzig, das sah man von hier aus, und die Schneewand donnerte mannshoch auf Ross und Reiter zu. Winnetouludwig gab dem Rappen die Sporen. Ilse, die sich nicht an den kühnen Reiter geklammert hatte, riss es vom Pferd, und sie knallte aus zwei Meter Höhe auf den hartgefrorenen Boden. Das Gewehr hielt sie fest umklammert, die Lawine war noch dreißig Meter von ihr entfernt. Sie fluchte und wollte sich aufrappeln. Die Lawine war noch zwanzig Meter von ihr entfernt. Beim ersten Auftreten spürte sie schmerzhaft, dass sie sich den Knöchel verstaucht hatte. Zehn Meter. Oder gebrochen, sie konnte jedenfalls keinen Schritt mehr weiterlaufen. Fünf Meter. Sie schrie aus Leibeskräften um Hilfe. Drei Meter. Sie warf sich auf den Boden und legte sich flach hin, in der naiven Hoffnung, dass die Schneemassen über sie hinwegdonnern würden. Ein Meter.

30

Herr Wurchterdinger vom Vertrieb, der den Großherzog von Regensburg verkörperte, war von den übrigen Teilnehmern während der ganzen Veranstaltung milde belächelt worden. Er war der behäbigste unter den Eventlern, ein mächtiger Bauch wölbte sich unter seinem Kettenhemd, prustend und schnaubend war er den Weg zum Schachen hinaufgestapft, recht schweigsam war er gewesen, der Großherzog, aber auch er wollte natürlich Flexibilität zeigen, Offenheit, Teambereitschaft, Beweglichkeit und vieles andere mehr. Er blieb stehen und blickte nochmals zurück auf die abgegangene Lawine. Er zog seine kleine Digitalkamera unter dem Kettenhemd hervor und fotografierte die friedliche, weiße Landschaft. Der Hornschlitten des Königs stand wie hindrapiert auf der Straße, die livrierten Träger und Schlepper in Königsblau hatten sich davongemacht, auch die anderen Teilnehmer des Events waren schon unterwegs in Richtung Schachenhütte. Herr Wurchterdinger knipste noch einmal das unberührte Weiß mit Hornschlitten, dann wandte er sich um, um den anderen nachzustapfen.

Hätte er doch bloß noch ein wenig gewartet! Ein paar Sekunden nur, dann hätte er ein wirklich außergewöhnliches Fotomotiv vor Augen gehabt, eine frühlingshafte Studie voller Anmut und Grazie. An einer Stelle brach nämlich der Schnee auf, und etwas Kleines, Zierliches wuselte sich durch die weiße Matte. Ein paar Finger waren zu sehen, dann eine zappelnde Hand, die einen kalbsledernen Handschuh trug. Jetzt kamen Ärmel zum Vorschein, die mit feinen Brüsseler Spitzen verziert waren, ein rostroter Samtbesatz schob sich durch das schmutzige Feucht, schließlich erschien eine gepolsterte Schulter mit dem dazugehörigen Köpfchen, das von gedrehten Stöpsellocken umrahmt war. Ilse Schmitz arbeitete sich jetzt ganz heraus und klopfte sich den Schnee von ihrem durchnässten Kurtisanengewand ab. Da stand es nun, das untote Schneeglöckchen, allerdings ohne Schuhe, die waren unten im Schnee stecken geblieben. In der Hand hielt Ilse immer noch die silberbeschlagene Büchse, die ihr Seine Majestät, der König, zum Gemsenschießen respektive Pappscheibenschießen zur Verfügung gestellt hatte.

Ilse hatte verdammtes Glück gehabt. Sie war nach ihrem Sturz vom Pferd in einer kleinen Bodenvertiefung zum Liegen gekommen, und als die Lawine über sie hinweggedonnert war, hatte sie die Wucht des Schnees zunächst nach unten gedrückt, dann nach gewissen physikalischen Gesetzen semi-fluider Körper wieder hochgespült. Es war so etwas wie die Wurzel aus Gewicht durch Geschwindigkeit minus Omega, aber Hauptsache, sie lebte. So war sie dann nur von einem halben Meter Schnee bedeckt gewesen, und wusste im ersten Moment nicht so recht, ob sie überhaupt noch lebte. Sie konnte sich aber schnell befreien. Ilse Schmitz, der Phönix aus der weißen Asche, schüttelte sich jetzt und sah sich um: kein Mensch weit und breit. Eine neue Prüfung? Eine neue Herausforderung? Eine neue Chance, Punkte zu sammeln? Vielleicht, zuallererst aber hatte sie das Bedürfnis, sich die Zehen zu wärmen. In einiger Entfernung stand die einladende Sänfte Ludwigs des Zweiten, und sie stolperte darauf zu. Dort drinnen konnte sie sich vielleicht auch ein wenig abtrocknen. Sie warf das Gewehr hinein und kletterte durch die Seitenluke in die enge Kajüte. Klar, sie musste hinauf zu den anderen, zur Schachenhütte, um von dort oben Hilfe zu holen. Aber erst mal die Füße trockenreiben. Oder waren die anderen auch verschüttet worden? Nein, sie waren doch geflohen, so viel hatte sie noch gesehen.

Ilse Schmitz zog sich die tropfnassen Seidensocken aus, die in feinstem Lütticher Kanariengrün gehalten waren, und massierte ihre Zehen. Doch kaum war ein bisschen Wärme in ihr aufgestiegen, als sie jäh herumgerissen wurde. Sie verlor den Halt und krachte auf den Boden. Die ganze Art der schnellen Kreiselbewegung und ein Blick aus der Einstiegsluke verrieten ihr, dass der Schlitten gedreht worden war und jetzt in die andere Richtung zeigte, bergab, ins herrliche Loisachtal. Das Gefährt begann langsam nach unten zu rutschen. Sie blickte nach vorn, durch das kleine glaslose Fenster, das einen Blick auf den Kutschbock zuließ. Dort saß zu ihrer Überraschung ein Mann in weißem Skianzug, der den Schlitten jetzt an der Lenkgabel gepackt hatte. Er hatte seine ebenfalls weiße Skimütze übers Gesicht gezogen, eine Skimütze mit Sehschlitzen, die auch dem fröhlichsten Skihaserl immer etwas von einem verwegenen Bankräuber gibt. Der Schlittenlenker war vermutlich ein Adventure Scout von der Agentur *IMPOSSIBLE*, der die Requisiten wieder zusammenräumte.

»Geht es den anderen gut?«, schrie Ilse durch die kleine Öffnung nach draußen, worauf der Mann kurz nach hinten zu ihr blickte. Er nickte wohl kurz, gab aber keine Antwort. Eine scharfe Kurve, und Ilse Schmitz wurde wieder zurückgeschleudert, sie knallte hart auf dem Boden auf. Jetzt reichte es ihr langsam. Der Schmerz machte sie wütend. Sie krabbelte wieder nach vorn, hielt sich diesmal an der Unterkante der Öffnung fest.

»Mann, passen Sie doch auf! Ich habe Sie gefragt, ob es den anderen gutgeht?«

Der Schlitten hatte jetzt schon einiges an Fahrt aufgenommen, der Fahrer lenkte ihn sicher genau den Weg hinunter, den sie heraufgekommen waren.

»Sind Sie taub? Ich habe Sie gefragt –«

Sie stockte, denn die Skimütze drehte sich um und versuchte mit einer Hand, den Griff ihrer Finger zu lösen, mit denen sie sich festhielt. Es gab ein Gerangel, ein schweigendes Hin und Her, dann schubste er sie nach hinten, diesmal prallte sie mit dem Kopf an die Rückwand.

»He, Sie Idiot, halten Sie an! Ich will hier raus!«

Dieser Mann war kein Adventure Scout. Das war irgendeiner von den Bauerntölpeln hier, der vorhatte, den Schlitten zu klauen. Sie hatte ja schon so einiges gehört von den sonderbaren Bräuchen in der Gegend. Da wurden Maibäume gestohlen, dort wurden Türen hinter Brautpaaren zugemauert. Und die Skimütze da vorne hatte nun eben vor, diesen Hornschlitten zu klauen! Der Dieb hatte vielleicht zu spät bemerkt, dass Ilse drinnen saß. Oder gehörte er doch zur Agentur? Gab es hier wieder Punkte zu sammeln?

Das Gewehr lag auf dem Boden, sie hatte es vorher achtlos in die Sänfte geworfen. Sie kroch hin, soweit das in dem ratternden und schwankenden Schlitten möglich war, und griff nach der Waffe.

»Hey, sieh mal her, du Knallkopf! Halt jetzt endlich an.«

Der Mann blickte kurz um, sah das Gewehr, und schaute recht erschrocken drein, soweit man das durch die Sehschlitze der Mütze erkennen konnte. Für einen professionellen Dieb war er nicht cool genug, dachte sie. Ein dummer Streich von einem Halbwüchsigen?

»Ich sagte, du sollst anhalten!« Sie schüttelte die Waffe und hoffte, dass er jetzt endlich die Bremse anzog, falls es so etwas bei einem Hornschlitten überhaupt gab. Aber er zog die Bremse nicht. Er tat etwas ganz und gar Überraschendes. Er ließ den Lenkbügel los, stand seelenruhig vom Kutschbock auf, griff sich zwei senfgelbe Rucksäcke, die am Boden gelegen hatten, warf sie sich über und sprang mit einem Riesensatz vom Kutschbock herunter, in eine Schneewechte hinein.

Na toll! Ilse Schmitz saß also jetzt allein in einem ungelenkten Schlitten, der den Berg hinunterraste. Ihr erster Impuls war, es dem Unbekannten nachzutun und seitlich aus der Sänfte zu springen. Sie lugte hinaus und musste erkennen, dass der Schlitten schon längst nicht mehr auf der Straße fuhr, sondern sich seinen Weg über das freie, aber steinige Feld gebahnt hatte. Keine gute Idee, da abzuspringen, denn er hatte schon erhebliches Tempo aufgenommen. Die Öffnung nach vorne zum Kutschbock: zu klein zum Durchkriechen. Mit der Kraft von Wut und Verzweiflung nahm sie das Gewehr und rammte den Kolben in das Holz. Ihr Glück: das war nicht der richtige, der historische Ludwig gewesen, der diese Sänfte hier hatte bauen lassen, *der* hätte schon die stabile bayrische Eiche oder schweres Oberpfälzer Teak verwendet. Diese Rutsche hier war hingegen aus Sperrholz gebaut, und schon der erste Schlag von Ilse Schmitz ließ die Konstruktion einbrechen, noch ein zweiter und dritter Schlag, und die Sperrholzwand war mit ihrem Holzlatein am Ende. Ilse Schmitz zwängte sich, mit dem Gewehrlauf die Lattenreste und Holzsplitter wegstoßend, ins Freie. Ins Freie klingt gut, war es aber hier nicht, denn jetzt erst bemerkte sie, welch enorme Geschwindigkeit das unheimliche Gefährt aufgenommen hatte, und sie konnte auch sehen, dass unten am Fuße des Berges ein paar prächtige Kiefern standen. Sie packte die Lenkstange und riss sie weit nach links herum. Der Schlitten reagierte, aber viel zu behäbig. Durch den Sänftenaufbau war der Schlitten schwer geworden, er eignete sich nicht besonders für scharfe Kurvenmanöver. Trotzdem hoffte sie, das hinderliche Kiefernensemble umfahren zu können. Noch fünfzig Meter. Abspringen? Zu steinig. Noch dreißig Meter. Sie hoffte, an der äußersten Kiefer links vorbeizukommen, sie sah auch, dass es ab dort wieder leicht aufwärts ging, da würde sie mit etwas Glück zum Stehen kommen. Noch zwanzig Meter. Sie sah, dass sie die äußere Kiefer nicht mehr schaffte, sie musste durch den Zwischenraum zwischen ihr und ihrer rechten Nachbarin lenken, sie hoffte, dadurch mitten ins Unterholz zu kommen, das sich da dunkel, weich und einladend auftat. Mit etwas Glück würde die Kutsche dort ausgebremst werden. Mit etwas Glück würde sie mit ein paar Kratzern davonkommen. Sie warf sich auf den Boden des Schlittenbocks, und im nächsten Augenblick pfiff das Fuhrwerk zwischen den beiden Bäumen hindurch. Geschafft! Sie hatte noch kurz überlegt, ob sie nicht schnell in die Sänfte zurückkriechen sollte, um beim Aufprall noch besser geschützt zu sein. Jetzt stellte sich heraus, dass das eine schlechte Idee gewesen wäre, denn nach den ersten paar Metern im Wald verfing sich der Aufbau an einigen herausragenden Ästen und löste sich splitternd vom Schlitten. Wittelsbacher Blau verlor sich im Smaragdgrün des Dickichts, hoch wurde die Sänfte in die Luft geschleudert, krachend schlug sie auf, ein humanoider Inhalt hätte da nicht viel Überlebenschancen gehabt. Der Schlitten raste weiter. Er musste jetzt doch bald irgendwo im Gehölz stecken bleiben, er konnte doch nicht ewig so weiterirren! Doch so viel Gehölz war da nicht mehr, der Schlitten bremste nicht ab, er rutschte weiter, Ilse schoss wieder hinaus aufs freie Feld und schrie laut auf vor Schrecken. Sie griff an die Stange und lenkte auf die andere, auf die rechte Seite. Ohne den schweren Aufbau war das Vehikel wesentlich leichter zu bewegen. Es ging zwar jetzt steiler bergab, aber die Wiese war hier weitgehend schneefrei, das Gras bremste. Wenn der Abhang nicht noch steiler würde, konnte sie den Hornschlitten bald zum Stehen bringen. Aber was war dort vorn! In hundert Metern brach die Wiese scharf ab, dahinter war der blaue Himmel zu sehen. Sie steuerte direkt auf einen Abgrund zu.

31

Im heißen Sand der Wüste standen zwei Männer auf einem kleinen Hügel. Der eine hatte die Hände in den Hosentaschen vergraben und schwieg, der andere redete auf ihn ein, während er mit beiden Händen eine Schanze formte, die weit in die Wüste hinausreichte. Ein dritter Mann stand etwas abseits und suchte mit einem Fernglas den Horizont ab.

»Passen Sie auf, Doctor McGrey«, sagte Kalim al-Hasid, »ich stelle mir das folgendermaßen vor.«

»Ich bin ganz Ohr«, sagte Dr. McGrey und steckte die Hände noch tiefer in die Hosentaschen.

»Wenn die Olympischen Winterspiele 2022 in Dubai stattfinden, dann wird es die bombastischste Eröffnungsfeier geben, die man je gesehen hat. Das erste Mal in der Geschichte der Winterspiele wird ein Araber springen, vielleicht sogar ein Dubaier –«

»– der vermutlich jetzt noch gar nicht geboren ist?«

»So ähnlich. Zweihunderttausend Zuschauer feuern ihn an. Ich nenne ihn mal Kurad. Er nimmt Anlauf, unser Kurad, das Kreischen der Menge nimmt noch nie gehörte Ausmaße an. Er springt ab und fliegt. Er fliegt auf die Sonne zu, er steigt und steigt. Und mancher denkt sich: Kann ein Mensch ewig so weiterfliegen? Gelten die Gesetze der Schwerkraft denn nicht für diesen Araber? Muss sich die Flugkurve nicht auch wieder nach unten neigen? Doch Kurad fliegt weiter, er wird immer kleiner, und verschwindet als winziger Punkt aus den Augen der zweihunderttausend Zuschauer.«

»Hm«, sagte Dr. McGrey, »haben Sie schon irgendeine Idee, wie Ihr Kurad das schaffen soll?«

»Das lassen Sie mal meine Sorge sein. Das ist mein kleines Geheimnis, das werde ich Ihnen auch nicht verraten.«

»Vielleicht ist es ein Propeller, den er sich auf den Rücken schnallt?«

»Viel zu auffällig.«

»Ein Hubschrauber, der in großer Höhe fliegt und diesen Kurad an einem durchsichtigen Seil hält?«

»Auch nicht, Dr. McGrey.«

»Ein Gebläse von unten?«

»Ich werde es Ihnen nicht verraten. Aber ich brauche etwas anderes von Ihnen«, sagte Kalim al-Hasid. »Sie als Chefmeteorologe der NATO können mir da sicherlich weiterhelfen.«

»Da bin ich aber gespannt. Was brauchen Sie von mir?«

»Schnee«, antwortete Kalim. »Ich will, dass richtiger Schnee über Dubai fällt. Ist das möglich?«

Jusuf ließ das Fernglas sinken. Man hatte dieses einsame Stückchen Erde in der kalifornischen Wüste als Besprechungsort gewählt, um ganz und gar unbelauscht zu bleiben. Die visionären Ideen von Kalim al-Hasid durften nicht geklaut werden, sonst tauchten sie, wie es schon mehrmals geschehen war, bei einer anderen internationalen Eröffnungsfeier auf. Noch größere Sorgen machte sich Jusuf aber um die Sicherheit von Kalim. Dass er den rätselhaften Anschlag am Neujahrstag immer noch nicht aufgeklärt hatte, ließ ihm keine Ruhe. Jusufs Gedanken kreisten wieder einmal um das blutbefleckte Teppichstück. Er hatte die Blutproben im Labor analysieren lassen. Dann hatte er die Analysewerte von einem Bekannten durch verschiedene Polizeicomputer jagen lassen. Schweineteuer war das gewesen, und das Ergebnis war gleich null. Die Blutprobe gehörte zu keinem der weltweit registrierten Verbrecher.

Genauso viel Geld hatte auch der verrückte Österreicher für seinen Datenabgleich verlangt. Der arbeitete, seit Jahren schon, mit einem Netz von Zuträgern, die Fingerabdrücke, Blutproben und andere Daten von prominenten Zeitgenossen sammelten. Die Blutspuren am Teppich führten jedoch auch in dieser Datei zu keinem Ergebnis. Das konnte wieder nur zweierlei heißen. Entweder war derjenige, den er am Neujahrstag beschossen hatte, ein kleines, unbekanntes Lichtchen, zum Beispiel der Hausmeister – das war unwahrscheinlich, denn der hätte sich sicher lautstark bemerkbar gemacht. Oder es war ein anderer Leibwächter, was aus den gleichen Gründen unwahrscheinlich war. Die zweite Möglichkeit war die, dass er da einen verkleideten Superultraprominenten angeschossen hatte, einen, von dem man gar nicht wissen durfte, dass er in der VIP-Lounge des Skistadions gewesen war.

»Vom jetzigen Papst etwa haben wir zum Beispiel gar nichts, keine Fingerabdrücke, keine DNA, nichts«, hatte dieser Karl Swoboda gesagt. »Aber um was geht es eigentlich?« Jusuf hatte ihm nicht gesagt, um was es ging.

»Schnee?«, sagte Dr. McGrey nachdenklich. »Mit Schnee haben wir noch nie gearbeitet.«

»Also unmöglich?«, sagte Kalim al-Hasid enttäuscht.

»Nein, warten Sie. Wir arbeiten seit längerem schon mit künstlichen Regenwolken«, sagte Dr. McGrey. »Wir erstellen in etwa viertausend Meter Höhe ein Leisner'sches Induktionsfeld, in dem sich, laienhaft ausgedrückt, die Luftfeuchtigkeit fängt. Dann versiegeln wir die Wolke mit einer speziellen Hochplasma-Technik. Genauer wollen Sie das sicherlich gar nicht wissen, denn hierbei geht es nicht ohne Atomenergie ab. Dann bewegen wir die Wolke mit einem Leitstrahl dorthin, wo wir sie brauchen. Wir haben zur Zeit weltweit fünfzehn solcher Wolken in Umlauf. Auf die Idee, Schnee fallen zu lassen, bin ich noch gar nicht gekommen. Aber es müsste möglich sein.«

»Auch in Dubai?«

»Gerade in Dubai«, sagte der Chefmeteorologe der NATO.

32

Die Hofgesellschaft war nicht wiederzuerkennen, allen Teilnehmern waren golden schillernde Thermodecken aus Polyethylen übergeworfen worden, sie lagen auf schlichten Holzpritschen, waren vollständig mit dem wärmenden Schaumstoff bedeckt, nur schlotternde Köpfe, rote Ohren und blaue Lippen lugten oben heraus. Keine Spur mehr von ungarischen Gardeoffizieren, französischen Marquisen und italienischen Bischöfen – momentan nuckelten lediglich Herr Schuchart, Frau Bröckl und Herr Bröseke an ihren Plastikröhrchen und schlürften den traubenzuckersüßen Muntermachertee, der seit der Gründung der Bergwacht im Jahre 1920 seinen Geschmack nicht verändert hatte. Die Teilnehmer der verhunzten Wanderung waren von den Bergwachtlern mit kundigen Körpergriffen zur Jagdhütte geführt, dort aus ihren durchnässten historischen Kleidern befreit und schließlich mit den Polyethylendecken umhüllt worden. Man hatte jeden Einzelnen nach Verletzungen und Anzeichen von Erfrierungen abgesucht, doch die historischen Wanderer waren, bis auf ein paar Kratzer, alle wohlauf. Der eine oder andere beäugte auch schon wieder die Lachs-Kanapees und Gemsenfrikadellen (»Gamsfleischpflanzerl«), die im Hintergrund aufgebaut waren, traute sich aber nicht so recht zuzugreifen.

Trotz der ausgesprochen schnellen Rettungsaktion und dem glimpflichen Ausgang des Unglücks war die Stimmung sowohl bei den Eventveranstaltern wie auch bei den Teilnehmern gereizt. Vor allem Pierre Brice, inzwischen ohne den typischen Ludwigsbart, fluchte über den misslungenen Auftritt wie ein Marseiller Hafenarbeiter. Er hätte heute noch zwei andere Einsätze als Winnetou und als Napoleon I. gehabt, ebenfalls im Business-Bereich.

»Sie wissen, was das bedeutet! Wenn man da einmal absagt, wird man nie wieder engagiert!«

Sein momentaner Anblick war für alle Teilnehmer, die ihn als geheimnisvollen Mann in der Sänfte gesehen hatten, eine herbe Enttäuschung, denn kaum hatte man ihm den würdevollen Mantel ausgezogen und die Plastikplane umgelegt, hatte er sich in ein schimpfendes Männchen verwandelt. Viele wandten sich ab, so sehr entwertete und desavouierte der Darsteller seine verehrungswürdige Rolle. So wollte keiner den *Kini* sehen.

Plötzlich ertönte ein Geräusch von draußen, ein anschwellendes Gelärme, und irgendetwas Monströses dröhnte über dem Gebäude.

»Das ist der Hansi!«, schrie einer der Bergwachtler fröhlich über den Krach hinweg. Tatsächlich war dieser Hansi jetzt auch durchs Fenster des Jagdschlösschens zu sehen, der landende Koloss, der erst seitlich mit einer Kufe ein wenig aufdotzte, bevor er ganz zum Stehen kam. Die Insassen warteten nicht ab, bis die Propeller ausrotiert hatten, eine schlaksige Frau im dunkelgrünen Parka öffnete die Tür, sprang heraus und lief auf das Haus zu. Eine ebenso gekleidete Meute polizeilicher Gestalten folgte ihr – und in der Tür stand sie plötzlich, die beherzte Eingreiftruppe der Mordkommission IV, die auf dem schnellsten Weg hierhergekommen war.

»Ja, was tut ihr denn hier oben?«, fragte der Bergwachtler, immer noch schreiend. »Und wie kommt ihr zu unserem Hubschrauber?«

»Unbürokratische Amtshilfe«, rief Stengele zurück. »Wir haben gerade eben eine Anschlagsdrohung bekommen.«

»Und das sind wohl die Verletzten?«, sagte Jennerwein und deutete in Richtung der Pritschen.

»Nun ja, ein paar blaue Flecke, sonst nichts. Wir können die ganze Bagage gleich wieder ins Tal fliegen.«

Jennerwein trat zu den verhüllten Gestalten.

»Alles in Ordnung?«, fragte er einen uralten Mann mit blauschwarz gefärbten Haaren.

»O ja«, japste Pierre Brice. »Alles in Ordnung – außer, dass ich ruiniert bin!«

»Na, Hauptsache, Sie sind wohlauf«, sagte Jennerwein und wandte sich wieder seinem Team zu. »Ich denke, wir sollten zuerst den Tatort sichern.«

»Ich habe die Stelle, wo das Schneebrett abgebrochen ist, vom Hubschrauber aus schon gesehen«, sagte Hansjochen Becker. Er wandte sich an zwei weitere Spurensicherer, eine kolossal bebrillte Frau und ein dünnes, spilleriges Männchen. »Wir gehen mal rauf und gucken uns das genauer an.«

»Soll ich nicht auch –?«

Auf der Pritsche neben Pierre Brice hatte sich eine weitere Polyethylen-Folie erhoben.

»Wer sind Sie denn?«, fragte Jennerwein.

»Ich bin der Adventure Scout dieser Wanderung«, sagte die Folie. »Und ich könnte Ihnen vielleicht –«

»Bleiben Sie hier. Auf Sie komme ich später zurück. Auf geht's zum Tatort!«

»Ich höre da immer *Tatort*«, sagte der Bergwachtler. »Was soll denn das? Warum seid ihr überhaupt da? Wer hat euch gerufen?«

Jennerwein nahm den Bergwachtler beiseite.

»Wir haben einen Anruf bekommen«, sagte er. »Mit der Ankündigung eines Anschlags.«

»Was für ein Anschlag?«, rief der Bergwachtler entgeistert. »Das ist doch ein ganz normaler Lawinenabgang. Jemand von dieser – hm, nun ja – Wandergruppe hat uns per Handy angerufen und um Hilfe gebeten.«

Jennerwein betrachtete die Gestalten auf den Pritschen. Sollte einer von denen –?

»Was ist das denn überhaupt für eine Wandergruppe?«, fragte der Kommissar. »So richtig nach *Im Frühtau zu Berge wir zieh'n, fallera!* sehen mir die nicht aus.«

»Soweit ich verstanden habe, sind das Manager von einer Firma, die hier irgendeinen Event veranstalten wollen.«

»Dann bitte ich erst recht um Diskretion. Solange wir nicht die genaueren Umstände kennen, muss das mit dem Anschlag niemand erfahren.«

Die Rotoren des Hubschraubers waren zum Stehen gekommen. Maria besah sich die liegenden Gestalten.

»Unser Marder wird doch nicht so dumm sein, selbst an dem Event teilzunehmen?«

Der Adventure Scout der Agentur *IMPOSSIBLE* rappelte sich auf und setzte sich auf die Pritschenkante, um das Gespräch besser verfolgen zu können.

»Ist etwas nicht in Ordnung?«, fragte er. »Ich habe da etwas von einem Anschlag gehört.«

»Wir sammeln erst Informationen«, sagte Jennerwein und winkte den Bergwachtler und seine Ermittler nach nebenan.

»Wann ist der Anruf bei Ihnen eingegangen?«, fragte Jennerwein den Bergwachtler dort.

»Kurz vor dreizehn Uhr.«

»Und wie lange haben Sie bis hierher gebraucht?«

»Nicht einmal zehn Minuten.«

»Was hat der Anrufer gesagt?«

»Dass unterhalb der Schachenhütte, auf der Höhe vom Sauwald, eine Lawine abgegangen ist. Und was hat Ihr Anrufer gesagt?«

»Erklären Sie's ihm«, sagte Jennerwein zu Maria. »Stengele und Schwattke, kommen Sie mit, wir nehmen von den Zeugen die *kleinen Personalien* auf.«

»Mein Name ist Hauptkommissar Jennerwein. Bei solchen Unfällen ist es üblich, dass die Polizei hinzugezogen wird, um ganz sicherzugehen, dass kein Fremdverschulden vorliegt«, log der Kommissar. »Meine beiden Kollegen werden jetzt Ihre Adressen notieren.«

Alle im Pritschenraum richteten sich auf und kamen sich ein kleines bisschen wichtiger vor als vorher. Eine überraschende Lawine, die blitzschnelle Rettung, eine spektakuläre Hubschrauberlandung und der Auftritt von Bergwacht und Polizei – die Mehrheit glaubte jetzt doch wieder, dass die Agentur *IMPOSSIBLE* hinter all dem steckte. Aber wann gab es dann die »Gamsfleischpflanzerl«, die man vorher gesehen hatte? Nicole Schwattke wandte sich an den ersten Zeugen.

»Darf ich um Ihren Namen und Ihre Adresse bitten?«

Pierre Brice erstarrte.

»Wissen Sie nicht, wer ich bin?«

Nicole Schwattke, die vierundzwanzigjährige Kommissarin, schüttelte den Kopf.

»Pierre Brice«, sagte Jennerwein über die Schulter hinweg.

»Was, Sie kennen den Mann?«, fragte sie erstaunt.

»Das war vor Ihrer Zeit, Nicole«, sagte Jennerwein. »Lassen Sie nur, ich glaube nicht, dass er im Nebenberuf Marder ist.«

Das Außenteam der Spurensicherer polterte wieder herein, Hansjochen Becker, die Frau mit der starken Brille und das spillerige Männchen klopften sich den Schnee von der Kleidung und den Schneematsch von den Schuhen.

»Unser Marder ist ein Profi, Leute!«, schrie Becker fröhlich, Jennerwein bedeutete ihm zu schweigen und in den Nebenraum zu kommen. Die drei Beckeronis stellten ihre Tüten nun vorsichtig auf den Boden und die Frau mit der starken Brille machte sich sofort daran, alles zu beschriften.

»Unser Marder hat gute Arbeit geleistet«, flüsterte Becker im Nebenraum. »Er hat das Schneebrett an mindestens drei Stellen gesprengt. Eine einzige Zündung hätte schon genügt, um die unsicher und halb aufliegende Schneeschicht zum Rutschen zu bringen. Sieht mir kenntnisreich aus, aber auch irgendwie – wie soll ich sagen – pedantisch. Wie wenn sich der Marder gar nichts zutrauen würde.«

»Oder militärisch«, warf Stengele ein. »Ich war beim Bund bei den Pionieren. Da haben wir kontrollierte Lawinenabgänge auch so vorbereitet. Mit mechanischen Zeitzündern, die an vielen Stellen verteilt waren.«

»Und wenn es doch jemand von dieser Eventagentur *IMPOSSIBLE* war?«, sagte Maria.

»Das ist durchaus möglich«, mischte sich der Bergwachtler ein. »Denen mussten wir schon öfters aus der Patsche helfen. Und es wäre nicht das erste Mal, dass sie ihr Schlamassel selbst verursacht haben.«

»Ein kontrollierter Lawinenabgang als Incentive-Kick?«, fragte Nicole Schwattke.

»Wenn ich Ihnen erzähle, was die sich schon alles geleistet haben!«, sagte der Bergwachtler. »Ein kleiner Lawinenabgang ist da gar nichts.«

»Da war doch grade von mechanischen Zeitzündern die Rede. Hat der Marder denn nicht mit Fernzünder gearbeitet?«, fragte Nicole dazwischen.

»Nein«, antwortete Becker, »mit ganz altmodischen, selbst gebastelten Zeitschaltuhren. Und dann haben wir noch etwas gefunden, das gegen die These spricht, dass es jemand von der Agentur war.«

»Lassen Sie mich raten«, sagte Jennerwein. »Einen Bekennerbrief.«

Becker hob eine Plastiktüte hoch, durch die man den Brief lesen konnte.

»Sehr geehrter Hauptkommissar Jennerwein!

Ich bin siebenundzwanzig, ich bin dreiundvierzig, ich bin Ende sechzig …«

»Der Marder«, sagte Maria.

»Hören Sie«, sagte Jennerwein zu dem Hüter der luftigen Höhen. »Könnten Sie diese Details des Anschlags noch eine Weile für sich behalten?«

»Natürlich. Auf die Bergwacht können Sie sich verlassen. Was wir schon alles verschwiegen haben! Gegen die bayrische Bergwacht ist jedes Grab ein Twitterblog.«

»Ja dann«, sagte Jennerwein. »Sie hören noch von mir.«

Drinnen im größeren Raum waren die historischen Wandervögel gerade dabei, sich wieder anzukleiden und sich für den Abflug bereitzumachen. Ein Teil wollte mit dem Hubschrauber fliegen, die anderen, darunter auch der Zither Beppi, zogen es vor, zu Fuß ins Tal zu gehen. Jennerwein beobachtete sie und hörte ihren Gesprächen zu. Er war beruhigt. Niemand von denen sah so aus wie ein Marder. Aber der Herzog von Clarence hatte auch nicht ausgesehen wie Jack the Ripper.

»Vollzählig sind Sie ja alle?«, sagte der Bergwachtler zu dem Adventure Scout beim Hinausgehen, und es war eher eine Feststellung als eine Frage.

»Vollzählig?«

»Ja, vollzählig.«

»Wo ist denn zum Beispiel die Neue?«, fragte Frau Bröckl aus der Telefonzentrale.

»Ja, wo ist meine kühne Reiterin?«, fragte Pierre Brice, der jetzt besser gelaunt war, weil er gerade ein paar Autogramme gegeben hatte.

Sie suchten an der Stelle, an der der Märchenkönig die Gemsenjägerin beim Losreiten verloren hatte. Sie buddelten und gruben, und fanden schließlich tief im Schnee ein Paar filigrane Schnürschuhe, wie sie einst Madame de Pompadour getragen haben mochte, vielleicht auch Lola Montez oder Camilla Parker Bowles. Von der Trägerin selbst keine Spur.

»Wo ist denn eigentlich die Kutsche?«, rief einer von der Agentur *IMPOSSIBLE*.

Ja, wo war die Kutsche geblieben? Einige der Bergwachtler liefen an die Stelle, wo sie zuletzt gestanden hatte. Frische Spuren führten nach unten.

33

Gemeinderat Toni Harrigl war stocksauer. Er musste zu Fuß zur Bäckerei Krusti kommen, weil ihm jetzt schon zum dritten Mal in diesem Jahr das Fahrrad geklaut worden war.

»Wir reißen uns alle Beine für die Bürger aus«, sagte Gemeinderat Toni Harrigl in der Bäckerei Krusti und biss in eine Barack-Obama-Semmel (dunkles Snack-Stangerl, bestreut mit weißem Mohn, wer es nicht glaubt, fahre hin). »Wir bieten den Bürgern alles Mögliche, und was unternimmt die Polizei, die von unseren Steuergeldern lebt?«

Alle am Tisch nickten wissend: Nichts unternahm die Polizei, das brauchte gar nicht ausgesprochen zu werden, das stand im Raum wie ein altes Möbelstück. Nie unternahm die Polizei irgendetwas. Der Glasermeister Pröbstl, der immer zusammen mit seiner Gattin da war, nickte, die kleine Belegschaft der Drogerie gegenüber, die hier ihre Nachmittagspause mit Apfeltaschen versüßte, nickte, ein Kurgast, den niemand namentlich kannte, der aber schon seit fünfzehn Jahren Urlaub hier im Kurort machte, nickte auch mit, und der Harrigl nickte besonders stark.

»Ich kenne sie doch, diese Beamtenköpfe«, sagte er in die Pause hinein. »Ich kenne sie alle: den Ostler, den Hölleisen, den Jennerwein – und dieser Jennerwein ist ein besonders fauler Hund, wenn ich das so sagen darf. Ich will ja nicht schon wieder mit dem Neujahrsspringen anfangen, aber da hat der doch die Ermittlungen so was von schleifen lassen! Und das, obwohl ich ihm Informationen geliefert habe noch und noch. Ich habe sogar meine Beziehungen ins Innenministerium spielen lassen. Eine heiße Spur habe ich aufgetan, die führt von unserer Skischanze direkt nach Moskau. Meint ihr, der wäre der Spur nachgegangen?«

»Nein, nix, die ziehen ihren bürokratischen Stiefel durch, und dann wundern sie sich, wenn die Verbrecher immer einen Schritt voraus sind«, warf der Schlossermeister Wollschon ein.

»Wie das mit dem Dänen genau war, das weiß man ja immer noch nicht«, legte eine der weißbekittelten Drogistinnen nach. »Nichts ist herausgekommen bei den Untersuchungen, das ist doch blamabel für uns und für den Kurort.«

»Jetzt stellt euch vor«, sagte der Harrigl, »wie das dann erst bei den Olympischen Spielen wird. Die kriegen wir doch gar nicht, wenn das so weitergeht. Und dann merkt es auch der Letzte, dass die neue Sprungschanze doch nur zum Fenster hinausgeworfenes Geld war! Wenn man meinen Vorschlag damals ernst genommen hätte –«

Der Angerer Willi kam herein. Er hatte zu spät gesehen, dass der Harrigl Toni, sein Intimfeind, auch da war und da drinnen so etwas wie eine Rede hielt – jetzt wollte er sich nicht mehr die Blöße geben und umdrehen.

»Was habt ihr denn?«, fragte der Angerer und lehnte seine Jagdgewehrhülle wie üblich in die Ecke. Er bestellte sich einen Kaffee und eine *ganz normale Semmel*, wie er betonte.

»Haben wir nicht!«, sagte die Frau hinter dem Tresen.

»Ihr seid die einzige Bäckerei, wo man die Semmeln selbst mitbringen muss«, sagte der Angerer und nahm schließlich eine Uschi-Glas-Semmel (mit Streuselbelag) und eine 40-Jahre-Mondlandung-Semmel (mit kleinen Kratern auf der Oberfläche).

Willi Angerer kam zum Stehtisch und verzehrte seine Brotzeit schweigend. Die Tür wurde aufgerissen, etwas Frühlingsluft kam herein, und mit dieser, gleich darauf, der atemlose Manfred Penck, der Dorfpsychologe, wie man ihn nannte, der Streithanseldompteur, der Beziehungsglaser.

»Droben am Schachen«, keuchte er, »– droben am Schachen –«

Er kam nicht mehr weiter mit seinem Satz. Er stand da und musste sich erst einmal am Tisch festhalten und verschnaufen. Er war ein Intellektueller, ein *Gstudierter*, wie es hier hieß, und man traute ihm vom Sportlichen her nicht viel zu. Wahrscheinlich war er zwanzig Schritte gerannt und schon außer Atem. Trotzdem. In einer noch so urwüchsigen Runde durfte in Bayern nie ein gstudierter Akademiker fehlen, schon der erste Wittelsbacher Herrscher, Otto I., hielt sich am Hofe Astrologen und Schriftkundige.

»Droben am Schachen«, sagte Penck noch einmal atemlos und setzte sich schluckend, »ist eine Lawine abgegangen. Viele Leute sind verschüttet worden. Ein Bergwachtler hat es mir gerade erzählt.«

»Einheimische?«, fragte der Angerer.

»Nein, welche von dieser gespinnerten Eventagentur, *IMPOSSIBLE* oder so. Mehr weiß ich nicht.«

»Da hat ja mal etwas passieren müssen«, sagten der Harrigl Toni und der Angerer Willi fast gleichzeitig.

Ilse Schmitz raste auf den Abgrund zu. Sie musste springen. Die Wiese war rutschig, da und dort ragten ein paar Baumstümpfe heraus. Noch dreißig Meter. Sie musste sich von dieser verdammten Schlittenkutsche trennen! Noch zwanzig Meter. Sie hielt das Gewehr fest umklammert. Sie sprang. Als sie am Boden aufkam, stützte sie sich mit dem Gewehrlauf ab und konnte den Sturz etwas abfedern. Sie rutschte gefährlich nahe an einigen Baumstümpfen vorbei, sie bohrte den Gewehrlauf tief ins nasse Gras, kam schließlich zum Stillstand und konnte das schaurige Spektakel aus der ersten Reihe betrachten. Der Hornschlitten raste auf den Rand der Almwiese zu und flog unbemannt, ilselos hinunter ins Tal. Sie selbst war ein paar Meter vor dem Abgrund zum Stillstand gekommen, sie saß, auf ihr Gewehr gestützt, zitternd da. Sie zählte einundzwanzig, zweiundzwanzig, dann hörte sie unten ein widerliches Krachen. Holz auf Metall, Metall auf Glas. Die Splitter spritzten hoch, eine Stützlatte, die mit rotem Samt beschlagen war, stieg in die Luft, fiel wieder hinunter, egal, sie war gerettet. Sie lebte. Ilse Schmitz entspannte sich. Alte Soldatenweisheit: Entspanne dich nie zu früh. Sie hatte das Gewehr, ihre Stütze, ihre Bremse, immer noch in der Hand. Sie umfasste es und drehte sich zur Seite, kam dabei an den Abzug der Silberbüchse. Der Krach war gewaltig, der ungeheure Rückstoß warf sie auf den Boden. Erst langsam begriff sie, was geschehen war. Sie hatte sich in den Fuß geschossen.

34

Online-Ausgabe des »Zugspitzkuriers«:

Was ist Ihre Meinung zu den Vorfällen am Schachen? Und was halten Sie vom Schachen-Teufel?
- Diese Fragen haben wir online gestellt, die Resonanz der Bürger war groß:

Adventure Events am Schachen! Jetzt wissen wir endlich, wo die Gelder bei den Firmen hingehen! Anstatt dass die Manager Kurse bekommen, in denen sie lernen, was der Unterschied zwischen brutto und netto ist, fahren sie raus und verprassen das Geld mit solchen fragwürdigen Aktionen. Eine Sauerei ist das! Ich habe große Sympathie mit diesem »Schachen-Teufel«. Weiter so!
Susanne S. (43, Einzelhandelskauffrau)

Bei dieser bescheuerten Firma kaufe ich nichts mehr. Wenn die da alle so blöd sind! Vielleicht ist der Schachen-Teufel von der Konkurrenz?
Elke H. (23, Tierpflegerin)

Da schau mal einer an: Bei diesen geschleckten Luxustouristen, *da* ist die Bergwacht gleich da! Als wir uns einmal bei einer Tour verirrt haben, ich, mein Mann, meine zwei Kinder und unser Hund, da ist die Bergwacht erst nach zwei Stunden gekommen. So viel zur Familienfreundlichkeit der Bergwacht.

Gundi R. (34, Floristin)

Online-Ausgabe des »Zugspitzkuriers«:

Was ist Ihre Meinung zu den Vorfällen am Schachen? Und was halten Sie vom Schachen-Teufel?
– Diese Fragen haben wir gestern online gestellt. Auch ein paar bekannte Figuren aus dem öffentlichen Leben des Landkreises haben sich geäußert. Zunächst der Bürgermeister der Gemeinde:

Ein bedauerlicher Unfall, der viel zu selten vorkommt, als dass man ihn gleich wieder als »typisch« für den Kurort bezeichnen müsste, wie es in der Presse landauf, landab geschieht.

Erster Bürgermeister

Man muss das differenziert betrachten. Die Teilnehmer haben sich in Gefahr begeben, das ist gerade der Reiz solcher Incentives. Das Abenteuer ist noch glimpflich abgegangen, das muss man vor allem bedenken. Außer der bedauernswerten Frau, die verschüttet wurde, ging die Sache ja gut aus.

Manfred Penck (32, Diplompsychologe, Mediator)

Abgesehen davon, dass die Wortneubildung, die wegen dieses Attentäters geschaffen worden ist, nach dem amtlichen »Regelwerk der deutschen Rechtschreibung« (§ 47: »Zusammensetzungen mit einem ursprünglichen Personennamen oder geographischen Namen als Gattungsbezeichnung«) nicht mit

Bindestrich (»Schachen-Teufel«), sondern zusammen (»Schachenteufel«) geschrieben wird, weil in diesem Falle eine Zusammensetzung mit einem ursprünglichen geographischen Namen als Gattungsbezeichnung gebraucht wird, denke ich doch, dass unsere wackere Polizei bald fündig werden wird.

OstR Gundolf Mützenberger (49, Gymnasiallehrer)

Aufhängen, die Canaille! (Ist das jetzt wenigstens richtig geschrieben?!)

Hubertine von Reumond (84, Offizierswitwe)

Bergsteigen ist halt nicht Halma.

Sven Ottinger (41, Vorsitzender des Skiverbands Oberbayern)

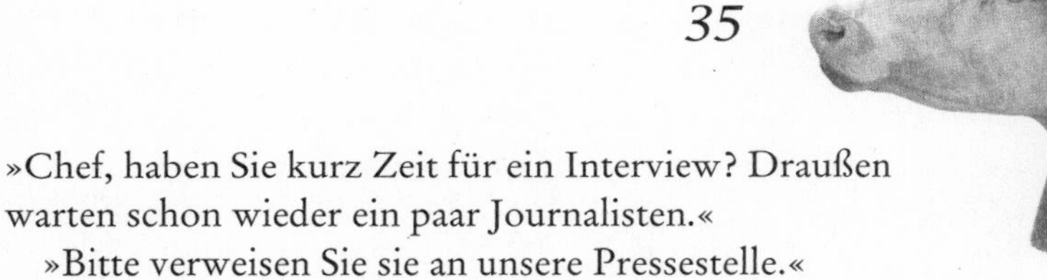

35

»Chef, haben Sie kurz Zeit für ein Interview? Draußen warten schon wieder ein paar Journalisten.«

»Bitte verweisen Sie sie an unsere Pressestelle.«

»Haben wir eine Pressestelle?«

»Nein, aber wir gewinnen dadurch etwas Zeit.«

»Ich vertröste sie also.«

»Ja, tun Sie das.«

Johann Ostler, der lediglich den Kopf zur Tür hereingesteckt hatte, ging wieder hinaus und erklärte den Journalisten geduldig, warum zum Beispiel die SoKo um Kommissar Jennerwein gerade SoKo *Marder* hieß. Der Anschlag des Schachenteufels, wie er nun durchgängig genannt wurde, war in aller Munde, die Öffentlichkeit wartete auf Ergebnisse. Johann Ostler hielt tapfer die Stellung, beantwortete immer dieselben Fragen und wehrte die Meute ab. Im Besprechungszimmer des Polizeireviers war deshalb keine Zeit für rauchlose Rauchpausen. Hier wurde fieberhaft gearbeitet. Jeder im Team hatte die Fotokopien der bisherigen fünf Briefe des Marders vor sich, jeder konnte sie inzwischen schon auswendig. Nicole Schwattke hatte ganze Arbeit geleistet, sie hatte die ersten vier Ankündigungsschreiben aus den Hauptarchiven verschiedener Polizeidienststellen herausgefischt. Alle waren von Hand geschrieben – und gerade deshalb nicht ernst genommen worden.

»Wir bleiben bei unserer bisherigen Linie«, sagte Jennerwein. »Bevor wir nicht hundertprozentig sicher sind, dass der Schachenanschlag mit dem Neujahrsanschlag zusammenhängt, wollen wir das auch nicht an die Öffentlichkeit bringen. – Aber nun zu Ihnen, Maria. Wollen Sie mal eine erste Analyse wagen?«

»Sie erwarten hoffentlich keine Wunder von mir«, begann Maria, »denn für ein genaues Persönlichkeitsprofil ist es viel zu früh. Was bei den Briefen aber sofort ins Auge sticht – und wohl auch ins Auge stechen soll –, ist dieses Zuviel an Informationen. Er schüttet uns mit Möglichkeiten zu, was er sein *könnte*, gerade dadurch nimmt er uns den Blick auf eine wirkliche Eigenschaft von ihm.«

»Gibt es für diese Art von Bekennerschreiben Vorbilder?«, fragte Stengele.

»Nicht dass ich wüsste. Er macht sich über uns und die Polizeiarbeit lustig. Das gab es sicherlich schon vorher. Aber er macht sich über das Profiling selbst lustig. Ich habe noch von keinem Fall gehört, wo uns jemand unsere Grenzen so deutlich aufzeigt.«

»Könnte es jemand aus dem Polizeidienst sein?«, fragte Nicole Schwattke. »Ein frühzeitig pensionierter und deshalb frustrierter Ex-Kollege? Ein aus irgendeinem Grund entlassener Beamter?«

»Möglich. Aber würde der nicht mit noch mehr Details aus dem Polizeialltag aufwarten? Würde er sich nicht den Spaß erlauben, die manchmal sehr dürftigen Ergebnisse der Profilerarbeit noch lächerlicher darzustellen?«

»Und das aus Ihrem Munde, Frau Doktor?«, lachte Jennerwein. »Jetzt aber im Ernst. Der Mann will uns provozieren, so viel steht fest. Zunächst einmal die Frage: Was gibt es für Gemeinsamkeiten zwischen den Anschlägen?«

»Ist es nicht so, dass man beide Anschläge als misslungen bezeichnen kann?«, sagte Stengele. »Sie sind stümperhaft ausgeführt und eigentlich von vornherein zum Scheitern verurteilt gewesen.«

»Ich weiß nicht«, sagte Maria, »ob da nicht mehr Absicht im Spiel ist, als wir denken.«

»Wissen Sie, wie das für mich aussieht?«, sagte Jennerwein. »Der Attentäter wollte gar nicht voll zuschlagen. Der wollte nur zeigen, dass er zuschlagen *könnte*. Beim ersten Mal ist dabei irgendetwas schiefgegangen. Deshalb – Spekulation! – wollte er beim zweiten Mal auf Nummer sicher gehen und hat die Bergwacht *und* uns per Mobilfunk informiert, und zwar so kurz nach dem Anschlag, dass wir, selbst wenn sämtliche Teilnehmer verschüttet worden wären, alle hätten bergen können.«

»An der These ist was dran«, sagte Maria nachdenklich.

Es klopfte. Hölleisen kam herein.

»Ich komme gerade von Ilse Schmitz. Sie hat Glück gehabt, es ist ein glatter Durchschuss durch den Fuß. Die Ärzte sagen, das verheilt wieder.«

»Als ob wir sonst nichts zu tun hätten«, sagte Stengele. »Wir haben drei Stunden nach der Frau gesucht. Wie kann man so blöd sein, einfach mit dem Hornschlitten ins Tal zu fahren! Ist sie vernehmungsfähig?«

»Nein«, fuhr Hölleisen fort, »sie ist hysterisch, schreit herum, behauptet auch, dass sie nicht freiwillig hinuntergefahren ist. Ich glaube, dass sie nicht ganz ernst zu nehmen ist. Sie sagt, dass sie sich in der Kutsche aufwärmen wollte, dass ein mysteriöser, schweigender, vollkommen verhüllter Unbekannter wie aus dem Nichts aufgetaucht ist und sie verschleppt hat.«

»Aha. Ist ihr irgendetwas Besonderes an dem mysteriösen Unbekannten aufgefallen?«, fragte Stengele.

»Nein. Nur, dass er eine Skimütze mit Sehschlitzen trug.«

»Schon wieder einmal ein Unbekannter. Kann an der Geschichte was dran sein?«, fragte Jennerwein.

»Ich weiß nicht so recht«, sagte Hölleisen. »Zum Schluss hat sie mir noch nachgeschrien: ›Abgründe! In dieser Gegend falle ich immer nur in Abgründe!‹«

»Wie wird sie erst schreien«, sagte Stengele, »wenn sie erfährt, dass der Hornschlitten am Ende voll auf den neuen Alfa Romeo vom Jackele Bauern gekracht ist. Totalschaden. Vielleicht hat sie Angst, dass sie das selbst bezahlen muss.«

»Na, Hauptsache, ihr geht es gut«, sagte Jennerwein. »Wir behalten sie aber im Auge.«

Stengele schüttelte den Kopf. »Was da alles hätte passieren können! Aber was spricht eigentlich *gegen* die These eines Zusammenhangs zwischen den beiden Anschlägen?«

»Die Antwort ist leider die«, sagte Maria, »dass wir das erst bei einem dritten Anschlag beurteilen können.«

»Schluss mit den Spekulationen«, sagte Jennerwein. »Wir klären beide Anschläge auf, von wem sie auch immer begangen wurden.«

»Vielleicht«, sagte Nicole Schwattke, »können wir den Täterkreis dadurch einschränken, dass die Attentate auch einen *inhaltlichen* Zusammenhang haben. Sie richten sich beide gegen den Sport, gegen Freizeitgestaltung, gegen den Fremdenverkehr, gegen das Wandern, eigentlich gegen alles, was diesen Kurort ausmacht.«

»Sie denken an so etwas wie einen Greenpeace-Aktivisten?«, schlug Maria Schmalfuß vor. »An einen radikalen Naturfreund, einen Öko-Taliban? Zum Beispiel an einen fundamentalistischen Jäger, der endlich seine Ruhe in Forst und Wald haben will? Da fällt mir dieser Willi Angerer ein, Sie wissen schon, der mit dem mächtigen Zwirbelbart und dem Regenschirm in der Gewehrhülle. Wir sollten sein Alibi überprüfen.«

»Angerer?«, sagte Hölleisen lachend. »Der Oberforstrat Angerer soll unser Marder sein? Und der marschiert dann nach dem ersten Anschlag seelenruhig zu uns aufs Revier und lenkt den Verdacht durch seine Schusstheorie auf sich selbst?«

»Vielleicht«, murmelte Maria. »Das wäre ja nichts Neues.«

»Weil wir schon das Thema Alibi angesprochen haben«, sagte Nicole Schwattke und deutete auf den Stoß Blätter vor ihr. »Ich habe alle Neujahrs-Alibis von den Teilnehmern dieser historischen Wanderung nachgeprüft.«

»Lassen Sie mich raten: Alle haben eines.«

»Richtig. Die Manager sowieso. Die waren am Neujahrstag schwer unterwegs, entweder bei Geschäftsmeetings oder bei Incentives, da konnten sie natürlich massenhaft Zeugen benennen. Die Mitarbeiter der Agentur *IMPOSSIBLE*, wie zum Beispiel dieser Pierre Brice, die waren ebenfalls bei solchen Incentives, rund um den Erdball verteilt, aber immer mit Zeugen. Der Einzige, der am Neujahrstag hier im Skistadion war, das war dieser – Moment – Fischer Beppi, der Zitherspieler, der hat aber im VIP-Bereich, in dieser total abgeschotteten Lounge, Musik gemacht.« Nicole Schwattke zog die Augenbrauen hoch. »Als ich ihn nach Zeugen gefragt habe, ist er ein bisschen patzig geworden. Er sagte mir, ich solle doch den Franz Beckenbauer anrufen oder den Jacques Rogge – oder den Papst.«

»Was haben Sie dann gemacht?«

»Ich habe ihm mit dem Gummiknüppel eins über die Rübe gegeben, dann nannte er mir Zeugen.«

»Das scheint wohl der berühmte westfälische Humor zu sein«, sagte Stengele.

»Ach ja, noch was«, fuhr Nicole fort. »Diese Ilse Schmitz war am Neujahrstag ebenfalls im Loisachtal. Sie hat, mit einer anderen Firma, irgendeinen anderen Adventure Event mitgemacht, ist dabei in die Höllentalklamm gestürzt und hatte danach, ärztlich attestiert, schwere Grippe.«

»Schon wieder diese Ilse Schmitz«, sagte Jennerwein. »Wir sollten sie wirklich im Auge behalten.«

»Ich würde aus dem Bauch heraus alle *IMPOSSIBLE*-Leute ausschließen«, sagte Maria. Alle mussten schmunzeln über diesen Ausdruck, denn Frau Dr. Schmalfuß war nun wirklich die kopflastigste Mitarbeiterin in der SoKo. »Das ist zwar ein verrückter Haufen«, fuhr sie fort. »Aber die wollen alle Karriere als Manager und nicht als Serientäter machen. Die lockt das Spiel mit der wirtschaftlichen Macht, wir, die Repräsentanten der Staatsmacht, sind für die kein Gegner. Und noch was: Die bekommen ihren Kick dadurch, dass sie sich selbst – und nicht andere – in Gefahr bringen.«

»Hundertprozentig schließen Sie aber die Veranstalter oder die Teilnehmer dieser Wanderung nicht aus?«, fragte Stengele.

»Nein, natürlich nicht. Aber zu neunzig Prozent. Das ist das Problem beim Profiling: Es geht immer nur um Wahrscheinlichkeiten.«

»Nun zu Ihnen, Hölleisen«, sagte Jennerwein. »Haben Sie schon eine Liste mit Einheimischen erstellt –«

»– die für die Eintragung im Gipfelbuch in Frage kommen?«, antwortete dieser. »Eigentlich so siebenundzwanzigtausend, nämlich alle. Da könnten wir genauso gut Schriftproben von allen Einwohnern erstellen lassen – und uns unsterblich blamieren, wenn es dann doch kein Einheimischer war.«

»Stengele, wie ist Ihre Bergwachtaktion verlaufen?«

»Auf dem Krottenkopf sind die Bergwachtler immer noch positioniert. Auf dem Schachen ab jetzt auch. Aber Sie sehen ja, was es gebracht hat. Der Marder ist nicht so dumm, zweimal auf denselben Berg zu gehen.«

Hansjochen Becker kam herein.

»Keine Fingerabdrücke, keine Spuren auf der Höllenmaschine, genauso wenig wie auf den Bekennerschreiben.«

»Und was ist das für eine Höllenmaschine?«

»Ein umgebauter Küchenwecker, feuchtigkeitsunempfindliche Zündschnüre, zwei Stangen Knallquecksilber pro Sprengloch – keine Profiarbeit, aber auch nicht ganz laienhaft.«

»Gut, an die Arbeit«, sagte Jennerwein. »Wenn jemand etwas Neues hat, meldet er sich sofort bei mir.«

Jennerwein hatte vor, einen kleinen Spaziergang zu machen, frische Luft zu schnappen, eines der sportlichen Angebote hier im Kurort zu nutzen, um nachzudenken. Warten war Jennerweins Sache nicht. So ging er die breite Hauptstraße entlang, schlenderte an einem kleinen Pestkircherl vorbei, spazierte eine mittelalterlich anmutende Gasse hinunter, und nicht ganz zufällig landete er auf der Straße, die zur Sprungschanze führte. Sie war schon zu sehen, die Riesenrutsche, die die Massen hierherzog und die vielen kleinen und großen Geldbeutel öffnete. Der kleine unfertige Gedanke jedoch, die ungelöste Frage, die sich in Jennerweins Hinterkopf festgehakt hatte, rumorte immer noch herum. Er ging in Richtung der Schanze. Obwohl das Gelände schon lange schneefrei war, hatte sich die SoKo Marder dazu entschlossen, keine ausführlichere Suche mehr nach dem rechten Ski Åge Sørensens und einer eventuellen Kugel zu starten. Den Ski hatte ein Fan mitgenommen, da war sich Jennerwein sicher. Aber warum hatte man keine Kugel gefunden? Jennerwein rekapitulierte nochmals. Der Marder wollte zeigen, dass er Anschläge verüben konnte. Sein primäres Ziel war nicht, Sørensen zu töten, sondern eine Veranstaltung, die von Millionen Menschen gesehen wird, zur Katastrophe zu machen. Dazu war es nicht nötig, Sørensen tödlich zu treffen, er wollte ihn lediglich zum Sturz bringen. Und es wurde keine Kugel gefunden. Weil es gar keine Kugel gab. Weil es – natürlich! – eine Waffe ohne Projektil war.

»Eine Waffe ohne Projektil?!«, fragte Stengele, als Jennerwein zurück im Polizeirevier war.

»So ist es. Sørensen sollte nicht getötet, sondern nur gestört werden. Das sollte ein kleiner, scharfer Schmerz mitten im Flug bewerkstelligen.«

»Dann war es also – ein Betäubungsgewehr. Ein kleines Pieken, das sonst nur Raubtiere verspüren?«

»Viel zu kompliziert gedacht. Solch eine Betäubungsspritze hat ein Projektil, das später irgendwo herumliegt, gefunden werden kann und Fragen nach der Herkunft aufwirft. Der Ziel- und Schussvorgang darf als solcher nicht erkennbar, nicht sichtbar, nicht hörbar sein. Und – ganz wichtig – es darf keine Kugel übrig bleiben. Jetzt ist aber Schluss mit der Ratestunde!«

»Geräuschlos? Geräuschlos? Was schießt geräuschlos? Pfeil und Bogen?«

»Pah!«

»Eine Armbrust?«

»Pff!«

»Eine Schleuder?«

»Sehr witzig.«

»Aaaaaaaah!«, rief Ludwig Stengele und schlug sich mit der Hand an die Stirn. »Natürlich, jetzt hab ich's: Licht. Laser. Genial: ein Lasergewehr!«

»Genau«, sagte Jennerwein. »Der Strahl ist meines Wissens für den Betrachter und auch für den Beschossenen nicht sichtbar – außer er wird geblendet. Er kann keine nennenswerten Verletzungen hervorrufen, der Schmerz ist nicht größer als der eines Stromschlags. Das kann eine Irritation hervorrufen, eine Irritation, die den Beschossenen unwillkürlich dazu bringt, eine fahrige Bewegung zu machen.«

Stengele pfiff durch die Zähne.

»Becker kann uns sicher sagen, ob das möglich ist.«

36

»Ich habe diese Waffe konstruiert und gebaut«, sagte Wong stolz zu Swoboda. »Wir haben die Laserpistole in Chaoyang monatelang getestet, wir haben sogar echte Skispringer beschossen. Es hat funktioniert. Und dieser Teil des Plans hat ja schließlich auch geklappt.«

»Geklappt? Na ja, ich weiß nicht so recht. Der dänische Personenschaden ist beträchtlich.«

Draußen war wunderschönes Wetter, sogar die Direktrice der Pension Alpenrose war etwas spazieren gegangen, hatte dabei das Buch *Gierige Blicke* in der Tasche, zog es ab und zu heraus und las von *rosigen Lippen, die sich lasziv knisternd unter dem Mundschutz der Assistenzärztin wölbten*. Die schwerhörigen württembergischen Ministerialsekretäre und mecklenburgischen Ex-Pastoren waren ins Kurkonzert gegangen, und nur Karl Swoboda und Wong saßen im Zimmer, um weitere Strategien zu besprechen: Wie wird Rogge bedrängt? Wie bleibt Chaoyang aus dem Spiel? Wie wird die Polizei abgelenkt? Shan war im Ort unterwegs, um auszukundschaften, wo denn die geplanten Paragliding-Veranstaltungen stattfanden. Und wo sich der IOC-Präsident bei einer Vorführung vermutlich aufhalten würde. Denn in einem Fernsehinterview hatte Rogge schon gesagt, dass er hierherkommen wollte, um sich speziell die Military-Gliding-Wettbewerbe anzusehen. Im Internetauftritt des Kurortes waren die Veranstaltungsdaten haarklein aufgeführt, *brezlbroad*, wie man im Bayrischen sagt.

»Wir haben vor, Rogge wieder auf die gleiche Art und Weise zu überrumpeln«, sagte Wong.

»Wieder mit einer Knarre?«, sagte Swoboda. »Ihr lernt es nie, Freunde. Um jemanden in seiner Position zu erpressen, brauche ich kein Eisenspritzerl. So einer ist viel leichter mit delikaten Informationen zu bedrohen.«

»Und wenn er eine weiße Weste hat?«

»Hat eh niemand. Mir ist jedenfalls noch keiner begegnet. Ich hab Informationen über alle gesammelt.«

»Auch über Rogge? Her damit.«

»Moment: Auswendig weiß ich natürlich nichts. Das wäre auch ein ganz anderer Auftrag. Und der würde auch wieder eine ganz andere Summe kosten.«

»Dann machen wir es auf unsere Art.«

»Wie ihr wollt.«

»Wir brauchen auch diesmal wieder ein Ablenkungsmanöver. Kann das der Herr Problemlöser nicht übernehmen?«

»Ich habe noch etwas anderes zu tun, ihr seid nicht meine einzigen Kunden«, sagte Swoboda. »Aber ich schlage einen Deal vor. Du gibst mir die genauen Pläne von deinem Lasergewehr. Das interessiert mich, so eine effektive Waffe.«

»Der Herr Problemlöser hat die Waffe so versteckt, dass sie gefunden werden muss. Sie wurde aber bisher nicht gefunden!«

Swoboda ließ sich keinerlei Gefühlsregung anmerken.

»Manchmal geht halt auch was schief. Das ist schon in der Kalkulation mit drin. Dann will ich noch etwas wissen: Von wo aus hast du geschossen? Ich wiederum helfe euch dafür bei einer nochmaligen Generalleutnant-von-Guggelsberger-Offensive.«

»Was für eine Offensive?«

»Ablenkungsangriff, nach Leutnant Nepomuk von Guggelsberger, 1823 in der Schlacht bei Brünn. Den eigentlichen Schlag hat der steirische Feldmarschall von Lukatschek ausgeführt, Guggelsberger hatte lediglich die Aufgabe, für ein kleines Wirberl zu sorgen. Habt ihr das nicht in der Schule gelernt?«

»Ich bin in der DDR zur Schule gegangen. Dort hieß so ein Ablenkungsangriff Makarenko-Offensive.«

»Lass mich raten: Nach dem berühmten Ablenkungsangriff von Juri Makarenko –«

»Alexeji.«

»Gut, ich zeichne die Pläne meiner Laserwaffe auf, im Gegenzug hilft uns der Herr Problemlöser noch ein letztes Mal«, sagte Wong. »Mein Vorschlag für ein Ablenkungsmanöver: Einer dieser Military-Paraglider stürzt vor Rogges Augen ab.«

Swoboda verdrehte die Augen.

»Er wieder mit seinen gewalttätigen Aktionen! Nein, das machen wir nicht. Denn erstens bin ich ein Gegner von so etwas. Und zum Zweiten: wir machen nicht nochmals dasselbe. Die Polizei sucht immer gern nach Mustern. Ich sehe so einen Profiler direkt vor mir. Wenn er ein Muster gefunden hat, dann ist er zufrieden. Und wir wollen doch keine zufriedene Polizei. Wir wollen eine zutiefst verunsicherte Polizei.«

»Wie will der Herr Problemlöser denn dann vorgehen?«

»Muss ich mir überlegen. Wir haben ja noch ein paar Tage Zeit.«

Ein heftiges Klopfen an der Tür störte die beiden Ränkeschmiede auf. Wong stürzte zur Tür und verlangte die Parole des Tages.

»Paragliding«, hörte man es hastig von draußen. Wong öffnete und Shan kam herein.

»Irgendein Idiot hat einen Anschlag ganz hier in der Nähe verübt«, sagte sie atemlos, man sah ihr an, dass sie die letzten paar hundert Meter gelaufen war.

»Wo denn?«, fragte Swoboda ruhig.

»Ich habe nicht alles verstanden. Eine Gruppe von Einheimischen stand beieinander, sie unterhielten sich darüber. Sie sprachen sehr starken Dialekt, ich habe aber mitbekommen, dass sie vom *Schachen* geredet haben, von einer künstlich in Gang gesetzten Lawine und von fünfzig Verschütteten.«

»Und was ist so schlimm daran?«, raunzte Swoboda. »Ich meine: für uns? Tut mir leid um die Verschütteten, aber je mehr Anschläge hier im Ort verübt werden, desto besser für euch und eure Bewerbung. Je mehr der Ruf des Orts hier leidet, desto größer werden eure Chancen.«

»Ich weiß nicht«, sagte Wong. »Mehr Anschläge bedeuten auch mehr Polizeipräsenz. Und die wiederum stört unsere Pläne mit Rogge empfindlich. Dann kommen wir überhaupt nicht mehr an ihn heran.«

»Ganz im Gegenteil«, sagte Swoboda. »Je mehr Polizeipräsenz, desto ungestörter kann man operieren. Die Polizei denkt nämlich immer, dass sie durch ihr bloßes Dasein jede Aktivität lähmt. Diesen Denkfehler muss man ausnützen, Freunde.«

»Meine liebe Shan«, sagte Wong auf Min-Yue, »dieser Österreicher geht mir langsam echt auf den Geist.«

»Mir schon lange«, sagte Shan, ebenfalls auf Min-Yue.

Sie sagte es in einem Ton und mit einem Lächeln, als ob sie *Schatz, möchtest du noch etwas Tee?* gesagt hätte.

Karl Swoboda kannte die Menschen. Gerade wenn die beiden Yue sprachen und so liebevoll miteinander umgingen, gingen sie einen Tick zu liebevoll miteinander um. Sie übertrieben, sie waren keine guten Spieler. Vorsicht, dachte Swoboda, Obacht geben.

37

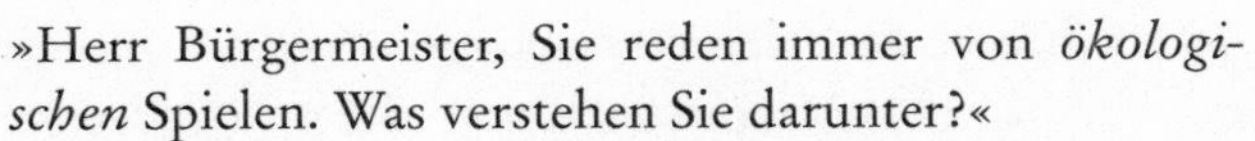

»Herr Bürgermeister, Sie reden immer von *ökologischen* Spielen. Was verstehen Sie darunter?«

»2018 werden wir ökologische Richtwerte aufstellen, Richtwerte, sage ich Ihnen, dass der Bund Naturschutz am Ende den Vorschlag machen wird, jedes Jahr eine Olympiade zu veranstalten.«

(Gelächter im Publikum)

»Herr Bürgermeister, Sie haben auch von den *Grünen Spielen* gesprochen. Meinen Sie damit, dass im Zuge des Klimawandels 2018 vielleicht gar kein Schnee mehr –«

»Erstens verwenden wir sowieso künstlichen Schnee –«

»Ist das ökologisch?«

»Ökologischer geht's gar nicht mehr. Wir verbrauchen durch den künstlichen Schnee ja keine natürlichen Ressourcen.«

(Anhaltendes Gelächter, Applaus, *Bravo!*-Rufe)

»Die Klimaerwärmung wird an Ihnen vorbeigehen?«

»Freilich! Die Temperatur wird in den nächsten vierzig Jahren um 0,4 Grad ansteigen. Das bedeutet für uns im Olympiaort lediglich, dass dann die Schneefallgrenze hundert Meter höher liegt. Ja mein Gott, dann geht halt der Schnee nicht bei der untersten Skiliftstütze an, sondern erst bei der zweiten!«

(Beifälliges Murmeln, Ein Zwischenruf:
Ein Hund bist schon, Bürgermeister!)

Der Bürgermeister hatte es diesmal schlauer eingefädelt. Er hatte das Interview nicht irgendwo, eingezwängt zwischen vorlauten Bürgern, gegeben, sondern er hatte an einer richtigen Fernseh-Talkrunde teilgenommen, bei der die Teilnehmer samt zugehörigen Positionen schon vorher bekannt waren. Außer dem Gute-Laune-Kracher Georg »Schorsch« Hackl, der mit glänzenden Augen ab und zu Anekdoten aus dem Schlittensport einstreute, saßen nur die üblichen Politiker aus den üblichen Lagern mit den üblichen Argumenten da. Die schmallippige Moderatorin kämpfte tapfer mit der deutschen Grammatik, so konnte sich der Bürgermeister ganz auf die junge Vertreterin der ökologischen Front konzentrieren, einer gefühlt vierzehnjährigen Heißspore, die gerade den Fehler gemacht hatte, den Volkszorn mit dem Nebensatz herauszufordern, ob denn solche Spiele *überhaupt nötig wären.* Ja, wenn sie natürlich vielen Milliarden Menschen eine riesengroße Gaudi wegnehmen wollte, weinte der Hackl Schorsch dagegen, wenn sie das ganze Glück in Frage stellen wollte, den ganzen Stolz, die Begegnungen zwischen den Menschen – ja, dann – Im Studio brandete warmer Applaus auf, die Heißspore wich zurück.

»Aber die Erderwärmung«, lenkte die Moderatorin um. »Was ist, wenn der Schnee wegbleibt?«

(Ein Zwischenruf: *Schorsch, erklär's ihr!*)

»Schauen Sie her«, sagte der Schorsch geduldig. »Da ist doch in diesem Kurort vor ein paar Tagen so eine Gspinnerte, so eine Verrückte, mit dem Hornschlitten von der Schachenhütte bis ganz hinunter ins Tal gefahren. Erst war Schnee, dann war kein Schnee mehr, einfach nur noch grüne Wiesen. Hat es ihr was ausgemacht? Rein gar nichts! Das heißt doch, dass der Schnee für den Wintersport gar nicht so wichtig ist. Wichtig ist der Zusammenhalt, die riesengroße Gaudi, die man hat, die Milliarden Menschen, die da zuschauen –«

Jusuf schaltete den Fernsehapparat in seinem Hotelzimmer aus. Jetzt war er wieder in dem Wintersportort gelandet, in dem alles angefangen hatte. Auf diese Gelegenheit hatte er vier Monate gewartet. Sein Objekt Kalim al-Hasid traf sich in zwei Stunden mit einem Sponsor, dessen Personenschützer wiederum wollte die Bewachung beider Objekte übernehmen. Jusuf hatte eine Verabredung. Kalim al-Hasid hatte die Suite neben Jusuf bezogen, von dort hörte er Badewasser einlaufen. Jetzt klopfte es leise an der Tür. TACK TACK TACK. Jusuf war aufs Äußerste angespannt. Das war nicht das vereinbarte Zeichen mit Kalim.

Geräuschlos glitt Jusuf vom Bett und bewegte sich lautlos zum Eingang. Er stellte sich neben die Tür und zog seine kleine Zenelli heraus. Er entsicherte sie langsam, ohne dass man dabei mehr als das *ffflup* eines auffliegenden kleinen Vogels gehört hätte.

38

Ohrenbetäubendes Glockengeläute zwischen vier und fünf Uhr früh verknüpft man in kleineren Gemeinden mit Katastrophen drastischer Art. Solch ein plötzliches Getöse kann eigentlich nur bedeuten, dass der Jüngste Tag gekommen war, dass Dschingis Khan oder einer seiner Nachfahren vor Passau standen, dass das Wirtshaus brannte – Katastrophen von dieser Art eben. So ein Glockengeläute zur Unzeit war im Kurort vor ein paar Jahren schon einmal vorgekommen. Damals war die prächtige Barockkirche ausgerechnet über die Karnevalszeit renoviert worden, und am Rosenmontag war morgens prompt ein angeliterter Spaßvogel über die Außengerüste nach oben geklettert und hatte dort alle Glocken in Gang gebracht. Es gab ein paar Dutzend erboster Kirchgänger, die durch das Geläute aufgewacht, mechanisch aufgestanden und wie die untoten Zombies zur Kirche gewankt waren, nur um dann um vier Uhr früh vor der verschlossenen Kirchentür zu stehen. Alle waren maulend und unter Kirchenaustrittsdrohungen wieder nach Hause getrottet.

Diesmal (die Kirche trug wie damals ein leicht erkletterbares Außengerüst) ertönten die Glocken wieder weit vor Sonnenaufgang, noch dröhnender als damals, doch diesmal wachte lediglich der Mesner auf und fluchte leise. Ja, stimmt, richtig gelesen: Er fluchte, wenn auch mehr innerlich. (Mehr als zwei Ave-Marias gab das ohnehin nicht.) Es dämmerte, er schlüpfte in seine Kleidung, ging hinüber zur Kirche, um nach dem Rechten zu sehen. Die automatische Glockenanlage war ausgeschaltet, da war alles in Ordnung, es musste also wieder jemand oben im Glockenturm sein. Er nahm, für alle Fälle, einen massiven Kandelaber vom Altar und führte probehalber einen Schlag in die Luft durch. Derart gerüstet, stapfte der Mesner langsam die Treppe hinauf, doch da oben war niemand zu sehen. Ein Brief lag auf dem Boden. Er öffnete ihn. Die Schrift war steil und streng aufwärts gerichtet, in den Oberlängen flatterte sie, als würde sie brennen. Dem Mesner wurde angst und bange.

Sehr geehrter Herr Kommissar Jennerwein,

zuerst dachte ich daran, mein Schreiben in den Klingelbeutel der Kirche zu stecken – auch das wäre ein Novum gewesen in der langen Geschichte der Ablageplätze von Bekennerschreiben. Aber ich wollte einen gewissen Gesamteindruck nicht verderben. Wir hatten es bei den bisherigen Anschlägen mit Höhe zu tun, der nächste Anschlag soll auch hoch droben stattfinden, also schien mir diese Art der Ablage besonders geeignet. Und das bei meiner Höhenangst! Ich bin schon in Behandlung gewesen wegen dieser ›Akrophobie‹, aber bei mir fruchtet das alles nichts, da helfen keine Pillen, keine Therapiesitzungen, keine Hochseilgärten. (Muss natürlich wieder nicht stimmen, das mit der Höhenangst, aber wir brauchen uns inzwischen ja nichts mehr vorzumachen.) Aber es wird höchste Zeit, ein paar Punkte zu klären, die mir wichtig sind:

1. Es ist nicht zu übersehen: Auch diesen Brief habe ich wieder handschriftlich verfasst und ihn an einem realen Ort hinterlegt. Da brauchen Sie gar nichts hineinzugeheimnissen, das hat den ganz einfachen Grund, dass diese altmodische analoge Kommunikation inzwischen wieder die sicherste aller Mitteilungsformen geworden ist. E-Mail? Internet? Bluetooth? Handy? Da habe ich zwanzig Spezialisten von Ihnen am

Hals, die sich auf die Füße treten. Alles Digitale kann geortet, entschlüsselt, zurückverfolgt werden – und die technischen Möglichkeiten, so einen Fingerabdruck aus Bits und Bytes im Netz zu identifizieren, werden immer ausgefuchster, aber wem sage ich das. Eine Handschrift hingegen kann ich noch ganz klassisch verstellen. Haben Sie überhaupt einen Graphologen oder Schriftsachverständigen an der Hand? Wenn ja, dann schalten Sie ihn ein. Und Sie werden sehen: Er wird lediglich eine Expertise vorlegen, dass diese Handschrift hier mit einer Wahrscheinlichkeit von über neunzig Prozent verstellt ist. Ganz tolle Erkenntnis! Bringt Sie keinen Schritt weiter!

2. Die Kommunikation zwischen uns beiden, lieber Herr Kommissar, ist eine Einbahn-Kommunikation. Das funktioniert so: Ich schreibe Briefe – Sie lesen sie. Sparen Sie sich die Mühe, Kontakt mit mir aufzunehmen. Wir werden das erste Mal miteinander sprechen, wenn Sie mich geschnappt haben. Vielleicht also nie.

3. Damit sind wir gleich bei unserer Rollenverteilung. Die liegt auf der Hand: Ich verübe Anschläge – Sie versuchen mich daran zu hindern. Versuchen Sie mich aber nicht darüber zu belehren, dass meine Aktionen sinnlos oder destruktiv, gesetzlos und allgemeingefährlich sind. (Ich mische mich ja auch nicht in Ihre Arbeit ein.) Hetzen Sie nicht Ihre wahnsinnig gut ausgebildeten Psychos auf mich, ihre Kommunikationsspezialisten und verbeamteten Klugschwätzer, das führt zu nichts. Den ersten Profiler, den ich sehe, erschieße ich.

4. Das Spiel läuft so lange, bis ich einen Fehler mache. Das kann schon beim nächsten Anschlag sein, beim siebten oder beim dreißigsten. Bedenken Sie: Ich bin kein Psychopath mit schwerer Kindheit, ich bin kein verblendeter Fundamentalist mit wirren Botschaften, ich will die Welt nicht retten oder verändern, ich bin ein ernsthafter Spieler mit hohem Einsatz.

5. Es ist wirklich schön, mit Ihnen (wenn auch einseitig)

zu plaudern, Herr Kommissar, aber für heute muss ich leider schließen. Ich bin etwas in Eile, ich habe mir einen Termin gesetzt für den nächsten Anschlag, und dafür muss ich noch einiges googeln. Wo bekommt man zum Beispiel schnell wirkendes, nicht gleich nach Gift schmeckendes Gift her? Wie lange überlebt ein Mensch im Kühlschrank? Wie ist das eigentlich mit den durchschnittenen Bremskabeln – bringt das was? So viele Berichte, so viele Fragen.

Mit vielen Grüßen, auch an Ihr Team – Ihr vielbeschäftigter Serientäter

PS: Der nächste Anschlag kommt schnell und beherzt – also Augen auf!

39

Jusuf drückte ein Ohr an die Wand, er hatte die Waffe immer noch im Anschlag. So stand er minutenlang hochkonzentriert da. Mit dem bloßen Ohr war nichts zu hören. Er sah sich um. Auf einer Anrichte in der Nähe des Eingangs stand eine Flasche Mineralwasser mit zwei Trinkgläsern. Er nahm sich einen der unförmigen Becher und drückte ihn mit der Öffnung an die Wand. Dann presste er sein Ohr an den Boden des Glases. Voyeure (oder eher Écouteure) wissen es ohnehin: Er hörte die Geräusche draußen auf dem Gang auf diese Weise fünfmal so laut. Er hörte fernen Straßenlärm, irgendwo war wohl ein Fenster geöffnet worden. Er hörte ein leises, sich wiederholendes Quietschen, das er nicht zuordnen konnte. OINGK OINGK. Sonst regte sich nichts. Das Rauschen des Badewasserhahns in der Suite nebenan brach plötzlich ab. Hörte er jetzt da draußen auf dem Gang einen Menschen atmen? OINGK OINGK. Oder bildete er sich das bloß ein? Jusuf sah auf die Uhr: Gute zehn Minuten waren inzwischen vergangen. Er atmete kräftig durch, dann riss er die Tür auf und brachte sich in Schussposition.

Seine Zenelli zielte auf einen blaubekittelten Mann, der gerade einen Schrubber in einem Kübel mit schmutzigem Wasser ausdrückte. Der Mann stand mit dem Rücken zu ihm und begann jetzt, die Glasscheibe des gegenüberliegenden Fensters langsam und sorgfältig zu reinigen. OINGK OINGK. Das Gesicht des Mannes spiegelte sich undeutlich im Glas, und Jusuf konnte einen raschen Blick darauf erhaschen. Seine Kurzanalyse: Harmlos. Alarmstufe blassblau.

»Entschuldigung, haben Sie jemanden gesehen?«, fragte er den Mann vom Putzservice. »Jemanden, der an meiner Zimmertür geklopft hat?«

Er stellte den Glasbecher, den er immer noch in der Hand hielt, vorsichtig auf den Boden.

»Holen Sie das Geld aus Ihrem Zimmer«, sagte der Blaukittel, ohne sich umzudrehen und seine Arbeit am Fenster zu unterbrechen. »Geben Sie es in die Schmutztüte, die am Reinigungswagen hängt. Dann gehen Sie zurück und nehmen ein Bad, das mindestens eine halbe Stunde dauert.«

Es war ein ordentliches Bündel Dollarnoten, die Jusuf aus dem Zimmer holte. Aber er verdiente ja gut. Ohne sich umzusehen oder umzudrehen, zeigte der Mann im blauen Kittel auf das Glas, das immer noch am Boden stand.

»Guter Trick«, sagte er. »Aber den kannte ich schon.«

Als der Blaukittel hörte, dass die Tür wieder verschlossen worden war, unterbrach er sein OINGK OINGK und rollte den Putzwagen in die Besenkammer. Nach kurzer Zeit kam er wieder heraus, ein Beobachter hätte geschworen, dass es ein vollkommen anderer Mann war. Der vollkommen andere Mann verließ das Hotel und ging in Richtung der Pension Alpenrose.

»Wo ist er denn so lange gewesen, der Herr Problemlöser?«, sagte Shan.

»Ich habe auch noch andere Geschäfte. Ich habe nicht damit gerechnet, dass der Auftrag hier so lange dauert.«

»Wir sollten den überschüssigen Beton noch entsorgen«, sagte Wong. »Gibt es dazu schon einen Plan?«

»Die vier Kübel Beton«, sagte Shan, »die könnten wir doch einfach vergraben.«

»Das ist mir viel zu unsicher, Freunde«, graunzte Swoboda. »Wenn die jemand findet, dann muss er sich doch die Frage stellen: Wer hat sich da die Mühe gemacht, vier Kübel Beton zu vergraben?«

»Wie wäre es mit einer romantischen Bootsfahrt um Mitternacht? Ein vierfacher Ballastabwurf in der Mitte des Walchensees?«

»Ihr immer mit eurer Bootsfahrt! Ich habe keine Lust, mich beobachten zu lassen, wie ich vier Kübel Beton in ein Boot verlade, in dem dann ein Mann und eine Frau wegrudern. Wie sieht denn das aus!«

»Was dann?«

»Wir lösen den Beton auf und schütten ihn weg, sicher ist sicher. Ich habe auch schon eine Einkaufsliste geschrieben.« Swoboda gab jedem einen Zettel, auf dem ein paar Zutaten standen.

»Calciumaluminathydrat?«, sagte Wong. »Was ist denn das? Da kann ich ja wohl im Kaufhaus nicht danach fragen.«

»Natürlich nicht. Ihr sucht alle Reinigungsmittel durch und kauft die mit dem größten Anteil an Calciumaluminathydrat. Und jetzt Abmarsch.«

Es klopfte an der Tür. Swoboda schlich zum Fenster, Wong griff nach seinem Gnadgott, Shan ging auf die Tür zu und stellte sich neben den Rahmen.

»Wer ist da?«, fragte sie.

»Margarethe Schober«, kam es von draußen.

Swoboda verschwand ins Nebenzimmer, Wong steckte sein Gnadgott wieder zurück, Shan machte die Tür auf.

»Bitte?«

»Frau Shan, ich will nicht weiter stören, ich habe nur eine Frage: Brauchen Sie die Tiefkühltruhe noch? Wissen Sie, der Sommer naht, und da ist es ganz praktisch, wenn man noch eine zusätzliche Tiefkühltruhe hat.«

Frau Schober trug eine jener bunten Kittelschürzen, von denen Woolworth vermutlich fünf Milliarden Stück hatte herstellen lassen. Aus einer Tasche ragte, natürlich, ein Romanheftchen, den Titel konnte man nicht lesen.

»Nein«, sagte Shan, »wir brauchen sie nicht mehr. Wir machen sie noch sauber, dann bringen wir sie heute noch runter zu Ihnen. Okay?«

Margarethe Schober versuchte einen Blick in den Raum zu erhaschen. Shan war nicht sicher, ob die Direktrice nicht noch etwas auf dem Herzen hatte. Sie nahm sich vor, diese Frau zu beobachten.

40

»Ein starkes Stück«, sagte Ludwig Stengele. »Der macht mit uns, was er will.«

Der Mesner war mit dem Brief in aller Frühe zum Revier geeilt und hatte ihn dem Frühschichtler Ostler in die Hand gedrückt.

»Haben Sie ihn geöffnet?«, fragte Ostler.

»Wo denken Sie hin?«

»Warum bringen Sie den Brief dann hierher? Wenn Sie ihn nicht geöffnet und gelesen haben, dann können Sie doch gar nicht wissen, dass –«

»Gut, gut, ich gebe es zu. Ich habe ihn geöffnet und gelesen.«

»Tut man denn das?«

»Lesen?«

»Lügen.«

»Nein, tut man nicht, ich schäme mich ja schon.«

»Drei Ave-Maria«, sagte Ostler.

»*Zwei* Ave-Maria. Für kleine Lügen gibt es zwei Ave-Maria, mehr nicht.«

»Sie müssen es ja wissen.«

»Ich erledige das gleich beim Rückweg.«

»Ja, tun Sie das. Und noch was.«

»Ja?«

»Kein Wort zu irgendjemanden. Versprochen?«

»Versprochen.«

Nach einem Rundruf Ostlers war die SoKo Marder sofort zusammengekommen. Die Spurensicherer waren schon da, als Jennerwein und die Seinen im Revier eintrafen. Das spillerige Männchen pinselte schon eifrig an dem Blatt Papier und dessen Umschlag herum, die Frau mit der starken Brille betrachtete den Brief noch zusätzlich mit einer Lupe und machte sich Notizen.

Dann nahm Hansjochen Becker das zerknitterte Bekennerschreiben mit einer Pinzette auf, betrachtete es kopfschüttelnd und steckte es in eine Plastiktüte.

»Bezüglich der daktyloskopischen Spuren brauche ich Ihnen wohl kaum Hoffnungen zu machen«, sagte er.

»Das dachten wir uns schon«, sagte Jennerwein. »Gibt es trotzdem irgendeinen Anhaltspunkt, mit dem wir etwas anfangen können?«

»Ich habe auf Anhieb zehn verschiedene Fingerabdrücke gefunden«, sagte das Pinselchen. »Es sind vermutlich noch mehr.«

»Der Marder hat also möglichst viele Leute das Briefpapier anfassen lassen«, sagte Stengele.

»Doch damit nicht genug«, sagte die Brille. »Er hat den Brief zusätzlich noch in Wasser getaucht, zerknittert, mit Fett bespritzt und was sonst noch alles. Sehen Sie, an einer Seite ist er sogar ein bisschen angekokelt. Ein richtiges Gewurle von Spuren auf engstem Raum. Wie aus einem Lehrbuch.«

»Das ist schon faszinierend«, fügte Becker bewundernd hinzu. »Dieser Brief wird uns einige Zeit beschäftigen.«

»Gibt's denn das!«, rief Nicole. »Dass uns jemand so provozieren darf? Dieser Marder muss sich seiner Sache ja ziemlich sicher sein.«

»Das ist unsere Chance«, sagte Becker. »Wir wollen mal hoffen, dass er sich seiner Sache irgendwann einmal *zu* sicher wird. Dass er bei seinem Spurenzirkus hier zum Beispiel einen Fehler gemacht hat. Aber wenn nicht, dann ist das hier, mit Verlaub gesagt, ein kleines Kunstwerk.«

»Also doch ein ehemaliger Polizeibeamter?«, warf Ostler ein. »Vielleicht sogar ein Spurensicherer? Weil er sich doch in diesem Bereich gar so gut auskennt.«

»Es ist heutzutage kein großer Aufwand mehr, sich darüber zu informieren«, sagte Becker. »In den Buchhandlungen wimmelt es von populärwissenschaftlicher Fachliteratur, täglich werden ganze Schulklassen durch Polizeidienststellen getrieben – manchmal eine wirkliche Plage.«

»Zum Thema Schulklasse danach noch mehr«, sagte Ostler. Alle beobachteten die kleine stumme Szene, wie Becker, die Brille und das Pinselchen nacheinander an dem Brief schnüffelten.

»Das alles deutet auf infantile Regression hin«, sagte Maria, als die Beckeronis ihre Schätze verstaut hatten und gegangen waren.

»Sie meinen, er ist ein großes Kind?«, fragte Stengele.

»Das kann man sagen. Ein großes, gefährliches Kind, ja. Mit viel krimineller Energie –«

»– und viel Freizeit«, unterbrach Jennerwein. »Um das alles vorzubereiten, muss man sehr viel Zeit haben.«

»Ein Rentner? Ein Jugendlicher?«

»Rentner und Jugendliche sind die Bevölkerungsgruppen, die heutzutage am wenigsten Zeit haben«, sagte Jennerwein.

»Ich würde sagen, dass er sein pathologisches Bedürfnis, Menschen in Gefahr zu bringen, mit allerlei Schnickschnack überdeckt und dadurch legalisiert«, sinnierte Maria weiter.

»Mit Geschichten vom Pferd sozusagen«, sagte Nicole Schwattke.

»Ja, genau. Er tut so, als ob er ein Spiel spielt, er will aber nur eines: Macht. Er will Macht über Menschen haben, er muss wichtig sein, er braucht die Aufmerksamkeit von vielen Leuten.

Er erzählt uns Geschichten, und will uns damit von *einer* Geschichte ablenken, nämlich seiner. Soweit ich weiß, gibt es einen Ausdruck dafür: *Mythomanie*. Das ist eine narzisstische Persönlichkeitsstörung. Ein Mythomane ist einer, der anstatt einer Antwort zehn Antworten gibt. Ich gebe dazu ein Beispiel.«

Maria stand jetzt auf und schritt auf und ab, was ihr etwas Professorales gab.

»Ein Kind hat in der Speisekammer genascht. Die Eltern kommen heim und sehen dem Kind an, dass es etwas ausgefressen hat. Das Kind sucht nach einer Strategie. Anstatt das kleine Delikt abzustreiten oder zuzugeben, erzählt das Kind, dass es den Goldhamster freigelassen hat, Tinte auf dem Teppich verschüttet hat, im Schuppen mit Streichhölzern gezündelt hat, was weiß ich. Es glaubt, dass es die wahre Geschichte unter vielen erfundenen Geschichten verstecken kann. Irgendwann fliegt das natürlich auf, aber für den Moment funktioniert die Strategie. Wenn dieses kindliche Verhalten bis ins Erwachsenenalter anhält, sprechen wir von infantiler Mythomanie. – Nur eine Theorie.«

»Nur eine Theorie, ja freilich«, sagte Ostler. »Aber es gibt einen im Ort, auf den die Beschreibung zutrifft.«

Ostler berichtete kurz vom Zither Beppi und seinen wilden Geschichten. Alle im Raum hatten ihn schon einmal gesehen, er war oben auf dem Schachen bei dem Lawinenabgang dabei gewesen.

»Das entspricht genau dem Profil der Mythomanie!«, rief Maria begeistert.

»Er steht ja ohnehin auf der Liste der Verdächtigen«, sagte Jennerwein. »Den werden wir uns später gleich vornehmen.«

Maria stand auf und beugte sich über den Tisch, um sich die Kaffeekanne zu holen, Jennerwein blickte zerstreut in ihre Richtung. Doch plötzlich griff er sich mit Daumen und Mittelfinger an die Schläfenlappen und massierte sie mehrmals. Er stützte sich mit dem Ellbogen auf dem Tisch auf und atmete, den Kopf nach unten gesenkt, scharf durch.

»Ist alles in Ordnung mit Ihnen, Chef?«, fragte Stengele, der ihn beobachtet hatte, leise.

»Ja, alles in Ordnung«, murmelte Jennerwein, ohne sich aufzurichten. »Mit ist nur etwas eingefallen. Machen Sie weiter, ich höre zu.«

»Er will etwas verdecken, der Täter. Das scheint mir plausibel«, sagte Nicole Schwattke in die entstandene Pause hinein. »Wir haben einen Serientäter, der zweimal zugeschlagen hat und der weitere Anschläge ankündigt. Wenn er nun mit der Behauptung, er spiele nur und es reize ihn nur das Abenteuer, einen wirklich kaltblütigen Mord verdecken will, der entweder schon geschehen ist oder der noch in der Zukunft liegt?«

»Das ist möglich. Da gibt es Präzedenzfälle«, sagte Maria und rührte geräuschvoll in ihrer Kaffeetasse. »Zum Beispiel die McKenzy-Morde in Oklahoma City. In den Neunzigern gab es dort eine Serie von Polizistenmorden. Die Profiler gingen natürlich von einem perversen Polizistenhasser aus. Das war aber eine bewusst falsch gesetzte Fährte. Phoebe McKenzy, eine der Witwen, hatte ihren Mann getötet, um die Lebensversicherung zu kassieren. Sie lenkte den Verdacht von sich ab, indem sie weitere Polizistenmorde beging und so eine Serie vortäuschte. Die Polizei kam jahrelang nicht drauf.«

Jennerwein hatte sich wieder aufgerichtet. Stengele warf ihm einen kurzen Blick aus den Augenwinkeln zu. Es schien ihm, dass der Kommissar etwas blass geworden war.

»Ich gehe trotzdem von einem Spieler aus«, sagte Jennerwein. »Ich sehe im Marder keinen Täter, den eines der herkömmlichen Motive wie Mordlust, Geldgier, politischer Fanatismus oder andere niedrige Beweggründe antreibt. – Hölleisen und

Ostler, haben Sie sich Gedanken über einheimische Kandidaten gemacht?«

Die beiden Revierpolizisten standen auf und drehten ein Flipchart um, auf dem eine Liste zu sehen war.

1. Einer der Mitarbeiter der Agentur *IMPOSSIBLE*

»Diese Mitarbeiter sind zwar größtenteils keine Einheimischen«, sagte Ostler, »aber alle kennen sich sehr gut aus in den umliegenden Bergen. Unser Marder muss mehr als nur alpinistische Grundkenntnisse besitzen.«

»Das Motiv?«, fragte Jennerwein.

»Kein wirkliches Motiv, vielleicht wurde nur der absolute Super-Event angeboten, der noch nie da gewesene Nervenkitzel für den ganz abgebrühten Top-Manager: eine Anschlagsserie.«

»Hm«, raunzte Jennerwein.

2. Willi Angerer, Oberforstrat

»Angerer hat gelogen«, sagte Hölleisen. »Er hat sich das Skispringen eben nicht im Fernsehen angeschaut. Er ist draußen gewesen im Skistadion, Zeugen haben das beobachtet. Er ist auf einen Hochstand gestiegen und hat sich das Springen mit einem Fernglas angeschaut. Wer weiß, was er in seiner Gewehrhülle drin hatte.«

»Motiv?«

»Er ist gegen den Ausbau des Kurorts zu einer Welt-Wintersportstätte. Er war immer schon gegen die Bewerbung um die Winterolympiade, von der der Bürgermeister dauernd redet. Er ist ein Intimfeind des Bürgermeisters und des Gemeinderats Harrigl.«

»Hm«, grunzte Jennerwein.

3. Gemeinderat Toni Harrigl
4. Der Bürgermeister
5. Josef Fischer vulgo ›Zither Beppi‹

»Warum?«

»Sie waren am Tatort.«

»Das waren sechsundzwanzigtausend andere auch.«

»Entsprechen denn diese drei nicht auch meinem Profil der infantilen Regression?«, fragte Maria. »Für den Nabel der Welt halten sie sich allemal. Der eine, der Vereinsmeier, behauptet, die Stimme der Region zu sein, der andere, der Schneeflüsterer, sieht sich schon in den Geschichtsbüchern. Und der dritte, der Zitherer, ist angeblich der Duzfreund des Papstes.«

»Hm«, brummelte Jennerwein.

6. Umweltschützer

»Da gibt es natürlich auch ein paar davon hier im Kurort«, fuhr Ostler fort. »Der Bürgermeister bezeichnet sie immer als *Die Üblichen*.«

»Ja«, fügte Hölleisen hinzu, »es gibt insgesamt drei Bürgerinitiativen gegen die Olympischen Spiele –«

»Aber Umweltschützer«, unterbrach Maria, »schreiben keine heimlichen Bekennerbriefe. Ich glaube nicht, dass der Marder ein Umweltschützer ist.«

»Mhm«, knurrte Jennerwein.

7. Pensionierte Polizisten, ausrangierte Militärs, ausgemustertes Sicherheitspersonal

»Die pensionierten Polizisten haben sogar einen Stammtisch. Jeden Donnerstagnachmittag in der Bäckerei Krusti.«

»Diese Bäckerei scheint mir ohnehin ein Treffpunkt von interessanten Leuten zu sein«, sagte Jennerwein. »Wenn wir mehr Personal hätten, könnten wir einen verdeckten Ermittler einschleusen.«

»Die Bäckerei interessiert mich auch«, sagte Maria. »Mich kennt hier im Ort kaum jemand. Ich kann mich da gerne umhören.«

»Hmhm«, knarzte Jennerwein.

8. W-Seminar »Alpspitz-Projekt«

»Was haben denn Schüler in einer Verdächtigenliste zu suchen?«, fragte Nicole Schwattke. »Ein W-Seminar ist doch ein wissenschaftspropädeutisches Seminar – früher hieß das einfach Leistungskurs.«

»Das ist zwar der verrückteste Punkt«, sagte Hölleisen, »aber auch der interessanteste und vielversprechendste. Am Gymnasium hier gibt es die Frau Oberstudienrätin – Moment – Ronge. Sie hat in ihrem Seminar Referatsthemen verteilt. Sie hat auch ein paar kriminologische Themen vergeben und die Jugendlichen dazu angeregt, sich mit Serientätern und ihren Motiven zu beschäftigen. Ausgerechnet!«

»Wann war das?«, fragte Jennerwein.

»Letztes Jahr. Die Schüler haben nun Seminararbeiten erstellt und Referate gehalten, in denen durchaus auch Sympathie mit den Serientätern durchschimmert. Ein paar davon könnten sich auch vorstellen, ich zitiere: *so etwas auch mal zu machen.*«

»Äußerst abgefahren«, sagte Jennerwein nachdenklich, »aber wir sollten trotzdem mal hingehen und die Kids befragen. Ich teile das Team jetzt auf, jeder bekommt einen Spezialjob. – Maria, sind Sie inzwischen mit dem Profil weitergekommen?«

Maria rührte etwa zwei Tage in ihrer Kaffeetasse.

»Der Marder. Männlich, nicht über vierzig, gebildet, aber ohne Hochschulabschluss, lebt alleine. Er ist intelligent, hat aber das Gefühl, dass er zu Höherem berufen wäre. Er ist hier im Ort einigermaßen bekannt und auch leidlich eingebunden, wird aber nicht so beachtet, wie er das gerne hätte. Er ist kein Ausländer, er ist kein Fremder, er ist ein Einheimischer.«

»Behalten Sie diese Punkte im Hinterkopf«, sagte Jennerwein und stand auf.

»Wir schwärmen aus. Schwattke, Sie sind die Jüngste, Sie gehen ins Gymnasium und sehen sich diese Facharbeits-Sympathisanten an. Nehmen Sie Hölleisen mit. Ich selbst gehe ins Klinikum und interviewe diesen glatzköpfigen Oberarzt, ich habe da noch ein paar Fragen. Maria, ich finde Ihre Idee gar nicht schlecht, sich in der Bäckerei Krusti umzusehen. Machen Sie das, fangen Sie Volkes Stimme ein. Stengele, Sie hängen sich ans Telefon und prüfen nochmals die These bezüglich des ›aus dem Dienst entlassenen Polizisten‹. Viel Glück. Und auf geht's!«

Alle machten sich an die Arbeit. Einer musste natürlich Dienst im Revier schieben. Es war Polizeiobermeister Ostler. Auf seinem Schreibtisch lagen zwei Papierstöße: ein riesiger, der den Fall des Marders betraf, und ein wesentlich kleinerer, für alle anderen Vorgänge im Kurort. Jemand klingelte. Er öffnete. Eine Frau mittleren Alters trat ein. Er kannte sie gut, es war die Nichte des alten Dr. Steinhofer, des pensionierten Arztes, der nach wie vor verschwunden war.

»Es tut mir leid, ich habe noch keine neuen Erkenntnisse.«

»Sie haben wohl auch nicht weitergeforscht.«

»Das haben wir, aber alle Indizien sprechen dafür, dass er in einem mittelamerikanischen Staat untergetaucht ist. Glauben Sie mir, wir haben schon öfters solche Fälle gehabt. Er hat sein Konto aufgelöst, hat sein Geld auf eine andere Bank überwiesen. Er hat in einem Reisebüro einen Flug nach Mittelamerika gebucht, er hat zwei Tickets gekauft, er hat seinen Pass und alle Papiere mitgenommen, außerdem hat er in einer Buchhandlung ein Spanisch-Lexikon erworben. Und vor allem: die Postkarte aus Lima.«

Die Nichte verabschiedete sich seufzend. Franz Ostler legte das Formular, auf dem diese Informationen standen, wieder zurück auf den kleinen Stapel mit den Vorgängen, die nicht mit dem Fall Marder zu tun hatten. Karl Swoboda hatte ganze Arbeit geleistet.

41

Hubertus Jennerwein war auf dem Weg zum Klinikum, als sein Mobiltelefon klingelte.

»Hallo, Becker, schön, dass Sie mich anrufen.«

»Um Ihre Frage von gestern zu beantworten, Kommissar: Ja, mit einem Lasergewehr kann man durchaus jemanden schmerzhaft beschießen. Es hängt ganz von der Wellenlänge des Strahls ab. Bei geringer Laserenergie, wie sie beispielsweise in CD-Playern Anwendung findet, würde der Beschossene überhaupt nichts spüren. Wenn man aber die thermische Leistung des Strahls so erhöht, dass organische Molekülbindungen zerstört werden, dann wird der Strahl sicherlich schmerzhaft sein.«

»Wie sieht so ein Lasergewehr aus?«

»Jedenfalls nicht wie ein herkömmliches Gewehr. Um einen derart leistungsstarken Lichtstrahl zu generieren, ist schon ein bisschen Platz nötig. Die Maschine, die man hier bräuchte, wäre, mit allem Drum und Dran, etwa so groß wie Ihr Schreibtisch.«

»Kann unser Schütze beim Neujahrsspringen irgendwo in der Menge gestanden haben –«

»– ohne aufzufallen? Das halte ich für ausgeschlossen. Der Stromgenerator ist ganz schön laut. Ich für meinen Teil würde ein Hotelzimmer mieten, irgendwo im Umkreis von zwei Kilometer Entfernung. Ich würde einen Festkörperlaser nehmen, ihn auf den Balkon stellen, den Strahl generieren und ihn in Richtung des Geländes schicken. Dann gehe ich hinunter in die Menschenmenge, habe ein kleines, unauffälliges Kästchen bei mir, fange den Strahl damit auf und leite ihn auf einen dänischen Skispringer um.«

»Brauche ich einen Helfer für das alles?«

»Ich denke, dass es auch alleine geht.«

»Wo bekomme ich solch einen Apparat her?«

»Im Kaufhaus kann ich ihn nicht kaufen. Aber wenn man sich auskennt, kann man sich so ein Ding selbst zusammenbasteln.«

Jennerwein hatte einen Block herausgezogen und sich die Daten notiert, die für ihn interessant waren: ein Hotel im Umkreis von zwei Kilometern, ein Balkon mit Blick auf das Schanzengelände.

»Becker, Sie sprachen von einem kleinen, unauffälligen Kästchen. Wie könnte das aussehen?«

»Wie eine Handtasche. Wie eine zusammengerollte Zeitung. Wie ein dicker Band mit Hölderlin-Gedichten. Was der Skisprung-Fan eben so dabeihat.«

»Wie ein Fotoapparat?«

»Perfekt! Mit einem solchen kann ich den Zielvorgang als Fotografieren tarnen.«

»Danke, Becker, Sie haben mir sehr geholfen.«

Jennerwein schaltete das Mobiltelefon aus und ging nachdenklich weiter. Das Klinikum war inzwischen schon in Sicht gekommen. Er hatte eigentlich vor, dem zuständigen Arzt bezüglich Sørensen ein paar Fragen zu stellen. Nun spielte er mit dem Gedanken, dass er bei dieser Gelegenheit einfach in die neurologische oder gar psychiatrische Abteilung spazieren und dort nach den Behandlungschancen von temporärer Akinetopsie fragen könnte, einfach so, ganz unverbindlich, diskret und ohne Gefahr für die weitere berufliche Zukunft. Aber war das nicht gleichzeitig albern *und* verdächtig in einem? Würde der

Psychiater oder Neurologe nicht sofort riechen, dass mit ihm etwas nicht in Ordnung war?

Er hatte seit einem ganzen Jahr keinen schwereren, mehr als ein paar Sekunden andauernden Anfall mehr gehabt, er hatte die Attacken immer in Griff bekommen, wenn sie sich ankündigten, und sie auf Sekunden oder Sekundenbruchteile reduzieren können. Wenn er in Stress gekommen war, weil er zu viel gearbeitet hatte, hatten die Alarmglocken in seinem Kopf geschrillt, dann wusste er, dass er schnell und beherzt gegenzusteuern hatte. Er musste von einer Sekunde auf die andere alles stehen und liegen lassen und sich entspannen, entspannen, entspannen. Denn wenn er einen Anfall zuließ, dann wurde aus dem Film um ihn herum ein Fotoalbum, und er hatte keine Möglichkeit, die Geschwindigkeit des Blätterns in diesem Fotoalbum zu beeinflussen. Er konnte am normal dahinströmenden Leben nicht mehr teilnehmen. Gerade vorhin bei der Besprechung im Dienstzimmer hatte er solch eine Sekunden-Attacke erlitten. Maria war aufgestanden, um nach der Kaffeekanne zu greifen. Ihr Oberkörper befand sich quer über dem Tisch, als das Bild stehen blieb, ein Schnappschuss, ein erschreckender Stillstand der Welt. Marias bunter Schal hatte sich etwas gelöst und schwebte nun frei in der Luft. Jennerwein hörte, wie sich Stengele nach seinem Befinden erkundigte, wie die anderen weiterredeten, er hatte auch gehört, dass Maria den Kaffee geräuschvoll in die Tasse goss und danach begann, ebenso geräuschvoll umzurühren – das festgefrorene Standbild passte überhaupt nicht dazu. Erst im nächsten Cartoon saß Maria wieder am Tisch, es schien so, als wäre sie mit einem Ruck dort hingesprungen. Langsam begann sich die Welt um ihn herum in gewohnter Weise zu bewegen, und die Geräusche passten nach und nach zu den Bildern. So konnte es nicht weitergehen. Er musste sich unbedingt der Psychologin offenbaren. Nach dem Abschluss dieses Falls.

Am Klinikum wartete der glatzköpfige Chefarzt schon auf ihn, Jennerwein hatte sich telefonisch angemeldet.

»Kommen Sie herein«, sagte der Arzt. »Ich habe mir schon gedacht, dass Sie irgendwann einmal hier auftauchen würden. Sie kommen wegen Sørensen, nicht wahr?«

»Ja, ich habe noch ein paar Fragen.«

»Wollen Sie ihn sehen?«

»Wenn das möglich ist, gerne.«

»Kommen Sie mit.«

Beide schritten die verwinkelten Krankenhausgänge entlang, durch die Fenster konnte man manchmal einen Blick auf die Skischanze erhaschen. Der Chefarzt hatte wohl den einen oder anderen Blick Jennerweins bemerkt.

»Von der Psychiatrie aus sieht man die Schanze am besten«, sagte er lächelnd.

Die Psychiatrie schon wieder.

»Wie weit ist die Schanze denn entfernt, wenn man auf einem dieser Balkone steht?«

Der Chefarzt grinste nachsichtig. »Ich glaube nicht, dass es irgendwo auf der Welt eine psychiatrische Station mit Balkonen gibt.«

»Ach so, verstehe. Aber wie weit ist es denn nun von hier bis zur Schanze?«

»Vielleicht tausend oder fünfzehnhundert Meter. Warum wollen Sie das wissen?«

»Nur interessehalber. Wieso ist Sørensen noch hier, nach all den Monaten?«

»Er ist nicht transportfähig.«

»Wann wird er transportfähig sein?«

Der Chefarzt sagte nichts. Also nie mehr, dachte Jennerwein, und schämte sich sofort für diesen Gedanken.

»Ich habe nur noch eine Frage an Sie«, sagte er. »Ist Ihnen eine Verletzung aufgefallen, die nicht vom Sturz selbst herrührt? Es müsste eine Verbrennung sein, eine Hautrötung, wie sie entsteht, wenn man einen Laserstrahl darauf richtet.«

»Einen Laserstrahl? Wie kommen Sie denn da drauf?«

»Ich kann es eingrenzen, die Verletzung müsste am linken Bein zu finden sein.«

»Am linken Bein? Eine Verletzung durch Laserbestrahlung?«

»Ja, höchstwahrscheinlich.«

»Ausgerechnet das linke Bein haben wir ihm gleich nach dem Unfall abgenommen. Es war nicht mehr zu retten.«

»Das wusste ich nicht.«

»Das waren noch Zeiten, als die Polizei alles wusste.«

»Und wurde es untersucht, das Bein?«, antwortete Jennerwein, ohne auf die Spitze einzugehen.

»Wenn Sie das Bein gesehen hätten, würden Sie das nicht fragen. Soll ich Ihnen Details schildern? Wenn Sie darauf bestehen, kann ich das tun. Aber bei uns im OP ist selbst den ganz hart gesottenen Kollegen schlecht geworden.«

»Es wurde also nicht untersucht.«

»Es wurde im Rahmen der üblichen gerichtsmedizinischen Routine durchgecheckt, nach Schusswunden wurde zum Beispiel gesucht, nach Kleinstverbrennungen durch Laserbeschuss nicht. Die kommen nämlich äußerst selten vor.«

Im Halbdunkel der Intensivstation lag Åge Sørensen. In der Beatmungsmaschine ist mehr Leben als in ihm, dachte Jennerwein. Åges Mutter kam auf ihn zu.

»Sie sind also der ermittelnde Kommissar«, sagte sie.

»Ja, der bin ich.«

»Sie glauben immer noch an einen Unfall?«

Jennerwein entschloss sich dazu, ihr die Wahrheit zu sagen.

»Nein, ich glaube nicht mehr an einen Unfall.«

Jennerwein trat näher an das Krankenbett. Norðri, einer der

Zwerge, die den Himmel stützten, bat Åge, von seinem Apfelschimmel abzusteigen.

»Wie weit ist es noch?«, fragte Åge.

»Es ist nicht mehr weit«, sagte Norðri. »Diesen einen Berg noch, dann findest du Thor mit dem Hammer.«

Draußen auf dem Gang fragte Jennerwein:

»Sie arbeiten im Klinikum auch mit Laser-Skalpellen?«

»Das ist heutzutage Standard.«

»Darf ich so ein Skalpell einmal sehen?«

»Ja natürlich. Aber – was soll das Ganze mit dem Laser?«

Jennerwein entschied sich dazu, dem Mediziner von seinem Verdacht zu erzählen. Als sie im Lagerraum für technische Geräte angekommen waren, deutete der Chefarzt auf einen Apparat, der genauso gut ein Hightech-Staubsauger oder ein auf postmodern designter Eierkocher hätte sein können.

»Das ist das Equipment für ein Laserskalpell«, sagte er. »Und – man hat von den Fenstern der psychiatrischen Abteilung durchaus freien Blick zur Skischanze. Aber bevor Sie sich Hoffnungen machen, Kommissar, bevor Sie uns hier den ganzen Laden auseinandernehmen: Jemand, der ein medizinisches Laserskalpell so modifizieren kann, dass der Strahl über einen Kilometer weit reicht, der kann sich auch, wesentlich einfacher, gleich ein richtiges Lasergewehr bauen.«

»Danke«, sagte Jennerwein, »ich hatte nicht vor –«

»Schon gut.«

Der Kommissar verabschiedete sich und ließ den Chefarzt im Lagerraum zurück. Es kam ihm vor, als würde der Glatzköpfige leise *Knockin' on Heaven's Door* von Bob Dylan singen. Aber er konnte sich auch täuschen.

42

Die Polizeipsychologin Dr. Maria Schmalfuß war das genaue Gegenteil von Hauptkommissar Hubertus Jennerwein, zumindest was dessen unauffällige Erscheinung betraf. Maria war eine ins Auge springende Bohnenstange, ein spinnenbeiniger Hingucker inmitten all dieser barock-fleischigen Bajuwaren. Marias langer Schwanenhals tat sich mit ruckartigen Bewegungen in der Bäckerei Krusti um, sie hielt Ausschau nach kriminalistisch und psychologisch verwertbaren Besonderheiten. Sie wollte etwas aufschnappen aus dem prall-örtlichen Leben: Meinungen, Spekulationen, Geratsche. Im Moment waren ihre Augen auf einen Stehtisch gerichtet, dort prustete man gerade drauflos über einen Witz, dessen Brillanz Maria nicht beurteilen konnte. Ein paar der Brüller kannte sie vom Sehen, andere waren ihr gänzlich fremd. Zwei der Einheimischen hatten an Elchgeweihe erinnernde Zwirbelbärte, Männer wie Frauen waren mit grobgeäderten Pranken bestückt, mit der sie die Luft beim Reden zerteilten, als schlügen sie etwas durch und durch. In Bayern wurde seit Urzeiten schon so argumentiert, hart und viehhändlerisch endgültig. Bei dem einen oder anderen fehlte auch das Ausgeh-Hütchen nicht, *as Hiatal*, wie das hier hieß, manche der Hüte waren mit Vereinsabzeichen vollkommen zugewachsen, über und über, vermutlich auch im Inneren des Hutes, man konnte nicht ausschließen, dass die Ehrenplaketten und Jubiläumsanstecker bei den Trägern genickabwärts auf der bloßen Haut weiterwucherten, um sich unter dem Hemd einem landläufigen und veritablen Piercing anzunähern.

Natürlich hatte sie auch einen Plan. Dr. Maria Schmalfuß ging selten ohne Plan aus dem Haus. Etwas dem Zufall zu überlassen, hätte ihrem Naturell nicht entsprochen. Ihr momentanes Vorhaben hätte ein wohlbestallter Beamter der bayrischen Polizei vielleicht gar nicht legal durchführen können (zumindest nicht mit gutem Gewissen), aber sie, als lediglich *angestellte* Polizeipsychologin, fühlte sich etwas lockerer an die Dienstvorschriften gebunden, sie musste nicht gar so streng hinsehen wie Schwattke oder Stengele oder gar Jennerwein. Maria trug eine bequeme Trainingsjacke und Outdoor-Schuhe, hatte die Sonnenbrille auf die Stirn geschoben, auch der Rucksack deutete auf Freizeit, Spaß und Vergnügen hin. Sie sah haargenau aus wie eine der vielen Touristinnen und Bergstiefler, die bei diesem wanderigen Wetter in die umliegenden Matten und Auen strömten. Marias Plan war einfach, aber verschlagen. Sie wollte, nur um zu sehen, ob das möglich war, an ein paar Schriftproben kommen, versuchsweise, zur Gaudi, unkonventionell und unter Umgehung (oder sehr großzügiger Auslegung) der Dienstvorschrift ›Beweismittelsicherung im öffentlichen Bereich‹.

»Ja, jetzt geht sie dann bald wieder los, die Saison«, sagte ein Schnauzbärtiger, den alle vorher mit Sepp angeredet hatten. *Der Sepp*, dachte Maria, das wäre auch ein schöner Name für den *Marder* gewesen.

»Die Gemeindewerke haben extra deswegen schon ein paar Straßen aufgerissen.«

»Ja, Sepp, zu dir auf den Schachen wird dann wahrscheinlich keiner mehr gehen.«

Aha, der Sepp hatte also oben auf dem Schachen zu tun. Aufgemerkt, Maria, vielleicht ist das eine Spur.

»Aber im Gegenteil!«, sagte der Sepp. »An die Stelle, wo die Lawine abgegangen ist, zieht es die Touristen omnibusweise hin, das kann ich euch sagen. Seit dem Unfall hat sich der Umsatz deutlich gesteigert. Das japanische Fernsehen war schon da, das amerikanische, das kanadische. Und alle fragen, ob es wieder einmal ein Event mit dem König Ludwig gibt.«

»Ja, wenn das so ist, dass der Umsatz nach solchen Unfällen steigt, dann hat das Fremdenverkehrsamt vielleicht selbst die Hand im Spiel?«, sagte die Frau am Tisch. »Zutrauen würde ich es ihnen. Die tun doch alles, wenn nur ein paar Geldige herkommen.«

Das dröhnende Gelächter am Stehtisch ließ alle im Café aufhorchen. Die Schlange der eiligen Semmelkäufer am Tresen drehte sich kollektiv um, einige lachten mit, einige mochten solche Späße nicht: selbstinszenierte Unfälle, pfui. In der Bäckerei gab es heute – nein, keine Lawinensemmeln – aber, natürlich, ganz aktuell, König-Ludwig-Semmeln. Vom Aussehen her waren es ordinäre Maurerweckerl, das Höfische kam von den essbaren Blüten, mit denen sie bestreut waren: Veilchen, Malve, Ochsenzunge und Wegwarte bildeten zusammen die Farben der Wittelsbacher. Sie kosteten aber trotzdem bloß ein Zehnerl mehr.

Das dröhnende Gelächter über das Fremdenverkehrsamt, das den Unfall in Eigenregie inszeniert haben sollte, hielt immer noch an, als sich eine dünne Frau mit Rucksack dem Tisch näherte.

»Entschuldigung, darf ich Sie mal kurz stören«, sagte die Frau. »Sie sehen aus, als wären Sie von hier. Ich will zu dieser berühmten Skischanze, ich muss mir die unbedingt ansehen, ich habe das alles bisher bloß im Fernsehen bewundern können.«

Einer der Rotgesichtigen deutete schon hinaus aus dem Fenster, teilte die Luft mit richtungsweisenden Gesten, da ginge es hin, und dann rechts herum, doch die Frau plauderte einfach weiter.

»Und das Eisstadion will ich mir auch ansehen. Wo liegt das? Liegt das auf dem Weg? Und dann habe ich gelesen, dass Sie hier im Ort so einen schönen Friedhof haben. Wo ist denn der?«

»Haben das Fräulein ein Blatt Papier da?«

Sie hatte eines da. Sie ließ sich eine Skizze zeichnen und beschriften, sie ließ sich noch das Hallenbad einzeichnen, und die kleine Straße hinter dem Hallenbad aufschreiben, und am Ende hatte sie schon einmal Schriftproben von fünf Ureinheimischen, vier Männern und einer Frau. Nur einer am Tisch hatte sich geziert, er hatte bisher noch gar nichts gezeichnet und geschrieben, speichelprobenverweigerisch stand er da, am Tisch, dumpf vor sich hin brütend, verdächtig sah er aus. Den musste sie sich merken. Sie prägte sich sein Aussehen ein, seinen Namen –

»Hallo, Maria!« Sie drehte sich um. Ein Mann, der etwa in ihrem Alter war, stand vor ihr. Er hatte sich gerade eine kleine Tüte mit zwei Semmeln gekauft, die Single-Tüte, die ein Zehnerl weniger kostete. Der Mann kam ihr entfernt bekannt vor, ein Schatten aus der Vergangenheit. Jedenfalls störte er sie jetzt gerade erheblich bei ihren verdeckten Feldstudien.

»Du kennst mich nicht mehr, oder?« Er kam auf sie zu. Die Einheimischen am Tisch betrachteten Maria dabei misstrauisch. Eine, die sich gerade als preußische Spontan-Touristin ausgegeben hatte, wurde jetzt von einem Einheimischen angesprochen? Öha, was war denn das?

»Wir haben zusammen studiert. Ist lange her, du wirst dich nicht mehr erinnern. Systemische Entwicklungspsychologie bei Professor Litzel. Wahrnehmungsstörungen IV bei Rosenberger-Bosenzky. Dann noch Forensische Psychologie bei Professor Karlstadt? Nein? Nicht?«

»Ja, ich erinnere mich dunkel«, sagte Maria. »Wir haben einige Vorlesungen zusammen besucht.«

»Und was machst du so?«, fragte der ehemalige Student, an

dessen Namen sich Maria nicht mehr erinnerte. »Ich habe gehört, dass es dich in den Polizeidienst verschlagen hat? Ist da was dran?«

Das hatte ja kommen müssen. Maria, die Undercoveragentin, aufgeflogen bei ihrem ersten Einsatz in einem Laden, der da Bäckerei Krusti hieß. Die bajuwarischen Feldstudien-Objekte am Tisch rückten sichtbar von ihr ab.

»Setzen wir uns, da drüben ist frei«, sagte sie, um den Störenfried wenigstens von dem Tisch der Hiesigen loszueisen, die sich jetzt schon frech zuzwinkerten und *Da schau her!* und *Ja so was!* flüsterten.

»Ja, ich bin im Polizeidienst«, sagte sie, als sie saßen. »Und du?«

Sosehr sie in ihrem Gedächtnis kramte, sie konnte sich nicht an den Namen ihres Gegenübers erinnern. Egal. Die Seppls und Luckis dort drüben kicherten wie die kleinen Kinder.

»Ich hab das Studium abgebrochen«, sagte er. »Zu viele Statistiken und mathematische Berechnungen. Ich dachte, Psychologie wäre ein Blick in die Seele –«

Maria schaltete ab. Das war die übliche Klage aller Studienabbrecher: Erst wollte man einen tiefen schnellen Blick in die menschliche Seele, und im Vordiplom kamen dann die vielen Statistiken.

»Da, das haben Sie vergessen, Fräulein!«

Einer von den Einheimischen brachte ihr die Lageskizze mit den Schriftproben, die sie ganz vergessen hatte. Auch wenn der aktuelle Versuch vermutlich fehlgeschlagen war, konnte sie sich vorstellen, auf diese Weise Handschriftenproben eines ganzen Fußballstadions zu bekommen.

»– und jetzt habe ich eine Mediationspraxis hier im Ort aufgemacht. Mediation ist krisensicher. Wie Fußpflege. Konflikte gibt es immer. Ehestreit, Beziehungsstress, Sinnkrisen, Aufarbeitungen traumatischer Erlebnisse –«

Ihr Ex-Kommilitone plapperte munter weiter, warf dann einen kurzen Blick auf den Zettel.

»Aber ich sehe gerade, du willst dir den Ort anschauen. Interessierst du dich für das Skistadion? Wenn du willst, kann ich es dir zeigen.«

Er beugte sich noch weiter über die Skizze und die dazugehörigen handschriftlichen Notizen. Sie hatte keine Lust, mit ihm darüber zu reden oder sich etwas zeigen zu lassen. Ich muss dann wieder, wollte sie gerade sagen, war schön, dich gesehen zu haben, Mediation, achja, achso, das klingt ja interessant, vielleicht besuche ich dich mal in der Praxis – da kam der Gemeinderat Toni Harrigl herein und wurde von den anderen wiehernd begrüßt. Ihr Tischpartner redete weiter, aber Maria hatte die Fähigkeit erworben, Interesse zu heucheln und gleichzeitig an etwas anderes zu denken. Mit weit mehr als einem halben, mit einem fast ganzen Ohr hörte sie, was Toni Harrigl dort am Stehtisch zu sagen hatte. Der Gemeinderat hatte sie nicht gesehen, sie wusste nicht einmal, ob er sie überhaupt kannte. Es war Hochbetrieb in der Bäckerei, die Schlange am Tresen wuchs, die Tür ging dauernd auf und zu, schließlich kam auch noch der unvermeidliche Angerer herein. Er nickte Maria zu, er erkannte sie, spätestens jetzt war ihre Camouflage aufgeflogen.

»Ich muss dann wieder«, sagte ihr ehemaliger Kommilitone, er hatte ihre Zerstreutheit wohl bemerkt. »Tschüs. Vielleicht treffen wir uns mal. Ich schreib dir meine Nummer und Adresse auf.«

Willi Angerer trug heute keinen grünen Lodenmantel, auch die Gewehrhülle fehlte, man hätte ihn als Jäger gar nicht erkannt. Dieser Angerer, der freche Lügner, der behauptet hatte, nicht live beim Neujahrsspringen dabei gewesen zu sein, warum auch immer, war heute in Begleitung eine jüngeren Dame, einer Forstamtsanwärterin vielleicht, einer Försterstochter oder Jagdgehülfin. Angerer erzählte ihr jetzt etwas von Squaw Valley und Oberstdorf. Der Laden füllte sich so, dass Maria dem Gespräch nicht mehr folgen konnte. Plötzlich machte Angerer, mitten in der Bäckerei, eine Standfigur.

»Karl Schnabl 1976?«, rief die Verkäuferin über den Tresen.

»Kazuyoshi Funaki 1998?«, riet die Forstamtsanwärterin keckernd.

»Nein, Willi Angerer, 1959«, sagte der. »In Oberstdorf, beim Ausscheidungsspringen für Squaw Valley –«

Der Rest ging im allgemeinen Gelächter unter.

Maria rührte noch eine Weile in ihrer Tasse, was ihr hier auf fremdem Terrain und inmitten all dem Lärm wenig Inspiration verschaffte. Sie steckte die Lageskizze in eine Klarsichthülle und verstaute sie sorgfältig in ihrem Rucksack. Von wegen Feldstudie vor Ort, von wegen: hinein ins pralle Leben. Abgesehen von der Erkenntnis, dass es ganz leicht war, flächendeckend an Handschriften zu kommen, war der einstündige Lauschangriff ja völlig für die Katz gewesen, dachte sie. Sie steckte den Zettel von dem lästigen Typen in die Gesäßtasche ihrer Jeans, und beschloss, da sie schon einmal touristisch geoutfittet war, einen Spaziergang zur Sprungschanze zu machen und dabei an ihrem Täterprofil weiterzuspinnen: männlich, weiß, intelligent, Single, hyperaktiv, ARTE-Zuschauer, Franz-Kafka-Leser, hochfrustriert – etwas von dieser Art.

43

Wo du auch schnupperst, es stinkt, der Geruch des Niedergangs, dein eigener Hauch der Verwesung, das ist alles nicht mehr zu ertragen. Du beginnst abzubauen, dein Körper zerfällt, deine Kräfte schwinden, deine Intelligenz hat ihren Höhepunkt erreicht. Alles schwächelt, alles lässt nach, es geht nur noch abwärts. Du läufst nicht mehr so schnell wie früher, du kannst dir nichts mehr merken, nicht einmal eine einfache Telefonnummer, die ersten Freunde sind schon weggestorben, du bekommst Falten, matte Haare und einen laschen Gesichtsausdruck. Du spürst es am eigenen Leib, wie jeden Tag Millionen Körperzellen kaputtgehen, du hast das lebenswerte Leben hinter dir: du bist zwanzig.

Bobo war so einer, der gerade diesen heiklen Geburtstag gefeiert hatte. Na ja: was heißt gefeiert, er hatte den Tag alleine verbracht, denn das Leben war schon am Morgen schlagartig unerträglich geworden, einfach so, von einem Augenblick auf den anderen – was gab es da groß zu feiern. Da er im Gymnasium zweimal durchgefallen war, klebte er immer noch in der Zwölften fest, und er hasste sie von ganzem Herzen, die siebzehn- und achtzehnjährigen Kameraden, bei denen es noch aufwärtsging, biologisch, mnemotechnisch, entwicklungsgeschichtlich, hormonell, insgesamt eben.

Viele im Ort bezeichneten das hiesige Gymnasium als das verrückteste des ganzen Voralpenlandes. Manche behaupteten, der

Föhn wäre schuld. Der Föhn bliese den Schülern das Gepaukte aus dem Hirn, ehe die Schulstunde vorüber wäre. Manche Lehrer, die sich hierher versetzen hatten lassen, trugen dem Rechnung und versuchten erst gar nicht, etwas Faktenähnliches in die schwammartigen Gehirne der alpenländischen Hoffnungsträger zu trichtern. Als Nicole Schwattke und Franz Hölleisen die Eingangshalle des Gymnasiums betraten, rochen sie als Erstes das, was man in allen Schulen auf der ganzen Welt als Erstes riecht, eine Melange aus vergessenen Butterbroten, Kreidestaub und getrocknetem Angstschweiß. Der Schulgong, das Zarathustra-Motiv von Richard Strauss, knüppelte die quietschenden Halbwüchsigen aus den Klassen, trieb sie zur Eile an, immer mehr purzelte da heraus an zukünftiger Intelligenz und potentiellem Führungspersonal. Die beiden Polizisten hatten bald das Gefühl, hüfttief in Schülern der Unterstufe zu waten. Besonders bei Hölleisen, dessen letzter Schulbesuch schon geraume Zeit zurücklag, eigentlich Jahrhunderte, ließ der Geruch der Eingangshalle Erinnerungen aufsteigen, die sofort auf die bangen Fragen zuliefen: Habe ich Erdkunde gelernt? Nein. Habe ich verstanden, was ein linear unabhängiger Vektor ist? Nein. Werde ich das alles je verstehen? Nein, ganz bestimmt nie.

In einigen der Klassenzimmer, in denen hoffnungsvolle Lehrer tapfer gegen den kulturellen Verfall des Abendlandes ankämpften, war noch etwas Leben. Ein Elfjähriger keuchte an ihnen vorbei. Er trug einen Schulranzen, so groß wie ein Tornister eines Soldaten aus dem Dreißigjährigen Krieg und so schwer wie er selbst.

»Hey, du Mobbingopfer hast mich getreten«, sagte ein Unterstüfler zum anderen, und in einer offenen Tür stand Oberstudienrätin Ronge, zur Zeit die einzige OStRin der Welt, die keinen Doppelnamen trug.

»Restjugoslawe!«, gab das Mobbingopfer zurück.

Als Nicole zusammen mit Hölleisen ins Klassenzimmer trat,

stiegen auch bei ihr die üblichen fatalen Gefühle hoch, die in nicht minder fatale Fragen mündeten: Weiß ich etwas über den Ablativ? Nein. Habe ich verstanden, um was es beim Doppler-Effekt geht? Nein, und ich werde es wohl auch nie verstehen.

»Da wären sie also, unsere Seminarler mit Leitfach Sozialkunde«, sagte die OStRin Ronge, und sie sagte es so stolz, als wäre Sozialkunde etwas, was junge Menschen draußen im Leben am allerdringendsten bräuchten. Sechs junge Menschen, zwei Mädchen, vier Jungs, standen höflich auf und schüttelten Schwattke und Hölleisen brav die Hand. Nur Bobo blieb sitzen, ein unendlich langsamer Zwanzigjähriger, offensichtlich ein Alt-Kollegiat in der G8-Qualifikationsphase kurz vor der Quarterlife-Crisis. Sagte man noch *endsgeil* und *phatt*?, fragte sich Nicole Schwattke. Vor dreißig Jahren hätte ein Vorwitziger *Scheiß Bullenstaat* mit dem nassen Schwamm an die Tafel geschrieben, diese Schüler hier schienen den polizeilichen Besuch ausgesprochen spannend zu finden.

»Das kommt ja nicht alle Tage vor«, sagte einer, der den netten Jungen von nebenan gab: Fünfzigerjahre-Tolle, umgehängter Strickpulli in gedeckten Farben – solche Knaben nannte man irgendwann einmal ›Teds‹, dachte Hölleisen, in Zeiten, als Twix noch Raider hieß. Alle sieben Schüler stellten sich nacheinander vor. Der Ted hieß Kevin. Eine sommersprossenübersäte Rothaarige stellte sich als Irene vor, wollte aber Eireen genannt werden. Der Rest hieß Flo, Mücke, Dirk, Barb – und Bobo. Nicole warf einen Blick auf die Tafel, dort war die Formel $v(N) = N \cdot (c/2L)$, *c = Lichtgeschwindigkeit, L = Resonatorlänge* zu lesen. Derjenige, der sich als Mücke vorgestellt hatte, stand auf und wischte alles weg.

»Warum machst du das?«, fragte die OStRin.

»Stört mich. Physik. Formeln. Mag ich nicht«, sagte Mücke.

»Also, wer von den Damen und Herren Schülern erzählt uns

etwas?«, fragte Hölleisen. »Ich habe gehört, dass ihr euch mit interessanten Dingen beschäftigt.«

»Wir haben Seminararbeiten geschrieben, und das muss sich irgendwie rumgesprochen haben –«, begann Flo, wurde aber von der OStRin unterbrochen.

»Zunächst muss ich vorausschicken, dass *ich* das Thema für die Arbeiten vorgeschlagen habe.« Nicole überlegte, was die Pädagogin für einen *nickname* haben mochte, Ronge ließ sich ganz schlecht verballhornen. Eigentlich überhaupt nicht.

»Es waren alles Themen aus den Bereichen Kriminologie und Rechtspflege«, fuhr die OStRin mit dem unzerstörbaren Namen fort. »Strafe und Vergeltung im Rechtsstaat. Strafvollzug. Diese jungen Menschen hier haben sich also das letzte halbe Jahr mit Schuld und Sühne beschäftigt.«

»Wir sind die Raskolnikoff-Gang«, sagte Barb.

»Sie haben Seminararbeiten verfasst?«, fragte Hölleisen und blickte in die Runde. »Dürfen wir die mal lesen?«

Mit einer unendlich langsamen Bewegung holte Mücke ein paar Schnellhefter unter der Bank hervor.

»Schon vorbereitet. Können Sie alle lesen. Wir dachten uns schon, dass die Polizei eines Tages kommt.«

»Wirklich?«, fragte Schwattke.

»Ja, gehört zum Konzept«, fuhr Mücke fort. »Die Grundidee des *Alpspitz-Projekts* ist folgende: Warum bei verbrecherischen Taten immer destruktiv sein? Warum nicht mal einen Straftatbestand erfüllen, aber niemanden zu Schaden kommen lassen? Warum es nicht einfach nur andenken, das Vergehen? Warum nicht subversiv sein, ohne dass gleich was kaputtgeht.«

»Aber warum sind Sie eigentlich hier?«, fragte Eireen, an die Polizisten gewandt. »Ist das ein Verhör oder so was?«

»Nein, wir stecken in einer laufenden Ermittlung«, antwortete Nicole. »Ihr habt sicher von dem Anschlag droben am Schachen gehört.«

»Damit haben wir nichts zu tun«, sagte Mücke scharf, und er sagte es einen Ton zu scharf und dramatisch, fand Nicole.

»Niemand von euch hier wird verdächtigt. Deshalb ist das kein Verhör, sondern eine informelle Befragung.«

»Was, das ist eine einszueins-echte Realbefragung?«, sagte Flo verwundert. »Und Sie sind echte Polizisten? Mit Dienstausweis und allem?«

»Was hast du denn gedacht?«

»Ich dachte, das ist wieder so eine Aktion von Frau Ronge.«

»Wir alle dachten das«, sagte Mücke.

Verflixt, dachte Nicole, das darf doch nicht wahr sein, alles in diesem Kulissenort wird als Spiel, Jux und Dollerei gesehen.

»Nein«, sagte Hölleisen geduldig, »das ist eine echte Befragung, eine einszueins-echte Realbefragung. Wir sind echte Polizisten, es gibt einen echten Fall –«

»Haben Sie *Matrix* gesehen?«, unterbrach Flo. »Da behaupten auch alle, dass sie echt sind. In Wirklichkeit: alles gemacht, alles getürkt, alles gelogen.«

»Ja, ich habe den Film gesehen«, sagte Hölleisen. »Ich bin aber nicht von der Matrix. Ich bin echt. Und es gibt einen echten Attentäter. Und es gibt jetzt zwei Möglichkeiten. Entweder haben wir hier im Ort einen Spinner, der eure Ansätze kopiert –«

»– oder«, fiel Nicole Schwattke ein, »die Raskolnikoff-Gang hat uns etwas zu sagen.«

Niemand von den sieben Schülern zeigte irgendeine Regung.

»Ich gehe aber mal davon aus«, fuhr Nicole fort, »dass ihr zu keinen terroristischen Aktionen fähig seid.«

»Fähig eben schon«, sagte Eireen, »aber nicht willens. Vielleicht auch willens. Aber wir machens nicht. Das heißt, wir machen's schon, aber nur im Geist. Ich darf Ihnen mal unser derzeitiges Projekt vorstellen.«

»Es ist ein größeres Projekt, und jeder der Schüler hat eine Teilaufgabe übernommen«, mischte sich die OStRin betulich ein. Sie setzte zu einem größeren Vortrag an, die Beamten hätten alles lieber aus dem Mund der Schüler gehört.

»Ich darf mich kurz entschuldigen«, sagte Nicole und stand auf. Als sie draußen war, rief sie Becker an.

»Was gibt's, Nicole?«

»Es ist nur ein Schuss ins Blaue, Hansjochen, aber sagt Ihnen folgende Formel was – Moment –«

Nicole holte ihren Notizblock heraus und las die Formel vor, die sie noch schnell aufgeschrieben hatte, bevor Mücke sie wegwischen konnte.

»Haben Sie eine Ahnung, was $v(N) = N \cdot (c/2L)$ bedeutet?«

»Das kann alles mögliche sein. Weiß man denn, was ›L‹ für eine Größe ist?«

»Ja, das stand dabei. *L = Resonatorlänge*.«

»Wie bitte? Resonatorlänge? Was ist denn mit euch heute los?«, sagte Becker belustigt. »Habt ihr was rausbekommen, von dem ich nichts weiß? Der Chef hat nämlich auch schon in diese Richtung gefragt.«

»In welche Richtung? Was ist denn das für eine Formel?«

»Die Formel spielt bei der Erzeugung von Laserstrahlen eine wichtige Rolle. In einem Laserresonator werden Lichtteilchen zwischen mehreren Spiegeln hin- und hergeschickt. Je nach Bauart werden bestimmte Wellenlängen und deren Vielfache besonders verstärkt. Durch die gaußförmige Dopplerverbreiterung –«

Als Nicole wieder ins Zimmer trat, bekam sie den Eindruck, dass Hölleisen das Vertrauen der Jugendlichen gewonnen hatte. Er konnte gut mit ihnen umgehen, das war ihr bei früheren Gelegenheiten schon aufgefallen.

»Ist es so etwas wie Paintball? Oder Gotcha?«, fragte er

gerade. »Die Waffen sehen täuschend echt aus, man spielt ein mörderisches Spiel damit.«

»Paintball kennen wir, ja«, sagte Barb. »Das ist Kinderkram.«

»Kinderkram?«, wandte Hölleisen ein. »Ich denke, dass das so etwas wie die Vorstufe zu –«

»Das denken wir eben nicht«, unterbrach ihn Dirk. »Wer Paintball spielt, wird nicht mehr wirklich morden. Katharsis, verstehen Sie. Man reinigt sich von verbrecherischen Gedanken, indem man diese Gedanken durchspielt.«

»Verstehe ich«, sagte Hölleisen. »Die Theorie ist aber sehr umstritten.«

»Katharsis, Gewaltbewältigung – das sind in diesem Schuljahr nicht unsere Themen«, sagte die OStRin, »unser Thema ist die Subversion.«

»Ja, genau«, fuhr Dirk fort, »so was wie Paintball ist nicht unser Ding. Wir haben ein richtiges kriminelles Projekt durchgezogen, über das wir auch sogenannte ›Portfolios‹ angelegt haben. Wir haben es das *Alpspitz-Projekt* genannt. Es besteht aus mehreren Stufen. In der ersten Stufe zerstören wir eine Einrichtung, die für die ganze Region sehr wichtig ist. Wir haben lange danach gesucht. Jetzt raten Sie mal.«

»Die Skihänge?«, riet Hölleisen. »Die Wanderwege?«

»Die Sprungschanze?«, fügte Nicole vorsichtig hinzu.

»Nein«, fuhr Dirk fort, »wir haben uns entschlossen, weiterzugehen und ein richtig großes und weithin sichtbares Symbol zu zerstören. Das Symbol der Region ist die Alpspitze. Wir werden der Alpspitze etwas Wesentliches nehmen, nämlich ihre Spitze. Und das im wörtlichen Sinn. Wir sprengen die Spitze dieses Berges ab. Die Kosten wären nicht übermäßig hoch. Ich habe alles durchgerechnet.«

»Er will mal BWL studieren«, sagte Barb fröhlich.

»Wir brauchen zwanzig oder fünfundzwanzig Sprengladungen TNT mit jeweils 5 bis 7 Kilojoule«, fuhr Dirk fort. »Das kostet nicht mehr als eine neue Rutsche für den Kindergarten. Wir bringen sie etwa 50 Meter unterhalb des Gipfels rundherum an. Wir geben Personenwarnung und sprengen per Fernzünder. Wenn sich die Staubschwaden verzogen haben, fehlt das oberste Spitzelchen der Alpspitze. Tatbestände: Landfriedensbruch – § 125 StGB, Herbeiführung einer Gemeingefahr durch Explosion – § 308 StGB.«

»Das sind schon mal zehn Jahre Knast«, ergänzte Nicole.

»Muss nicht sein«, sagte Mücke. »Nach § 125a ist es ja kein schwerer Landfriedensbruch.«

»Er will Jura studieren«, sagte Barb.

»Die zweite Stufe«, fuhr Eireen fort, »besteht aus der Einschätzung der behördlichen Reaktionen darauf. Unsere Prognose ist die: Die Fremdenverkehrsindustrie, die Sportverbände, der Staat und so weiter, sie alle werden natürlich alles tun, um die Alpspitze ohne Spitzelchen, die jetzt ein Symbol der Subversion geworden ist, wieder zu reparieren. Also werden die Behörden Gelder sammeln und das fehlende Spitzelchen wieder ersetzen. »

»Und schon sind wir bei der dritten Stufe unseres Projekts«, sagte Mücke. »Landschaftsarchitekten bauen die Spitze wieder hin, der Berg bekommt eine Prothese, vom Augenschein her ist alles wie früher. Aber jeder *weiß*, dass es eine Prothese ist. Das Symbol der Subversion also bleibt bestehen, obwohl es beseitigt worden ist. Und das war genau unsere Absicht. Unsere Aktion wird man die nächsten Jahre, die nächsten Jahrzehnte, immer bewundern können. Das nenne ich subversive Nachhaltigkeit.«

»Vierte und abschließende Stufe«, sagte der stille Kevin. »Da der Staat nichts mehr fürchtet als subversive Nachhaltigkeit, brauchen wir die Pläne gar nicht durchzuführen. Wir drohen nur damit. Tatbestand: Nötigung – § 240 StGB.«

»Wie wollt ihr damit drohen?«, fragte Nicole. Sie war schon ein wenig entsetzt über den ernsthaften Eifer dieser Jugendlichen.

»Wir haben die Pläne bis ins Kleinste ausgearbeitet«, sagte Mücke, »wir verschicken sie an Ämter und halten den Staat dadurch in einer Art gereizter Lauerstellung – das Endziel jeder Subversion!«

»Habt ihr die Pläne wirklich verschickt?«, fragte Hölleisen.

»Ja, auch das haben wir gemacht. Ans LKA, an die Staatsanwaltschaft München II.«

»Und?«

»Wir haben nicht mal eine Antwort bekommen«, sagte Eireen enttäuscht.

»Das hätte ich euch gleich sagen können«, murmelte Nicole.

»Ich bin nun nicht eben verschwenderisch mit guten Noten«, mischte sich die OStRin Ronge wieder ein, »aber sehen Sie, genau für diese Konsequenz, dass sie die Arbeiten sogar zum LKA geschickt haben, habe ich fünfzehn Punkte gegeben.«

»Ich will euch nur darüber informieren, dass sich die Situation verändert hat«, sagte Hölleisen. »Ich weiß, dass ihr eigentlich nicht mit solchen Anschlägen sympathisiert. Aber es ist jetzt einer geschehen, und ich würde euch raten, aus der Schusslinie zu gehen. Eine Seminararbeit über ein riskantes Thema ist das eine – zwei Meter unter einer Lawine zu liegen das andere. Kapiert?«

Die Schüler nickten, die Befragung war beendet, man ging hinaus. Nicole Schwattke machte auf dem Schulgang noch ein paar Versuche, ins Gespräch zu kommen, außerdienstlich, ganz privat, ganz locker, aber sie kam nicht so recht in Kontakt mit den Jugendlichen, sie war altersmäßig einfach noch zu nahe dran. Der stille Kevin trat zu Hölleisen.

»Kennen Sie sich mit Fußball aus?«

»Ein bisschen.«

»Ich meine: mit den Regeln?«

»Na ja, ich kenne die Regeln. Die sind ja nicht so furchtbar kompliziert. Euer Projekt ist komplizierter.«

»Ich möchte Ihnen etwas zeigen. Es ist meine Idee. Zuerst wollte ich das zum Thema Subversion beitragen. Man könnte viel Kohle damit machen. Lesen Sie das mal.«

Der Schüler, der sich Kevin nannte und bis in die letzte Kleinigkeit als Ted gestylt war, reichte Hölleisen ein Blatt, auf dem nicht mehr als zehn Zeilen Text standen. Hölleisen las den Text aufmerksam durch und pfiff durch die Zähne.

»Willst du das mal verwenden?«

»Vielleicht irgendwann mal.«

»Das ist der wirkliche Sprengstoff. Ich rate dir eines: Behalte es für dich.«

44

»– ein optischer Resonator wirkt also wie ein Kammfilter, der bestimmte aufeinanderfolgende Frequenzen verstärkt oder abschwächt, so dass man sagen kann $2L = N \cdot \lambda$, wobei λ für alle möglichen Wellenlängen gilt – Hallo! – Nicole! – Sind Sie noch dran? –«

Hansjochen Becker schüttelte den Kopf.

»Aufgelegt. Typisch Pflastertreter. Erst hektisch anrufen, interessiert tun, dann einfach auflegen, na so was!«

Becker, die Brille und das Pinselchen hatten sich ins Hauptquartier zurückgezogen, ins Allerheiligste der Spurensicherer. Sie saßen dort in einem kleinen Raum um ein Tischchen herum. Sie schnupperten schweigend. Sie reichten das Blatt Papier und den Umschlag des Marders mit einer großen Pinzette weiter, führten sie nahe ans Gesicht, sie schlossen die Augen, und ihre Nasenflügel weiteten sich. Wenn man lediglich ihre Gesichter gesehen hätte, hätte man auf die verschwiegene Weinprobe eines südfranzösischen 600-Euro-Tröpfchens hinter verschlossenen Türen getippt.

»Erstaunlich«, sagte die Brille. »Das sind keine normalen Gerüche. Der Marder hat auch hier Spuren für uns gelegt.«

»Ja, das denke ich auch«, nickte Becker. »Das zum Beispiel –« (*tiefes Einschnauben*) »– das ist Rasierwasser. Da bin ich mir ganz sicher. Und das –« (*nochmaliges tiefes Einschnauben, mehrmaliges Nachriechen*) »– da bin ich mir nicht so sicher. Es könnte vielleicht Benzin sein.«

»Geben Sie mal her«, sagte das Pinselchen und roch ebenfalls. »Ja, könnte sein.« (*mehrmaliges, kurzes Schnuppern*) »Ich rieche da aber auch Vanille. Schwacher, aber deutlicher Vanillegeruch.« Alle drei notierten ihre Eindrücke. Waldpilzduft, Klebstoffschwaden, Orangenaroma, Büchermuff, Fettdunst.

»Und Brandgeruch. Vom angekokelten Rand.«

»Schreiben Sie das mal mit Fragezeichen hin«, sagte Becker zur Brille. »Aber irgendwann macht dieser Spaßvogel einen Fehler, das schwöre ich Ihnen. Irgendwann baut er eine Spur, die direkt zu ihm führt. Und dann nageln wir ihn fest mit seinen tausend Hinweisen.«

»Das können Sie laut sagen, Chef«, sagte das Pinselchen.

»Und eines ist diesmal auch klar«, sagte Becker genüsslich und verschwörerisch. »Diesmal sind wir eher dran als Jennerwein.«

Sie machten eine kleine Pause, gingen ins Nebenzimmer, und stießen mit einem 2,99-Euro-Prosecco auf die Zusammenarbeit innerhalb der Polizei an.

Polizeiobermeister Johann Ostler, der in der örtlichen Dienststelle geblieben war, hatte ein paar Telefonate geführt, allesamt ohne verwertbares Ergebnis. Na klasse: Der Rest der Jennerwein'schen Truppe führte draußen wilde und prickelnde Ermittlungen, er hingegen war eingeteilt worden, die Stellung zu halten. Aber einer musste es ja machen. Er erhob sich von seinem Schreibtisch und öffnete das Fenster, das vorne zur großen und belebten Hauptstraße hinausging. Er öffnete es ohne besonderen Grund. Nun gut, er hatte aus den Augenwinkeln einen Schatten gesehen, er hatte bemerkt, dass jemand dicht am Fenster vorbeigegangen war, aber Ostlers Dienstzimmer lag nun mal zur Straße hin, so etwas kam hundertmal am Tag vor. Ostler blieb gelangweilt vor dem Fenster stehen, er sah zerstreut hinaus und betrachtete die Glasvitrine des Reviers mit den üblichen Aushängen: Polizeisportvereine im Aufwind, keine Macht den Drogen, Gewaltverbrechen in Bayern seit Jahren rückläufig. Mensch, die Glasvitrine müsste mal wieder sauber gemacht werden, dachte er. Die Staubschicht außen war schon dick, und jemand hatte mit Filzstift etwas darauf geschrieben. Die Schrift war steil und streng aufwärtsgerichtet, in den Oberlängen flatterte sie, als würde sie brennen. Jessas! Und bevor Ostler hinausstürmte, wusste er schon, dass der Marder wieder einmal über alle Berge war.

Lieber Herr Kommissar,

diesmal nur ganz kurz: heute Vormittag steigt der dritte Anschlag, diesmal auf die Lieblingsspeise der Bayern. Etwa 4000 Stück werden an solch einem Tag wie heute in der Gemeinde verzehrt, eine davon ist vergiftet. Vorsicht! Botulin ist ein starkes, sofort wirkendes Nervengift. Schauderhaft. Langer, endloser Todeskampf. Pfui.

IG – Ihr Gejagter

45

Weiß|wurst [vaj:ß'vurzt] (auch »white sausage«, »saussice (boudin) blanc«); gebrühte, paratoxische Substanz; <*Wirkstoff:*> Entropatin, ein neurotoxischer Proteincocktail (mit dem Hauptwirkstoff Botulin), der aus tierischen Abfallprodukten (ausgelösten Kalbskopfteilen, Bindegewebe, gekochten Schwarten) gewonnen wird; <*Wortherkunft:*> (lat.) *botulus* = »die Wurst« (aber auch, *fig.*: »Reste, unbrauchbare Abfälle«); (daher wohl der Name des starken Giftes »Botulin«; <*Geschichte:*> Funde in Gräbern der Maori-Kulturen (etwa 3200 vor Christus) deuten auf den Genuss von Weißwürsten aus kultischen Gründen hin (siehe »Weißwurstopfer«); <*Zusammensetzung:*> Weißwürste stellen hochmolekulare Proteinkomplexe dar, die sich aus dem eigentlich paralytisch wirkenden Neurotoxin sowie weiteren nichttoxischen Komplexproteinen bakteriellen Ursprungs zusammensetzen; <*Anwendung:*> In kleinen Dosen genossen: starkes Sedativum; nach Schlickinger-Brohmaier ab 30 Stück suizidal verwendbar; <*Antitoxine:*> (nicht bekannt)

HUMPF TATA TA! HUMPF TATA TA! Die Kreitmayer Resi war schwerhörig und hatte deshalb den Radioapparat auf volle Lautstärke gedreht. Sie saß am Esstisch und betrachtete ihre Brotzeit voller Vorfreude. Der Radiomoderator schrie aus Leibeskräften, dass heute am Alpenrand noch einzelne Gewitter möglich wären, die Resi drehte etwas leiser und nahm einen kräftigen Schluck aus dem frisch eingeschenkten Weißbierglas. Sie prostete ihrem verstorbenen Mann Sylvester im Geiste zu und griff sich dann die saitlingsumhüllte, chamoisfarbene Köstlichkeit, auf die sie sich schon den ganzen Morgen gefreut hatte. Sie beugte sich leicht nach vorn, die Augen sehnsüchtig geöffnet – als sie ein infernalisches Krachen, ein apokalyptisches Bersten mitten in der Bewegung innehalten ließ. Ihr Herz blieb vor Schreck stehen, als ein mannsgroßer schwarzer Vogel auf sie zugeflogen kam, der durch das geschlossene Fenster gebrochen sein musste, denn Glassplitter flogen in der ganzen Stube herum und prasselten der Kreitmayerin ins Gesicht, noch bevor sie die Hände schützend vor die Augen halten konnte. Der große schwarze Vogel, bei dem die Kreitmayer Resi wie selbstverständlich davon ausging, dass es sich um den Gevatter Tod handelte, der sie jetzt holen kam, hatte weit aufgerissene Augen und eine schillernde, oben spitz zulaufende Haube. In der einen Klaue hielt der Vogel eine Sense, die eher wie eine Hacke aussah.

»Hoooooooooooooit!!«, kreischte der Vogel und griff nach ihrer Hand. Ein bisschen mehr Zeit hätte sie sich schon gewünscht, die Resi, um sich auf ihren letzten Gast vorzubereiten – aber man kann es sich halt nicht aussuchen, dachte sie und presste noch ein kleines Stoßgebet hervor. Der Rest war Schweigen, großes, dunkles Schweigen.

Das hatte niemand erwartet. Dass die Katastrophe unten im Tal eintreten würde, wo man die Blicke doch so aufmerksam nach oben gerichtet hatte. Ja, wenn der Marder dort oben in den Bergen zugeschlagen hätte! Die hilfsbereiten Bergwachtler lagen überall dort auf der Lauer, wo es etwas zu besteigen gab, jedes Gipfelkreuz mit Gipfelbuchkasten hatten sie im Blick, viele waren gleich droben geblieben in den Hütten und Unterkünften, manche hatten sogar Zelte aufgeschlagen, um diesen Verräter der Berge, diesen gemeinen Alpinschädling zu fassen.

Keiner von den Bergwachtlerischen wusste Genaueres über das Endziel des Einsatzes, aber alle hatten den Blick in die Höhe, himmelwärts, eben ins Blaue gerichtet. Und dann war es unten passiert. Die Nachricht auf die Vitrine vor dem Polizeirevier zu schreiben war alleine schon eine Frechheit, eine unverschämte Herausforderung der Polizei. Und dann war es auch noch eine Attacke auf *das* essbare Dingsymbol der Bayern: es war ein Anschlag auf die Weißwurst.

Noch 2 Stunden und 13 Minuten bis zum Zwölfuhrläuten

Ostler hatte sofort alle benachrichtigt, und innerhalb kürzester Zeit war das ganze Team vollständig versammelt. Nacheinander starrten sie ungläubig auf die Schrift an der staubigen Glasscheibe. Becker fotografierte, das Pinselchen pinselte, die Brille suchte den Boden nach Spuren ab. Das Spielfeld war abgesteckt, die Spielzeit vorgegeben, jetzt war es an Jennerwein, seine Mannschaft ins Feld zu schicken.

»Allein können wir es in der vorgegebenen Zeit nicht schaffen, wir brauchen Verstärkung«, sagte der Kommissar und eröffnete damit die kürzeste Besprechung, die das Team je abgehalten hatte.

»Die Bundeswehr?«, schlug Stengele vor.

»Die wäre am besten für so eine Aktion ausgerüstet, aber die kriegen wir so schnell nicht hierher.«

»Bundesgrenzschutz, GSG 9?«, fragte Maria.

»Die sind zwar schnell da, aber wie diese Kameraden vorgehen, wissen wir alle: Die rücken mit einer kompletten Hubschrauberstaffel an, und bei der Panik, die dabei entsteht, gibt es zwanzig Tote, ganz ohne Botulin. Nein, wir müssen es anders machen. Wie viele Bürger wohnen hier im Ort?«

»Knapp dreißigtausend«, sagte Hölleisen. »Zählt man die Touristen dazu: vierzig- oder fünfzigtausend.«

»Wir bilden drei Angriffslinien«, entschied Jennerwein. »Die erste richtet sich auf die Metzgereien, die zweite auf die Gaststätten, die dritte auf die privaten Haushalte. Dann brauchen wir wie gesagt Helfer. Es müssen – erstens – ortskundige Helfer sein, die – zweitens – rasend schnell zu mobilisieren sind. Und die – drittens – gewohnt sind, anzupacken.«

Vereine. Er will die Vereine einspannen, dachte Maria. Genial.

Noch 1 Stunde und 57 Minuten bis zum Zwölfuhrläuten

»Ostler«, fuhr der Kommissar fort, »Sie sind Mitglied im Volkstrachtenerhaltungsverein und kennen dort die Macher. Wählen Sie von denen ein paar aus und schicken Sie die in alle Metzgereien des Ortes. Erzählen Sie den Betreibern die wahre Geschichte, sie lässt sich ohnehin nicht mehr lange verheimlichen. Und stellen Sie alle Weißwürste sicher.«

Ostler war schon auf dem Weg zur Tür.

»Und fragen Sie jeden der Metzger und Verkäuferinnen«, rief ihm Jennerwein nach, »ob sie sich daran erinnern können, an wen sie heute schon Weißwürste verkauft haben. Telefonieren Sie diesen Kunden hinterher. Und verzichten Sie aufs Protokoll. Gefahr im Verzug.«

Die erste Angriffswelle unter Kommandant Johann Ostler rollte los.

»Hier Huber.«

»Hier Ostler, Kriminalpolizei. Sie haben heute bei der Metzgerei Kallinger Weißwürste gekauft?«

»Was geht Sie das an?«

»Im Prinzip nichts, Frau Huber. Aber wir haben Hinweise bekommen, dass eine dieser Weißwürste vergiftet ist, ich rate Ihnen also dringend davon ab, sie zu verzehren.«

»Na bravo, beim Kallinger kann man also auch nicht mehr einkaufen –«

»Atzhorn.«

»Hier Ostler, Kriminalpolizei. Frau Atzhorn, Sie haben heute bei der Metzgerei Kernsdorf Weißwürste gekauft –«

»Da gibt's die besten, Herr Ostler, ich hab sie schon im Topf drin zum Aufwärmen. Der Metzger Moll macht auch ganz gute, die sind aber ein bisserl zu sehr gewürzt –«

»Frau Atzhorn!«

»– zum Kallinger gehe ich gar nicht mehr, der hat so nachgelassen in letzter Zeit, auch die Ganserl sind nicht mehr so frisch wie früher bei ihm. Seit dem Kallinger seine Frau gestorben ist –«

»Frau Atzhorn, wenn ich Sie einmal unterbrechen darf: Wir haben Hinweise bekommen, dass eine der Weißwürste, die Sie bei der Metzgerei Kernsdorf gekauft haben, vergiftet ist, ich rate Ihnen also dringend davon ab –«

»Hubertine von Reumond. Mit wem spreche ich? Woher haben Sie meine Nummer?«

»Hier Ostler, Kriminalpolizei. Frau von Reumond, entschuldigen Sie bitte die Störung, aber Sie haben heute bei der Metzgerei Boberdinger Weißwürste gekauft?«

»Um solche Dinge kümmere ich mich nicht, junger Mann. Das ist Sache des Personals. Guten Tag.«

»Hier Michael Biczinski.«

»Ostler, Kriminalpolizei. Sie haben bei der Metzgerei Weißwürste gekauft. Ich möchte Sie darauf hinweisen –«

»Öaaaaaaaaaaaarg!! Gkkk! Ch!«

»Hallo, Herr Biczinski! Was ist los?«

»Cchrrrk! Reeetch! Yargh!«

»Herr Biczinski, geht es Ihnen nicht gut? Was ist mit Ihnen?«

»Aaaag! Gaaarl! Ch!«

»Hallo! Brauchen Sie Hilfe?! Haben Sie schon eine –«

»Hier Biczinski. Sind Sie noch dran, Herr Ostler? Kleiner Scherz. Ich hab es schon gehört. Habe die Würste in den Mülleimer geworfen. Nichts für ungut.«

Noch 1 Stunde und 16 Minuten bis zum Zwölfuhrläuten

Ostler und die rasend schnell, aber dennoch gezielt ausgewählten zwanzig Mitglieder des Volkstrachtenerhaltungsvereins leisteten ganze Arbeit, innerhalb einer halben Stunde waren alle Metzgereien im Ort aufgesucht, Hunderte von Würsten beschlagnahmt und die meisten der Kunden gewarnt worden. Der zweite Angriff galt den Restaurants, Wirtschaften, Pensionen, Imbissbuden und anderen öffentlichen Häusern, in denen Weißwürste feilgeboten wurden. Jennerwein hatte die üblichen Hierarchien auf den Kopf gestellt, denn die ortskundige Leitung dieses zweiten Sturms hatte Polizeiobermeister Franz Hölleisen inne, Kommissarin Schwattke und Hauptkommissar Stengele standen unter seinem Kommando. Wegen der erheblichen Dichte an Beherbergungs- und Verköstigungsbetrieben im Kurort mussten auch hier Hilfstruppen angeworben werden, sie bestanden aus den Mitgliedern des Schützenvereins, in dem Hölleisen Zeugwart war. Hölleisen hatte nicht gezögert, auch den Ehrenvorsitzenden des Schützenvereins, Toni Harrigl, mit einzubinden. Doch der zierte sich.

»Warum soll ich bei etwas mitmachen, was Aufgabe der Polizei ist?«

»Wir haben nicht mehr viel Zeit, Toni.«

»Wenn's schiefgeht, ist meine politische Karriere beendet.«

»Wenn's aber gutgeht –«

»Weiß die Staatsanwaltschaft davon?«
»Nein, das Leben eines Bürgers ist wichtiger –«
»Ich will meinen Namen nirgends sehen –«
»Ich bitte dich, Toni –«

Es wurde ein Häuserkampf wie aus dem Bilderbuch, oder besser gesagt wie aus dem Lehrbuch »Großflächige Polizeitaktik«. Dreißig beherzte Gestalten frästen sich durch die Kneipen, Bierstuben, Rotisserien und Restaurants des Ortes und stellten Weißwürste sicher. Es war noch eine knappe Stunde bis zum Zwölfuhrläuten.

»Achtung, Achtung, hier spricht die Polizei! Eine Durchsage an alle Einwohner des Ortes –«

Diese dritte Angriffswelle leitete Jennerwein selbst, er und Maria hatten sich die heikelste Aufgabe ausgesucht, sie fuhren mit dem Funkstreifenwagen durch die Straßen und wiederholten die Durchsagen. Nach wenigen Minuten gab es schon die ersten kollektiven Panikattacken. So weich, vorsichtig und psychologisch fundiert die Weißwurstwarnung von Frau Dr. Maria Schmalfuß auch ins Megaphon gesprochen worden war, die Angst brach sich da und dort ihre Bahnen. Ganze Familien standen mit eilig gepackten Koffern auf der Straße und behinderten das Weiterkommen der Fahrzeuge – sie fürchteten weitere Anschläge. Knapp zweihundert Personen hatten den Weißwurstfrühschoppen schon hinter sich, sie wurden ins Klinikum gekarrt, die meisten von ihnen bestanden darauf, dass ihnen der Magen ausgepumpt wurde, sicher ist sicher. Es waren insgesamt vier Polizeiwagen im Einsatz. Zusätzlich hatte man noch die freiwillige Feuerwehr unter der Leitung von Hauptmann Johann Mirgl junior gewinnen können. Sechs Feuerwehrwagen durchkämmten den Ort. Natürlich liefen die Leute auf der Straße zusammen, viele wussten es auch schon, erzählten es weiter, es bildete sich ein pappsüßes, gefährlich aggressives Gemeinschaftsgefühl, eine brisante Mischung aus *Wir halten zusammen* und *Tötet das Schwein*. Jennerwein und Maria wussten um die Gefährlichkeit dieser Aktion. Die Volksseele war ein schlafendes Kätzchen, das unter diesen Bedingungen zu einem unberechenbaren Ungeheuer mutieren konnte. Da und dort hatten sich einige Übereifrige, wenn auch leicht, so doch bewaffnet, und wenn irgendwo eine Person gesehen worden wäre, die eine Weißwurst mit einer Spritze präpariert hätte, wäre diese aus dem gleichen warmen, kollektiven Kätzchengefühl heraus gelyncht worden.

»Achtung, hier spricht die Polizei, gehen Sie auseinander, es besteht keine unmittelbare Gefahr für Sie.«

Bislang hatte man noch von keiner blauen, heraushängenden Zunge und aufgerissenen Augen gehört.

Noch 46 Minuten bis zum Zwölfuhrläuten

Nicole Schwattke und Ludwig Stengele, die westfälische Preußin und der schwäbische Allgäuer, waren im Polizeiauto auf dem Weg zu einem etwas außerhalb des Ortes gelegenen Restaurant.

»Ich frage mich nur, wie es der Marder geschafft hat, die vergiftete Wurst unauffällig zu platzieren«, sagte Nicole.

»Er hatte es ja wesentlich leichter als wir«, erwiderte Stengele. »*Wir* müssen sämtliche Würste aus dem Verkehr ziehen – er musste nur eine einzige vergiften. Also kann er den ganzen Morgen, vielleicht auch schon den gestrigen Nachmittag entspannt herumgeschlendert sein, mit einer Spritze in der Jackentasche, um nach unbeobachteten Fleischtheken Ausschau zu halten.«

»Er kann die Wurst auch schon zu Hause präpariert haben.«

»Das ist noch einfacher, richtig: Er ist der einzige Kunde im Laden, er lässt den Metzger etwas aus der Kühlung holen, er greift schnell über die Ladentheke und tauscht eine Wurst aus.«

»Und im Restaurant?«

»Er sucht sich ein kleines Lokal aus, bei dem nur ein Koch in der Küche steht. *Oh, hoppla! Entschuldigung, bin ich jetzt in der Küche gelandet?* – Hier ist die Pension Alpenrose, beeilen wir uns.«

Noch 35 Minuten bis zum Zwölfuhrläuten

»Wissen Sie etwas über die Wirkungsweise von Botulin, Maria?«, fragte Jennerwein, als sie eine Straße zurückfuhren, in der sie schon mehrere Durchsagen gemacht hatten.

»Die ersten Symptome bestehen aus Übelkeit, Kopfschmerzen und Mundtrockenheit. Nach einigen Stunden folgen erste Muskellähmungen. Typisch sind Doppeltsehen und Halssteifigkeit. Der Tod tritt durch Atemlähmung ein. Die Opfer sind nicht mehr fähig, zu sprechen, zu telefonieren oder anderweitig um Hilfe zu rufen.«

»Dann hat er jetzt den Bogen weit überspannt. Bisher war es versuchte schwere Körperverletzung.«

»Jetzt ist es Mordversuch.«

Noch 17 Minuten bis zum Zwölfuhrläuten

Der Marder befüllte die Spicknadel vorsichtig mit einer kleinen Kapsel. Dann hob er das eine Ende der Wurst etwas an und stach mit der Spicknadel durch das Wurstende, mitten in die zusammengedrehten Häute. Unter günstigeren Umständen wurde auf diese Weise ein Hasenrücken mit Speckstreifen gespickt. Der Marder löste jetzt die Klammer und zog die Nadel ohne die Kapsel wieder heraus. Mit der Lupe betrachtete er das Ergebnis seines Eingriffs: Es waren keinerlei Einstichspuren zu sehen. Der Marder lächelte zufrieden. Dann warf er die Wurst in den Kessel. HUMPF TATA TA! dröhnte es aus dem Radio, als er die Küche des Bauernhauses verließ.

Noch 7 Minuten bis zum Zwölfuhrläuten

Feuerwehrhauptmann Johann Mirgl junior und seine Leute nahmen die Sache sehr ernst. Sie waren bis halb zwölf in den Feuerwehrautos herumgefahren und hatten immer wieder denselben Text über den Lautsprecher gesprochen. Es war kein offizieller Einsatz, an dem sie da teilnahmen, einige Dienstvorschriften waren schon verletzt worden, aber wenn es um Leben und Tod ging – wen kümmerten da Dienstvorschriften? Gefahr im Verzug. Vor einer halben Stunde hatten sie die Fahrzeuge stehen lassen und waren mit den Megaphonen zu Fuß durch die Straßen gegangen. Sie hatten jetzt so ziemlich den ganzen Ort durch, und wer nicht gerade taub war – Moment mal: Wer nicht gerade taub war? Feuerwehrhauptmann Mirgl schoss plötzlich ein Gedanke durch den Kopf. Er sah sich um. In fünfzig Metern Entfernung, am Ende der Straße, sah er Kommissar Jennerwein und Maria Schmalfuß stehen und eine Gruppe von Bürgern beruhigen.

»Kommen Sie hierher! Kommen Sie mit«, schrie Mirgl den beiden durchs Megaphon zu. »Wir haben noch jemanden vergessen!«

Noch 4 Minuten und 30 Sekunden bis zum Zwölfuhrläuten

Das alte Bauernhaus des Kreitmayer-Hofes hatte nur eine einzige Bewohnerin. Alle anderen waren herausgeheiratet, herausgezogen, herausgestorben.

»Resi! Resi! Bist du da drinnen?«, schrie Feuerwehrhauptmann Mirgl junior durch das Megaphon. Keine Antwort. Mirgl ging gebückt von Fenster zu Fenster und versuchte, hineinzusehen. Aus einem hörte er: HUMPF TATA TA! HUMPF TATA TA! Der Feuerwehrhauptmann zögerte kurz, ob er nicht auf die Polizisten warten sollte. Aber HUMPF TATA TA! bedeutete: Gefahr im Verzug. Er nahm einen kurzen Anlauf und sprang, mit dem spitzen Helm voraus, mit der Spitzhacke in der Hand, durchs Fenster, keine Sekunde zu früh, denn Resi Kreitmayer, die letzte Überlebende der alten Bauernfamilie Kreitmayer, saß am Tisch, hatte die Wurst gerade in den süßen Senf getunkt und führte sie schon zum Mund.

»Hoooooooooooooit!!«, schrie der Feuerwehrmann, was aufrichtig gemeint, aber vom Katastrophenpsychologischen her riskant war, denn die Resi hätte sich die Wurst vor Schreck fast in den Mund gesteckt. Doch sie hielt in der Bewegung inne. Mirgl stürzte auf sie zu. Mit einem Hechtsprung riss er ihr die Wurst aus der Hand und stürzte mit der Kreitmayerin zu Boden.

Zwölfuhrläuten

46

Solch einen Wirbel hatte man in der beschaulichen Pension Alpenrose noch nie erlebt. Ein terroristischer Anschlag! Unglaublich! Manche der Pensionsgäste genehmigten sich schon das zweite Gläschen Portwein, das dritte Käffchen oder die fünfte Tasse Kamillentee, so aufgeregt waren sie.

Um halb zwölf waren die beiden Polizisten mit quietschenden Reifen in den Hof gefahren, eine kleine junge Frau und ein großer älterer Mann waren herausgesprungen, der Mann war sofort in die Küche gestürmt, die Frau hatte der Direktrice Anweisungen gegeben.

»Ich fahre jetzt schon vierzig Jahre hierher«, sagte ein Hamburger Urlauber mit angewachsener Prinz-Heinrich-Mütze, »aber so etwas hatte es hier noch nie gegeben. Deubel auch!«

Zehn Minuten später wussten es alle Pensionsgäste: Man war einem Anschlag entkommen. Einem Anschlag! Herrgott, dass so etwas in einem harmlosen Kurort wie diesem überhaupt möglich war! Mangels weitergehender Informationen war im Frühstücksraum der Pension Alpenrose die nächsten Stunden viel zu hören, was einigermaßen eng ans Rassistische angrenzte, nahtlos ins Radikale hinüberführte und wieder zurück ins Gemütliche ging. Frau Schober stellte Schnittchen und Kuchen bereit, doch ans Essen dachte keiner mehr. Der trotzige Widerstand des Kleinbürgertums machte sich breit. Wenn schon keine Weißwurst, dann gar nichts. Außerdem: Am Vormittag vergiftet der Islamist Würste, über was macht er sich am Nachmittag her? Über die Schwarzwälder Kirschtorte?

Auch Shan saß eine gute Weile mit im Frühstücksraum, hörte sich alles an und nickte höflich. Als sie genug gehört hatte, verließ Shan den Frühstücksraum, ging aus dem Haus und tat sich noch ein wenig um, auf der Straße, in einigen Geschäften, und in einer ganz bestimmten Bäckerei, von der sie wusste, dass sich hier viele Einheimische tummelten.

»Wir haben einen Serientäter hier im Ort«, sagte sie nach ihrem Streifzug zu Wong und Swoboda. »Die Polizei nimmt wohl an, dass der Neujahrsanschlag, der Lawinenabgang und die heutige Lebensmittelvergiftung von ein und demselben Täter begangen worden sind.«

Swoboda saß im Fernsehsessel.

»Ein Trittbrettfahrer, da schau her«, sagte er, ohne den Blick vom Bildschirm abzuwenden. »Und die Schmier liegt wie immer daneben.«

»Wie es auch sei«, sagte Wong. »Er stört unsere Pläne gewaltig. Wenn die Polizei ihn fasst, deckt er die mühsam verwischten Spuren auf, die zu uns führen.«

»Warum das denn?«, fragte Swoboda.

»Wenn dieser Verrückte gefasst wird, dann wird er den Neujahrsanschlag selbstverständlich abstreiten. Und dann fangen die Ermittlungen wieder von vorne an.«

»Da bin ich mir nicht so sicher, Freunde. Es ist ein Trittbrettfahrer, ein Gschaftlhuber, der sich profilieren will. Ich kenne Leute seines Kalibers zur Genüge.«

Shan runzelte die Stirn. »Ein Psychopath, der sich profilieren will?«

»Genau«, sagte Swoboda. »Und mit einem halbherzigen Lawinenabgangerl und einem vergifteten Würsterl kann man sich nicht so wichtig machen wie mit der Störung einer internationalen Sportveranstaltung. Ich kenne meine Pappenheimer: Dieser Abstauber wird den Neujahrsanschlag *natürlich* auf seine Kappe nehmen. Der will kein Geld, der will nichts Politisches, der will ins Lexikon.«

»Er muss auf jeden Fall gefasst werden«, sagte Wong.

»Und liquidiert«, sagte Shan.

»Wieso denn das schon wieder!«, stöhnte der Österreicher. »Ersteres: ja, Zweiteres: bitt'schön nicht. Liquidieren nur im äußersten Notfall. Liquidieren nur, wenn man weiß, wohin mit dem Ergebnis der Liquidation.«

»Was machen wir also?«

»Als Erstes schwärmen wir aus und versuchen uns ein Bild von dem Lokalguerillero zu machen. Ich bitte euch, alle Zeitungsausschnitte zu sammeln, die diesen Fall betreffen. Überhaupt alle Informationen. Auch Gerüchte. Ich schau mich auch ein bisserl um und zapfe alte Kontakte an. Ich will alles über den wissen, dann können wir ihn uns entweder schnappen – oder wir nutzen ihn für unsere Zwecke aus.«

Shan und Wong waren überhaupt nicht begeistert davon, schon wieder unter dem Kommando des k. u. k. Problemlösers zu stehen und Botendienste machen zu müssen.

»Wir machen es auf unsere Weise«, sagte Shan im kehligen Min-Yue-Dialekt. Swoboda tat so, als würde er nichts verstehen.

»Er hat einen Vorteil, unser Trittbrettler«, fuhr Swoboda fort. »Ich bin nämlich überzeugt davon, dass er die Polizei noch eine Zeitlang auf Trab hält. Er wird einen neuen Anschlag durchführen, da wette ich was drauf. Er ist unsere eigentliche Hilfstruppe, er lenkt die Kieberer ab und wir können ungestört operieren. Trotzdem, ich möchte den Burschen kennenlernen. Wir können nicht zulassen, dass der ein unkontrollierbares Element wird.«

Der Marder wusste nicht, dass er spätestens seit diesem Gespräch in höchster Lebensgefahr schwebte. Trotz Swobodas herziger Verteidigungsrede hatten Shan und Wong vor, ihn zu töten, um ganz sicherzugehen, dass er sich im Falle eines Verhörs zum Neujahrsanschlag nicht verplapperte. Der Marder war jetzt eingeklemmt zwischen der Exekutive des Freistaats Bayern und der Zwangskoalition aus habsburgischer Gelassenheit und Chaoyanger Kontemplation. Er war in einer ähnlichen Lage wie der römische Feldherr Tiberius Gracchus der Mittlere, 137 v. Chr. bei Barcatanus. Er wusste nicht, dass sowohl von Norden wie auch von Süden zwei riesige Landheere (die Skopten und die Kallyrier) auf ihn zukamen, die ihn im Fall einer Auseinandersetzung zermalmt hätten. Tiberius Gracchus blieb, gerade weil er nichts davon wusste, gelassen und wartete auf die angeforderte Flotte des Hauptmanns Scipius. Er entkam auf dem Seeweg. Ob dem Marder ein ähnliches Glück vergönnt war?

Der Marder schlenderte durch die Straßen des Kurorts. Er schien äußerlich gelassen, innerlich zitterte er vor Erregung. Es gab nur einen Gesprächsstoff: seinen Anschlag. Es gab nur ein Thema: ihn. Er spazierte die Fußgängerzone entlang, die mit aufgeregten Bürgern übersät war. Da und dort grüßte man ihn, er grüßte höflich zurück. Man kannte ihn, man redete ihn an.

»Hast du's schon gehört?«

»Ja natürlich. Schlimme Sache«, antwortete er bekümmert.

»Unglaublich. Hier bei uns.«

»Hier bei uns. Erschreckend. Ein Anschlag nach dem anderen.«

»Ich esse mein Lebtag keine Weißwurst mehr.«

»Der Appetit ist einem wirklich vergangen.« Botulin!, hätte er fast gesagt, aber das wäre natürlich ein schwerer Fehler gewesen. Er musste besser aufpassen.

»Ja, wenn man an den Todeskampf von der armen Kreitmayerin denkt!«, sagte sein Gegenüber. »Da schmeckt mir doch keine Weißwurst mehr.«

»Todeskampf? Weiß man da Details?«, fragte der Marder.

»Die Augen sollen ihr herausgetreten sein, und geschrien soll sie haben, dass man es im Umkreis von einem Kilometer noch gehört haben soll.«

»So, hört man das. Ich muss dann wieder.«

»Einen schönen Tag noch.«

Er hatte ein paar tausend, vermutlich ein paar zehntausend Menschen auf die Beine gebracht. Er hatte mit geringem Materialaufwand, mit einer Spicknadel, einer Plastikkapsel und etwas Geduldsarbeit einen enormen Unterhaltungswert geschaffen, für beide Seiten. Er fühlte eine wohlige Wärme in sich aufsteigen, diese kaminfeuerartige wohlige Wärme, die der Kaiser vermutlich in sich aufsteigen fühlt, wenn er sich unerkannt unters Volk mischt, und dabei das gute arme Mädchen kennenlernt.

»Und wenn sie ihn erwischen? Wisst ihr, was dann mit ihm geschieht?«, fragte ein Mann im Strickjanker. »Wisst ihr das? Dann nimmt er sich einen guten Rechtsanwalt und kriegt ein halbes Jahr auf Bewährung, weil er eine schwere Kindheit gehabt hat. Das geschieht mit so einem. Aber wenn unsereins einmal –«

»Da stimmt doch mit unserem Rechtssystem etwas nicht«, sagte ein anderer.

»Ja, ich bin ja wirklich ein Gegner jeglicher Selbstjustiz«, sagte der Marder, »aber in diesem Fall – ich wüsste nicht, was ich täte, wenn ich mit ihm allein wäre.«

»Ja, da hast du vollkommen recht.«

Und er ging weiter, der unerkannte Fürst im Chaosland, der

Wolf im Schafspelz, der geachtete Bürger mit dem angeahnten Geheimnis. Er saugte begierig jede neue Rezension über sich auf. Die Tatsache, dass er allein – er allein! – das alles verursacht hatte, erregte ihn aufs Äußerste. Er hatte noch nie in seinem Leben solch einen Flash verspürt. Kein Rauschgift reichte an dieses Gefühl der Omnipotenz, der uneingeschränkten Allmacht heran. Er lenkte seine Schritte in Richtung der Bäckerei Krusti. Warum sollte er da jetzt eigentlich nicht reingehen, gerade da hinein, gerade jetzt, ja, warum eigentlich nicht. Es wäre im Gegenteil auffällig, wenn er sich nicht sehen ließe. Noch nie in seinem Leben hatte er sich so gut, so wichtig, so eins mit sich und der Welt gefühlt. Er sah durch das Fenster hinein.

Drinnen im Stehcafé standen sie, erschöpft vom Kampf gegen ihn, die weißen Figuren seines Spiels: Da war Kommissar Jennerwein, der unbewegliche König. Daneben stand, schlaksig und spindeldürr, die weiße Dame, die Psychologin, die gefährlichste Figur beim Gegner. Vorsicht vor der weißen Dame! Sizilianische Eröffnung, dachte der Marder, ich bin die einzige schwarze Figur im Spiel, ich bin König und Dame und Bauer zugleich, und – gerade das ist mein Vorteil. Der Marder öffnete die Tür, er musste sich durchdrängen durch die erregte Masse, und jetzt fühlte er sich wie Siegfried mit der Tarnkappe, der unsichtbar zu der Walkürenpsychologin Brünhilde geht. Er fühlte sich unbesiegbar.

Der Marder konnte sich nicht mehr auf die Gespräche um ihn herum konzentrieren, so berauscht war er von der Situation. Adrenalin unvermischt. Er hörte Jennerwein aus der Ferne, wie er Fragen beantwortete. Verschwitzt waren sie alle, vollkommen fertig mit den Nerven, bis zur Weißglut gereizt. Wie leicht war es doch, Herrschaft über Menschen zu erlangen, dachte der Marder.

»Grüß dich«, sagte die Verkäuferin hinter der Theke, als er

an der Reihe war, »was willst du? Einen Kaffee? Hast du bei der Suche mitgeholfen? Dann kriegst du ihn umsonst.«

»Nein, ich zahle schon. Ich bin ja froh, dass es gut ausgegangen ist.«

47

Hansjochen Becker warf die Tüte auf den Tisch, in der eine der Länge nach durchgeschnittene Weißwurst steckte. Noch nie hatte ihn jemand so zornig gesehen. Die meisten im Team konnten ihre Entrüstung ebenfalls kaum verbergen.

»Das darf doch nicht wahr sein!« Stengele schüttelte den Kopf. »Es ist wie eine Szene aus einem alten Zeichentrickfilm in Schwarzweiß: Der Räuber zückt die Pistole, drückt ab und – ein Schildchen erscheint, auf dem PENG! steht. Er will uns vorführen. Weiß außer uns eigentlich schon jemand von dem Ergebnis der Untersuchungen?«

»Nein«, sagte Jennerwein ruhig. »Diese Informationen haben wir noch zurückgehalten. Und deshalb bitte ich Sie, professionell zu reagieren. Wir haben keinen Fehler gemacht. Wir haben uns alle nichts vorzuwerfen. Wir wollen die Sache kühl betrachten.«

Die alte Kreitmayer Resi hatte zwar nicht von der Wurst abgebissen, sie war aber trotzdem, sicherheitshalber, sofort ins Krankenhaus verfrachtet worden. Die Geschichte mit den herausquellenden Augen und den Todesschreien, die man einen Kilometer weiter noch gehört haben wollte, war durch den Stille-Post-Effekt der Volksfolklore zustande gekommen. Die Wurst war noch unversehrt, und sie wurde von Becker sofort untersucht. Das Ergebnis war in der Tat entwürdigend. In der Mitte der Wurst befand sich eine kleine Kapsel, den Spurensicherern schwante schon Übles, als sie das armselige rote Etwas erblickten. Es war keine der üblichen pharmazeutischen Kapseln, die sich nach einer bestimmten Zeit im Magen auflösten, und mit denen Giftmischer schon viel Unfug getrieben hatten. Es war eine billige kleine Plastikkapsel, die sich leicht öffnen ließ. Im Inneren fand sich ein winziger, in der Art einer Ziehharmonika zusammengefalteter Zettel:

0,01 mg Botulin: †

So klein die Schrift war, sie war steil und streng aufwärts gerichtet, in den Oberlängen flatterte sie, als würde sie brennen. Und als ob das noch nicht provokativ genug wäre, war auf der Rückseite des länglichen Zettels noch die genaue Wirkung einer Botulin-Vergiftung aufgeführt:

Übelkeit, Mundtrockenheit, Muskellähmungen, Halssteifigkeit, Schwindel, Doppeltsehen, Kopfschmerzen, Erbrechen, Sprachstörungen, Schluckbeschwerden, Magenbeschwerden, Pupillenerweiterung, Akkomodationslähmung, Lichtscheu, Flimmern, Benommenheit, Atemnot, Verstopfung, Versiegen der Speichelproduktion, Austrocknung von Schleimhäuten, Atemlähmung, Bronchopneumonie – Herzstillstand!

»Und wegen so einem Wisch haben wir im Krankenhaus hundertsiebenundachtzig Leuten den Magen auspumpen lassen«, sagte Ostler entrüstet.

»Wir sollten nicht den Fehler machen, emotional zu reagieren und uns persönlich über die Finte zu ärgern«, beruhigte ihn Maria. »Genau das will der Marder nämlich. Er will uns unprofessionell sehen, irgendwo in der Öffentlichkeit, in einem Interview, bei einer Vernehmung, wie auch immer.«

Jawoll, Frau Doktor Kopf!, hatte Stengele auf der Zunge, doch er sprach es nicht aus.

»Das ist richtig, Maria«, sagte Jennerwein. »Wichtig ist jetzt bloß: Verkleinert dieser Anschlag den Täterkreis? Ich bitte um Meinungen dazu.«

»Ich denke, dass wir die Gymnasiasten dadurch schon mal ausschließen können«, sagte Nicole Schwattke. »Zugegeben: Diese Raskolnikoff-Gang besteht aus ziemlich durchgeknallten Teenies. Sie hätten es vielleicht sogar drauf, die Anschläge zu planen. Aber vor der letzten Konsequenz würden die zurückscheuen.«

»Der Meinung bin ich auch«, sagte Stengele. »Diese jungen Leute haben ein – wie soll ich sagen – gestalterisches Ziel. Die schlagen nicht wild um sich, die wollen stilvoll provozieren, die wollen so etwas wie eine künstlerische Aktion. Unser Marder hingegen will bloß sein Ego pinseln, sonst nichts.«

»Dieser Meinung schließe ich mich an«, fügte Maria hinzu und blickte dabei versöhnlich zu Stengele. »Ich habe inzwischen am Profil weitergearbeitet. Unser Täter ist auf alle Fälle ein Mensch mit starken Minderwertigkeitskomplexen, da sind wir uns wohl einig. Er will Aufmerksamkeit. Er will, dass ihm alle Welt zuschaut bei seinem Spiel. Aber: Er ist nicht etwa der arme, vereinsamte Einzelgänger, der nirgendwo Beachtung findet. Er steht mitten im Leben, er ist vielleicht sogar beliebt und anerkannt in der Gemeinde. Das genügt ihm jedoch nicht. Er will mehr. Er will die absolute, nachhaltige, uneingeschränkte, horrormäßige Kontrolle über seine Umgebung.«

»Aber seine Briefe waren doch immer sehr freundlich, finden Sie nicht?«, sagte Nicole. »Sogar charmant. Aber nie aggressiv.«

»Das wäre auch zu gefährlich für ihn«, sagte Maria. »Damit würde er sich zu sehr aus der Deckung wagen. Manchmal geht es aber doch mit ihm durch. Ich erinnere an die Stelle:

... Hetzen Sie nicht Ihre wahnsinnig gut ausgebildeten Psychos auf mich, ihre Kommunikationsspezialisten und verbeamteten Klugschwätzer, das führt zu nichts. Den ersten Profiler, den ich sehe, erschieße ich ...

Da zeigt er Nerven, da kann er sich nicht beherrschen.«

»Oder er will, dass wir das denken«, wandte Jennerwein ein.

»Dieser Meinung bin ich nicht«, sagte Maria energisch. »Der Stil wird bei dieser Stelle splittrig, er fasert aus, er wird redundant. Der Ausdruck *›das führt zu nichts‹* ist eigentlich bloß ein Füllsel, das nicht so recht zu seiner sonstigen straffen Rhetorik passt. Meiner Ansicht nach ist ihm hier ein Ausrutscher passiert.«

»Das geht ja auch gegen Sie in Ihrer Eigenschaft als Psychologin«, sagte Ostler zu Maria.

»Das betrübt mich jetzt weniger.«

»Weiter«, drängte Jennerwein. »Gibt es noch ein Merkmal?«

»Ich denke, ich kann sein Alter bestimmen«, fuhr Maria fort. »Er ist Mitte dreißig, nicht jünger und nicht älter, das leite ich aus seinem Schreibstil, seiner Wortwahl ab. Ein Jugendlicher schreibt anders. Die Gymnasiasten fallen hiermit weg.«

»Kann sich ein Gymnasiast nicht auch verstellen?«, fragte Stengele. »Kann er, wenn er sich anstrengt, nicht so schreiben wie ein Mittdreißiger?«

»Ja, das kann er«, räumte Maria ein. »Dazu gehört aber eine große stilistische Gewandtheit, die in anderen Bereichen ebenfalls auffiele. Er müsste zum Beispiel dann gute Noten in Deutsch haben. Keiner dieser acht Schüler hat gute Noten in Deutsch. Ich habe das nochmals nachgeprüft, glauben Sie mir.«

»Vielleicht ist das auch bloß wieder Verstellung?«, bohrte Stengele nach. »Er tut nur so, als ob –«

»Wir sollten uns nicht verzetteln«, unterbrach Jennerwein. »Bitte, Maria, fahren Sie fort.«

»Ich schließe die Schüler auch noch aus einem anderen Grund aus. Der Täter fühlt sich minderwertig und unzulänglich. Es gibt zwei Gruppen von Insuffizienztätern. Da ist einmal der Ventil-Täter. Das ist der einsame, verarmte, heruntergekommene, verachtete Mensch, der dann plötzlich ein Stück Holz von der Autobahnbrücke wirft. Er will damit sagen: *Ja, ich bin der letzte Dreck. Ich kann nichts anderes, als euren behaglichen bürgerlichen Strom zu stören.* Unser Täter, der Marder, ist kein Ventiltäter, dazu sind die Aktionen viel zu durchdacht, und – entschuldigen Sie den Ausdruck – zu leicht und spielerisch. Er ist der andere Typ des Insuffizienztäters, er ist der falsch Eingesetzte, der falsch Eingeschätzte. Er ist der zweite Vorsitzende eines kleinen Sportvereins, der sich mit der Vorstellung herumquält, dass er doch eigentlich der erste Vorsitzende eines großen Sportvereins sein müsste. Er ist zweiter Kreisvorsitzender in einer kleinen Partei und möchte Landesvorsitzender in einer großen sein. Er hat einen Beruf, der ihm ein bisschen Macht gibt, er will aber mehr. Er ist Polizist, Lehrer, Politiker, Arzt, sein Einfluss auf andere Menschen ist groß, das genügt ihm aber nicht.«

»Deshalb schließen Sie die Schüler aus?«

»Genau. Wir sollten uns aber andere Personen auf der Liste genauer ansehen. Zum Beispiel diese Lehrerin, diese – wie heißt sie? – Frau Oberstudienrätin Ronge. Lehrer sind Menschen mit erstaunlich großen Machtbefugnissen über andere Menschen. Das Gleiche gilt für Politiker, vor allem Lokalpolitiker. Wenn Sie mich fragen: Dieser Toni Harrigl ist ein ganz heißer Kandidat auf den Mardertitel. Aber auch der Bürgermeister.«

»Warum nicht gleich der ganze Gemeinderat?«, maunzte Stengele.

»Warum nicht, ja.«

»Der Kreis der Verdächtigen wird immer größer statt kleiner«, sagte Jennerwein. »Wir müssen es anders anpacken. Wir müssen auf irgendeine Weise in Kontakt mit ihm treten. Rauchpause.«

Draußen waren Gewitterwolken aufgezogen, und die Landschaft wirkte sofort düster und bedrohlich.

»Wie geht es eigentlich der bedauernswerten Resi Kreitmayer?«, fragte Nicole.

»Den Umständen entsprechend gut«, antwortete Ostler. »Sie hat einen schweren Schock, redet von einem schwarzen Vogel, der auf sie zugeflogen kam.«

»Posttraumatische Mythenbildung«, warf Maria ein. »Das wird sich wieder einrenken.«

»Jedenfalls sammelt sich im Krankenhaus einiges an Marderopfern an«, sagte Ostler. »Erst Åge Sørensen, dann diese Ilse Schmitz, die sich selbst in den Fuß schießt, und nun die alte Kreitmayerin. Ganz zu schweigen von den hundertsiebenundachtzig Frühschopplern. Die Einschläge kommen immer näher, finden Sie nicht?«

»Ich schlage Folgendes vor«, sagte Kommissar Jennerwein, als alle wieder drinnen waren. »Wir arbeiten einerseits konventionell weiter. Becker, Sie sehen zu, dass wir unter den Tausenden von Spuren doch noch eine finden, die zu ihm führt.«

»Wird gemacht. Derzeitig ist die Laser-Spur immer noch die heißeste. Alle anderen Requisiten kann man im Schreibwarenladen kaufen. Wenn der Marder aber wirklich mit einem Lasergewehr geschossen hat, und wenn wir herausfinden, von wo aus, dann hat er Elefantenspuren hinterlassen, dann ist er in Sichtweite.«

»Gut«, sagte Jennerwein. »Maria, Sie arbeiten weiter am Profil des Täters und vergleichen es mit unseren Verdächtigen. Treiben Sie Ihre Schriftprobenaktion weiter. Sie haben mein Okay dazu. Machen Sie das aber so dezent wie möglich.«

»Die Hälfte habe ich schon, bis morgen habe ich alle.«

»Wunderbar. Darüber hinaus müssen wir jetzt selbst aktiv werden. Ich will mit ihm Kontakt aufnehmen, und ich habe da eine – vielleicht etwas schräge – Idee. Wir spielen sein Spiel mit: Wir legen ebenfalls falsche Spuren.«

»Ein guter Vorschlag«, lobte Hansjochen Becker. Jennerwein lobte Becker selten, die beiden fetzten sich manchmal ganz ordentlich. Hansjochen Becker wiederum schaltete sich selten in die operative Arbeit des Teams ein, er sah seine Aufgabe mehr in den technischen Disziplinen. Dass er sich jetzt vorwagte, bedachten alle mit einem respektvollen Nicken.

»Sie denken an eine Zeitungsnotiz, die den Weißwurstanschlag völlig falsch schildert?«, fragte er.

»Nicht völlig falsch«, sagte Jennerwein, »sondern so falsch, dass es ihn beleidigt und herausfordert. Ich würde so etwas Ähnliches an die Zeitung geben wie: Resi Kreitmayer leidet schwer an ihrer lebensgefährlichen Botulin-Vergiftung ... eine Ur-Einheimische am Ende, dazu Einzelheiten, wie so etwas aussieht.«

»Spielen die Ärzte da mit?«

»Ja, da bin ich sicher. Dadurch durchkreuzen wir seine Absichten, sich als sympathischen Witzbold darzustellen, der seine Späße mit der Polizei treibt und niemandem schadet. Er wird dadurch in der Bevölkerung zum wirklichen Mordanschläger, zum Unsympathen – und so ein Image wird ihm zu schaffen machen.«

»Die Idee finde ich sehr gut, Chef«, sagte Stengele und alle nickten.

»Becker«, fuhr Jennerwein fort, »Sie liefern die Daten, also: die gefakten Daten, Maria, Sie formulieren eine knappe Zeitungsnotiz.«

»Für welche Zeitung soll der Text sein?«, fragte Maria. »Für die Lokalzeitung?«

»Da bin ich dagegen«, sagte Ostler, und Hölleisen stimmte ihm heftig zu. »Ausgerechnet die Zeitung, die kein gutes Haar an uns lässt, die in jeder Meldung auf die unfähige Polizei schimpft – deren Auflage sollen wir durch so eine Annonce um ein paar tausend Exemplare heben?«

»Gut«, sagte Jennerwein lächelnd. »Dann unterstützen wir die Auflage eines kleinen Blattes, indem wir es zu unserem Briefkasten machen. Vorschläge?«

Ein paar im Team schmunzelten. Sie mussten alle an die *Altbayerische Heimatpost* denken, das unschuldigste Organ unter den Presseerzeugnissen, das Zentralorgan der real existierenden Landromantik. Und so geschah es. Zwischen einem Artikel über alte Bauernbräuche und einem über die erste weibliche südbayrische Meisterin im Fingerhakeln sollte am übernächsten Tag schon die Nachricht an den Marder zu finden sein, die ihn aus seinem Marderversteck locken sollte. Ein schöner Plan.

»Und überhaupt!«, sagte Hansjochen Becker, als die Besprechung beendet war. »Eine Weißwurst *längs* durchzuschneiden – *das* ist das eigentliche Verbrechen!«

48

Aber, aber, lieber Herr Kommissar!

Das ist schon etwas unter Ihrem Niveau, mich mit solch einer Finte aus der Deckung locken zu wollen. Was lese ich da? »Ein gemeiner Anschlag auf das Leben einer unbescholtenen Bürgerin des Ortes!« Dass ich nicht lache! »Qualvoll verzerrte Gesichtszüge, herausquellende Augen und die Letzte Ölung, die der Pfarrer der Kreitmayerin auf dem Weg zum Krankenhaus noch gegeben hat« – Schön, dass Sie mein Stilelement der Desinformation verwenden, klauen, vielleicht sogar parodieren, aber das müssen Sie das nächste Mal etwas geschickter machen. Ich bereite gerade den vierten Anschlag vor, und da bitte ich Sie doch höflich, Ihre und meine Zeit nicht mit solchen Possen zu verschwenden. Prüfen Sie lieber die vorhandenen Spuren nach. Die Gerüche, die ich in den letzten Bekennerbrief praktiziert habe, ergeben, alphabetisch geordnet, einen wichtigen Hinweis: B-enzin, K-augummi, A-pfel … war ein Spaß, aber machen Sie mal hinne, lieber Kommissar Jennerwein. Sie befehligen ein Riesenteam, die öffentliche Meinung wendet sich gegen Sie, Sie haben eine schlechte Presse – ich weiß nicht, ob Sie sich einen vierten unaufgeklärten Anschlag leisten können. Ich habe Sie nebenbei gesagt deswegen ausgewählt, weil Sie ein ebenbürtiger Gegner sind. Ich habe mich über Sie erkundigt. Sie scheinen bisher noch jeden Fall gelöst zu haben. Enttäuschen Sie mich nicht.

Apropos vierter Anschlag: Ziehen Sie keine voreiligen

Schlüsse. Ich blicke gerade auf meine bisherigen drei Aktionen zurück und bin mir dessen bewusst, dass der Eindruck entstehen könnte, ich hätte etwas gegen den Fremdenverkehr und die bayrische Lebensart: Skispringen – Wandern – Weißwürste. Aber der Eindruck ist falsch, ich werde beim nächsten Anschlag etwas anderes machen, etwas völlig anderes, es wird überhaupt keine bayrischen Befindlichkeiten berühren.

Wie sieht es eigentlich mit dem Profiling aus? Sind Sie schon bei männlich, Mitte dreißig, hochintelligent, starke Minderwertigkeitskomplexe, Insuffizienz, Kompensation durch Größenwahn …? Weiter so, Frau Psychologin Schmalfuß! Wenn Sie mal Fragen haben, wenden Sie sich ruhig an mich, über die Altbayerische Heimatpost bin ich jederzeit erreichbar. Ich habe in der Zeitung gelesen, wer alles noch in Ihrem Team ist. Zunächst Ostler und Hölleisen: hervorragende Kräfte, zuverlässig, ortskundig, ich kenne sie gut, sie mich vermutlich auch. Schwattke: nett, aber zu jung und unerfahren, ich persönlich hätte auch nie eine Mitarbeiterin aus Recklinghausen ins Team genommen, aber das ist Ihre Sache. Stengele: zu gefühlslastig, zu konservativ. Becker: übergenau, datenfixiert. Und schließlich Sie, Herr Kommissar! Ich will nun wirklich keine Scherze über Namen machen, aber Ihre Jagdbeute ist bei diesem Fall noch überschaubar.

Mit vielen Grüßen, bis bald – Ihr Stefan L.
(Name wurde vom Täter geändert)

PS: Diesmal bitte ich um eine kurze Bestätigung meines Bekennerschreibens. Bei einer Flaschenpost weiß man nie, ob es klappt. Ich habe vorsichtshalber jeweils eine Flasche in alle Seen der Umgebung gegeben.

Es war Badewetter, und die Seeufer waren überschwemmt mit Müßiggängern, Kreuzworträtsellösern und ölglänzenden Sonnenanbetern. Familien mit quäkenden Kindern räkelten sich auf bunten Frottees. Jessika war so ein Kind, gerade sprang sie herunter von ihrer Bibi-Blocksberg-Decke und lief ans Ufer. Sie tauchte ihren Finger ins Wasser, dann blieb sie mit offenem Mund stehen. Sie hatte schon davon gelesen, in wilden Abenteuerromanen, aber da auf dem Wasser kam tatsächlich eine daher, eine verstöpselte Flasche mit einem Blatt Papier darin. Wie konnte Flaschenpost von einer Insel des Pazifischen Ozeans bis hierher in den Riessersee gelangen? Jessika fischte die Flasche heraus und brachte sie ihren Eltern. Zehn Minuten später stand die ganze Familie im Polizeirevier.

Riessersee, Pflegersee, Eibsee, Badersee, Schmölzer See, Ferchensee, Schachensee, Stuibensee – na toll, es gab ja nur knapp zwanzig Seen in der näheren Umgebung. Die SoKo Marder verbrachte ein paar Stunden damit, die Flaschen in den anderen Seen zu suchen und einzusammeln. Es ergab ein eigenartiges Bild, als die komplette Mordkommission IV sämtliche Kähne des Bootsverleihs auf dem Pflegersee gemietet hatte, um sich auf dem Wasser zu verteilen und nach weiterer Flaschenpost Ausschau zu halten. Das Team war inzwischen aus der Zeitung gut bekannt. Für die Badegäste musste es so aussehen, als würden hier Wasserleichen gesucht, und kein Mensch ging mehr schwimmen.

»Und wer bezahlt mir das jetzt?«, fragte der Betreiber des Strandbads, als auch der letzte Gast sein Handtuch gepackt und das Gelände verlassen hatte. Kommissar Jennerwein gab ihm die Adresse des bayrischen Innenministeriums.

»Zuständig ist ein gewisser Herr Meiser in der Abteilung *Reparationsleistungen bei Kollateralschäden durch Polizeiarbeit*«, sagte Jennerwein. »Viel Glück.«

»Ich glaube, jetzt hat er einen Fehler gemacht«, sagte Maria. »Denn was wir nun haben, sind Schriftproben von gleichlautenden Briefen. Jeder Schriftsachverständige würde sich die Finger ablecken.«

»Warum das denn?«, fragte Becker, ebenfalls äußerst graphologiekritisch.

»Durch die größere Datenmenge kann man mit einer größeren Wahrscheinlichkeit sagen, ob die Schrift verstellt ist.«

Maria faxte Kopien der Schriftproben an *die* beiden internationalen Koryphäen des Schriftvergleichs. Nach einer halben Stunde kamen schon die Antworten, eine von der Stanford University und eine von der Sorbonne.

»Und?«, fragte Nicole, als Maria die Antworten gelesen hatte.

»Interessant. Die Experten sind der Meinung, dass vorliegende Handschriften nicht verstellt sind. Mit einer fast hundertprozentigen Wahrscheinlichkeit. Sagen Sie jetzt nichts, Stengele.«

»Ich sage ja gar nichts. Aber was bringt uns das, Maria?«

»Ich habe in den letzten Tagen von allen Zeugen, Verdächtigen und Halbverdächtigen, von allen, die mit diesem Fall irgendwie zu tun hatten, Schriftproben eingesammelt. Ich habe sie ihnen manchmal abgeluchst: Den heldenhaften Feuerwehrhauptmann Mirgl beispielsweise bat ich um einen Sinnspruch ins Poesiealbum meiner angeblichen Nichte. Andere Schriftproben habe ich gleich frei Haus geliefert bekommen, wie bei den Aufsätzen der Raskolnikoff-Gang. Bei der Verdächtigengruppe ›Stammtisch pensionierter Polizisten‹ gab es alte handgeschriebene Protokolle, und – vergessen Sie es alle gleich wieder – in zwei Fällen habe ich bei der Bank nachgefragt und die Proben bekommen.«

»Und, was ist dabei herausgekommen?«

»Ich habe inzwischen an die fünfzig Schriftproben, von Haupt- und Nebenfiguren, von mehr oder weniger Verdächtigen. Keine einzige stimmt nur im Entferntesten mit der Handschrift in den Bekennerbriefen überein. Keine einzige! Wissen Sie, was das heißt?«

»Das heißt leider, dass wir den Sack nicht zuschnüren können. Dass unser Marder sich außerhalb des ohnehin schon großen Kreises von Verdächtigen befindet.«

Jennerwein massierte seine Stirnlappen in der bekannten Weise. Er hatte das ganz feste Gefühl gehabt, dass sich der Täter innerhalb des Kreises befand. Sie alle waren der Meinung gewesen, dass sie ihn schon gesehen, gehört, gesprochen hatten, ihm vielleicht schon die Hand gedrückt hatten. Sie waren fest davon überzeugt gewesen, dass sich die Schlinge in Kürze zugezogen hätte. Besonders Kommissar Jennerwein war sich ziemlich sicher gewesen. Man verabschiedete sich gedrückt.

Jennerwein ließ sich von Maria in das Gästehaus Edelweiß fahren. Er verabschiedete sich knapp und ging in sein Zimmer. Er konnte ein unbestimmtes Gefühl der Bedrohung nicht abschütteln. Er war rundherum unzufrieden. Auch die Laserspur konnte er nicht so richtig weiterverfolgen. Er hatte einfach nicht genug Beamte zur Verfügung, um alle Hotelbalkone und Gästehausterrassen abzusuchen, von denen man den Beschuss Sørensens mit so einem Gerät durchführen hätte können. Er knipste das Licht aus.

Mitten in der Nacht schreckte er auf. Irgendwo im Raum war ein Geräusch zu hören gewesen, das nicht hierhinpasste. Er wusste nicht mehr, was er geträumt hatte, aber es war nichts Bedrohliches gewesen, er hatte das Geräusch nicht geträumt, es war hier im Zimmer erklungen, er konnte es jetzt nachträglich lokalisieren, es war vom Fußende des Bettes her gekommen. Ohne nachzudenken griff er zu seiner Dienstwaffe, die auf dem Nachttisch lag. Er tappte im Dunkeln danach, er wusste, wo sie lag, er bekam sie auch gleich richtig zu fassen. Es war vollkommen dunkel im Raum, nur ein Fenster stand offen, die weiße Gardine blähte sich undeutlich im Wind. Sein Zimmer lag im Erdgeschoss.

»Wer steigt schon bei einem Kriminalhauptkommissar ein!«, hatte er noch mit der Dame an der Rezeption gescherzt.

Er versuchte, seine Augen an die Dunkelheit zu gewöhnen. Keine Chance, er musste sich auf sein Gehör verlassen. Seine rechte Hand lag auf dem Nachttisch, sie hielt die Pistole fest umschlossen. Beim nächsten Geräusch würde er sie in die Richtung bringen, aus der er das Geräusch gehört hatte. Gleichzeitig würde er mit der anderen Hand die Nachttischlampe anschalten. Oder sollte er beides jetzt schon machen, um dem Eindringling einen Schritt voraus zu sein? Es war nicht viel Zeit vergangen, seit er das Geräusch gehört hatte, vielleicht eine halbe Minute. Jetzt war er hellwach. Er versuchte darüber nachzudenken, was für ein Geräusch es gewesen war. Er hatte diesen Klang in den letzten Tagen doch schon einmal gehört. Wann hatte er ihn gehört? Heute? Nein: gestern, während der Fahrt im Ortsbus. Was hatte er da gehört? Was hatte er da gemacht? O du meine Güte.

Jennerwein entspannte sich, nahm die Hand von der Dienstpistole und schaltete die Nachttischlampe an. Er ging zum Fußende des Bettes, über dem seine Jacke hing. Er nahm sein Mobiltelefon heraus und wählte die Nummer Nicoles.

»Ja, Chef.«

»Haben Sie mich gerade angerufen?«

»Ja, ich habe es nur einmal klingeln lassen, dann habe ich aufgelegt. Weil es schon so spät ist. Habe ich Sie gestört?«

»Nein, es ist nur so, dass – ich mir gestern einen neuen Klingelton – heruntergeladen habe – der ist noch etwas ungewohnt. Was gibt es so Wichtiges?«

»Habe ich Sie wirklich nicht gestört? Sie klingen so –«

»So was?«

»Lassen wir's gut sein. Wir haben einen Denkfehler begangen, das ganze Team. Das wollte ich Ihnen sagen.«

»Einen Denkfehler? Könnten Sie zur Sache kommen? Es ist gleich Mitternacht.«

»Maria ist sich sicher, dass die Schrift des Marders *nicht* verstellt ist. Sie hat fünfzig Schriftproben von Verdächtigen gesammelt, die *nicht* mit der des Marders übereinstimmten. Logische Schlussfolgerung daraus?«

»Der Marder ist *nicht* unter den fünfzig Verdächtigen.«

»Falsch. Das ist eben der Denkfehler. Wir sind wie selbstverständlich davon ausgegangen, dass er die Bekennerbriefe mit verstellter Schrift schreibt. Es könnte aber auch anders sein. Handschriftliches spielt heutzutage doch nur eine untergeordnete Rolle – wann haben Sie das letzte Mal eine Nachricht oder einen Brief mit der Hand geschrieben! Wenn der Marder diese Anschlagsserie schon lange geplant hat, hat er sich sicher gut vorbereitet. Maria meint, er verhält sich wie ein großes Kind. Vielleicht hat er im Alltagsleben schon seit Monaten seine Schrift verstellt. Deshalb konnte er es sich leisten, die Bekennerbriefe mit seiner ganz normalen Schrift zu schreiben.«

»Warum sollte er das tun?«

»Damit sich unsere Schriftsachverständigen die Zähne daran ausbeißen.«

»Ich verstehe. Dann müssten wir prüfen, ob sich unter den Schriftproben, die Maria eingesammelt hat, verstellte Schriften befinden?«

»Genau, Chef.«

»Gut gemacht, Nicole.«

»Äh, eines noch, Chef: Was ist das denn für ein neuer Klingelton?«

»Es ist ein Satz aus meinem Lieblingsfilm. Gute Nacht, bis morgen dann.«

49

Zur selben Zeit war im *Ochsenstüberl* noch einiges los. An einem der hinteren Tische wurde gekartelt, dumpf brüteten dort ein paar Spieler vor sich hin, einer pfefferte einen Trumpf auf den Tisch, darauf gleich noch einen zweiten. Doch sie spielten weder Schafkopf noch Watten, sie spielten ihr eigenes, unergründliches Spiel. Kein Kiebitz hatte es bisher geschafft, die Regeln zu durchschauen. Vielleicht handelte es sich um die bayrische Variante des altrömischen Kartenspiels, das die beiden Legionäre damals auf dem Kalvarienberg unter dem Kreuz gespielt hatten.

»Schmack!«, sagte einer der Kartler und warf sein Blatt in die Mitte.

»Hat der einen Schmack! So was«, murmelte der andere.

An den anderen Tischen im Ochsenstüberl ging es erheblich lauter zu. Am Stammtisch zum Beispiel saß Gemeinderat Toni Harrigl und führte das Wort.

»Das volle Chaos, das sag ich euch. Wenn der Mirgl nicht gewesen wäre! Da stünden wir jetzt anders da. Dann wäre das Ganze in die internationale Presse gekommen. Mit ungeahnten Auswirkungen. Prost Mirgl.«

Er stieß mit dem Feuerwehrhauptmann an, der beugte sich leicht zu ihm vor.

»Aber sag einmal, Harrigl, ich hab dich nirgends gesehen. Wo warst du denn bei der Suchaktion?«

»Außerhalb war ich eingesetzt. Auch so eine Fehlentscheidung von diesem Kommissar Jennerwein. Den ortskundigsten Mann ausgerechnet am Ortsrand einzusetzen! Aber ich habe mitgemacht. Sogar im *Pinocchio* war ich.«

»Verkaufen jetzt die Italiener auch schon Weißwürste?«

»Seit der EU-Erweiterung tut der Italiener doch alles Mögliche auf seine Pizza! *Pizza con salsiccia bianca* gibt's im Pinocchio, und ich kann euch sagen: Da haben wir einige beschlagnahmt.«

Im Ochsenstüberl hatte der Weißwurst-Vergifter den Schachenteufel thematisch verdrängt. Der Schlossermeister Wollschon gab gerade eine Runde aus.

»Weil alles gerade noch einmal gutgegangen ist beim Anschlag!«

»Das kannst du laut sagen, Wolli!«

Wolli Wollschon war Mitglied beim Volkstrachtenerhaltungsverein, und er war deshalb, zusammen mit dem Schuhplattler Kumpfsaitl, der ersten Angriffslinie zugeteilt worden.

»Ich gehe mit dem Kumpfsaitl in die Metzgerei Bröckl. Im Hinterzimmer kochen zweihundert Weißwürste im Kessel. Vernichten! Vernichten!, hab ich geschrien, sofort alles vernichten! Da nimmt sich der Kumpfsaitl seelenruhig eine Wurst heraus und frisst sie. Ja spinnst du!, schreie ich. Wird schon nicht grade die vergiftete sein, sagt er. Der Kumpfsaitl. Da erlebst du was bei so einem Katastropheneinsatz! Mein lieber Schwan.«

Neben dem Schlossermeister saß der Dorfmediator und Konfliktforscher Manfred Penck.

»Was sagst dann du als *Gstudierter* dazu?«, fragte ihn der Glasermeister Pröbstl. Von einem siebengescheiten Akademiker wurde erwartet, dass er einen Kommentar dazu abgab. Penck nuckelte an seinem Bier und sagte:

»Ich kenne sie ja persönlich, die Maria Schmalfuß, vom Studium her. Ich habe sie hier zufällig wiedergetroffen. Da hat sie mir erzählt, dass sie inzwischen bei der Polizei ist. Das ist ganz typisch: Die, die im Studium gar nichts reißen, die gehen dann zur Polizei. Die Polizei ist geradezu ein Sammelbecken –«

Penck wollte sich jetzt, ganz im Trend der öffentlichen Meinung, aber psychologisch unterfüttert, auf die Polizei einschießen, da kam Willi Angerer mit seiner neuen Forstamtsgehilfin herein und setzte sich.

»Angerer, wo warst denn dann du?«, fragte der Harrigl.

»Wann soll ich wo gewesen sein?«

»Ja, du weißt schon.«

»Nichts weiß ich.«

»Nichts weißt du. So.«

Und da schau her, großes Hallo: Auch der Bürgermeister kam noch auf einen Sprung herein.

»Ganz kurz nur«, sagte er. »Ich muss morgen früh raus, ein Interview, deshalb nur ein kleines Weißbier. Mirgl, wie steht es um die Kreitmayerin? Weißt du etwas Genaueres?«

»Nimmt sich der Kumpfsaitl seelenruhig eine Wurst heraus und frisst sie«, sagte Wolli Wollschon mit schwerer Zunge.

»Nein, das weiß ich nicht«, sagte Feuerwehrhauptmann Mirgl, »Informationssperre. Aus dem Krankenhaus erfährst du nichts.«

»Aha, Informationssperre, da schau her!«, rief Manfred Penck. »Den Kopf sollen wir schon alle hinhalten für die Polizei, dafür sind wir gut genug. Aber wenn wir dann wissen wollen, wie es einem Opfer geht, dann behandeln sie uns wie die letzten Deppen.«

»Informationssperre hin oder her – ein bisserl was ist doch durchgedrungen«, sagte der Apotheker Blaschek, der aus dem Tschechischen herübergemacht hatte und der der zweite Akademiker am Tisch war. »Botulin war in der Weißwurst drin. Botulin. So heißt das Gift.«

»Woher weißt du denn das?«, fragte Penck.

»Beziehungen«, zwinkerte Blaschek. »Fürchterlich, das Zeug. Die Auswirkungen kann man gar nicht beschreiben. Es beginnt mit einem Hüsteln, einem leichten Hüsteln, wo alle sagen: Was hüstelst du denn so? Das geht über in ein Zucken, ein leichtes Zucken –«

»Hast du eigentlich ein paar Gramm von diesem Botulin bei dir in der Apotheke?«, unterbrach ihn der Angerer Willi.

»Freilich«, sagte der Blaschek, »aber fehlen tut sich nix, kein Fitzelchen – wenn ihr das meint.«

Das Gespräch drehte sich nicht mehr um ihn, so etwas mochte der Harrigl gar nicht.

»Ich habe sozusagen eine *embedded operation* gemacht«, sagte er so laut, dass sich alle in der Runde zu ihm hindrehen mussten.

»Was hast gemacht?«, fragte der Pfarrer, der nach der Spätmesse gerne noch auf einen Absacker hereinkam.

»Vernichten! Vernichten!, hab ich geschrien, und der Kumpfsaitl frisst seelenruhig eine Wurst«, lallte Wolli Wollschon.

»Ich habe der Polizei bei der Gelegenheit ein bisschen auf die Finger geschaut«, fuhr Harrigl fort. »Und ich kann euch sagen, von einer Organisation ist da kaum eine Rede gewesen. Die sind herumgestolpert wie die Anfänger. Ein Wort von mir würde genügen, ein einziger Anruf im bayrischen Innenministerium –«

»Na, na, jetzt ist es aber gut«, sagte Feuerwehrhauptmann Mirgl. »Der Jennerwein ist schon recht. Und seine Leute auch. Lass ihn doch einmal in Ruhe arbeiten.«

»So ist es«, sagte der Apotheker Blaschek und erhob sein Bier. »Jeder tut seine Arbeit. Ich misch mein Botulin, und der Kommissar jagt seinen Merder.«

Nach zwölf verfiel er oft ins Böhmische, der Blaschek.

»Ja, verteidigt sie nur, die Beamtenköpfe!«

Mit diesen Worten stand Toni Harrigl auf. »Ein einziger Anruf würde genügen«, murmelte er, als er am Tisch der stummen Kartenspieler vorbeischwankte.

50

Nicht viel später stapfte ein altes Mütterchen mit zwei Plastiktüten durch die warme, menschenleere Sommernacht des Kurortes. Sie beschleunigte ihre Schritte, soweit das in ihrem Alter eben noch möglich war. Einige Nachtschwärmer schüttelten den Kopf über die wunderliche Alte und riefen ihr Spottworte nach. Sie lächelte und achtete nicht weiter darauf. Dann aber blieb sie stehen und strich sich zwei graue Haarsträhnen aus dem Gesicht. Da vorne, am Ende der ansteigenden Straße war das alte, holzverkleidete Haus in Sicht gekommen, das große Schild mit der altmodischen Inschrift *Pension Alpenrose* hob sich stolz vom Nachthimmel ab. Ein Licht brannte, oben im Zimmer der Direktrice. Margarethe Schober hatte vielleicht schon wieder einen neuen Schwung Liebesromane bekommen. Das alte Weiblein näherte sich dem Haus, sie verlangsamte die Schritte und sah sich genau um. Eine Zeitlang stand sie regungslos und betrachtete die Fassade des Hauses. Wohnte sie hier? Als die zerknautschte Kopftuchgestalt um das Haus herumging, schien es fast so. Doch was war das? Auf der Rückseite des Hauses bückte sie sich behende und warf ein Steinchen hoch an ein Fenster im ersten Stock. Sie stieg mit erstaunlichem Geschick auf einen Holzstoß, sprang von da aus auf einen niedrigen Schuppen, der in der Deckung einer wuchtigen Buche lag, dann hangelte sie sich weiter über die Feuerleiter bis zu einem schmalen Balkon. Im ersten Stock öffnete sich das Fenster, das Mütterchen schwang sich katzengleich hinüber zum Fensterbrett und stieg hinein.

Frau Schober war schon auf Seite 46 des Romans *Herzen brennen nur sonntags*, Wong versuchte ein Gähnen zu unterdrücken, und Shan sagte säuerlich verschlafen:

»Und? Schon etwas herausbekommen?«

»Einiges«, sagte Karl Swoboda, während er sich die künstliche Nase entfernte und das Kopftuch abnahm. »Eines muss man euch lassen, die Wohnung, die ihr hier ausgesucht habt, ist allererste Sahne. Ich habe in meiner ganzen Laufbahn keine Operationsbasis gesehen, die man so unbeobachtet betreten und wieder verlassen kann.«

»Aber was hat er herausgefunden, der Herr Problemlöser?«

Es war erstaunlich, wie rasch sich Karl Swoboda nun wieder in einen ganz normalen, unauffälligen Mann mittleren Alters verwandelte. Das, was das *alte Mütterchen* ausgemacht hatte, steckte in den beiden Plastiktüten. Swoboda hatte seine Verwandlungsrequisiten immer dabei. Wenn etwas schiefgegangen wäre bei seinem Streifzug durch den Ort, dann hätte er sich in einer Toilette oder in einem Nebenzimmer blitzschnell in eine andere Figur verwandeln können. Ein-, zweimal hatte ihm so ein Plastiksackerl schon das Leben gerettet.

»Ich habe einige interessante Dinge erfahren«, sagte Swoboda. »Man hat Mitleid mit einer alten Frau, deshalb erzählt man ihr einiges. Wusstet ihr zum Beispiel, dass der Schwippinger Jakob vor seiner Frau, der Christine Schwippinger, so tut, als hätte er eine Freundin, in Wirklichkeit aber geht er zum Angeln?«

Shan seufzte.

»Nein, das wussten wir nicht. Ist das wichtig für uns?«

»Es war nur ein Beispiel, was man alles erfährt. Also, kurz gesagt: Dieser Toni Harrigl, der Lokalpolitiker, den ich zuerst in Verdacht gehabt habe – der hat mit den Anschlägen nichts zu tun, das kann ich mit ab-so-lu-ter Bestimmtheit sagen.«

»Ach ja?«

Shan und Wong machten ihre gewohnten morgendlichen

Tai-Chi-Übungen, Shan war gerade bei der Übung *Der Löwe springt über den brennenden Busch*, Wong versuchte das schwierige *Fließen ohne Ziel.*

»Das Einzige, was Menschen wirklich interessiert«, fuhr Swoboda fort, »ist die Aufmerksamkeit von anderen Menschen. Der Harrigl, das ist einer, der sowieso schon im Mittelpunkt steht, der braucht derartige Faxen nicht. Unser Mann muss einer in der zweiten Reihe sein – der aber in die erste Reihe will. Nach so einem müssen wir suchen und nach keinem anderen.«

Frau Dr. Maria Schmalfuß wäre begeistert gewesen von Swobodas auf den Punkt gebrachter Psycho-Analyse. Wong nickte, ohne seine Übung zu unterbrechen. Shan hatte die Position *Zittergras* eingenommen:

»Wie steht es mit dem Bürgermeister?«

»So ein Bürgermeister hat einen vollen, offiziell protokollierten Terminplan. Wann soll der da noch unbemerkt auf den Schachen gehen – zwischen zwei Fernsehinterviews? Wo soll der sein Botulin besorgen – in der Marktapotheke?«

»Vielleicht hat er Helfer, der Bürgermeister?«

»Nein, ich bin mir ganz sicher, dass der Attentäter vollkommen alleine arbeitet. Der will alles für sich.«

Draußen dämmerte es jetzt, die ersten Vögel zwitscherten, ein barocker Sonnenaufgang bereitete sich vor, als Frau Margarethe Schober ihr Buch mitten in einer aufköchelnden Liebesszene zuklappte und einen Entschluss fasste. Mit den Frühstücksvorbereitungen musste sie erst in einer halben Stunde beginnen. Jetzt oder nie. Sie ging hinunter in den ersten Stock und klopfte leise an die Tür der Gäste, die sich beim Einchecken als malaiische Geschäftsleute auf Skiurlaub ausgegeben hatten.

Drinnen im Zimmer reagierte man darauf nicht mehr gar so hektisch wie das letzte Mal. Man erkannte Frau Schober am Klopfen. Gut, Swoboda schlich natürlich ins Nebenzimmer, aber Wong griff nicht mehr zu seinem Gnadgott, und Shan pirschte nicht an die Tür, sondern schlenderte entspannt hin.

»Entschuldigen Sie die frühe Störung«, sagte Frau Schober, als Shan ihr öffnete, »aber ich habe bemerkt, dass Sie schon wach sind. Ich wollte etwas mit Ihnen besprechen.«

Selbstverständlich zelebrierte sie dazu die dreiviertelte Blautannenverbeugung. Als sie sich wieder aufrichtete, lugte sie ins Zimmer, in Richtung von Wong, der da am Fenster stand und die Übung *Der Affe staunt über den fallenden Schnee* machte.

»Ist mit der Kühltruhe etwas nicht in Ordnung?«, fragte Shan. »Wir haben versucht, sie sauber zu machen, so gut es eben geht.«

»Nein, die Kühltruhe ist schon in Ordnung. Da ist etwas anderes.«

Frau Schober druckste herum. Shan bat sie ins Zimmer. Als die Direktrice auf dem Sofa saß, irrten ihre Augen zwischen Shan und Wong hin und her. »Ich meine, Sie sind wirklich gute Gäste. Sie bezahlen Ihre Miete im Voraus, es geht mich auch nichts an, warum sie zuerst nur eine Woche bleiben wollten und nun schon ein paar Monate da sind. Ich habe auch nie gefragt, wo der ernsthaft dreinblickende junge Mann geblieben ist, der am Anfang auch hier gewohnt hat. Es geht mich auch nichts an, dass Sie inzwischen einen anderen Freund gefunden haben.«

Shan und Wong sahen sich kurz an. Hatte Frau Schober etwas von Swoboda bemerkt? Hatte sie seine schier unglaublichen Verkleidungs- und Tarnkünste durchblickt?

»Was meinen Sie?«, fragte Shan. »Wir wissen nicht, wovon sie sprechen.«

»Ich meine diesen anderen Herrn, der kein Chinese ist, und der so gerne Perücken trägt. Gut, auch das geht mich nichts an. Wenn jemand gerne Perücken und Frauenkleidung trägt, dann ist es halt so. Da gibt es ganz andere Sachen. Was ich Ihnen da erzählen könnte von meinen Gästen! Von Herrn Ministerialdirigent Brömse und seiner Frau zum Beispiel. Was die für Vorlieben haben! Da ist das mit ihrem Freund ja noch harmlos. Aber ich bitte Sie, diskret zu sein. Der gute Ruf meines Hauses –«

»Sie müssen sich irren. Wir kennen niemanden, auf den Ihre Beschreibung zuträfe.«

Die Direktrice stand auf und machte, rückwärtsgehend, mehrmals die Blautanne.

»Natürlich nicht. Ich wollte nicht weiter stören. Das Privatleben meiner Gäste ist für mich tabu, glauben Sie mir. Ob Frauenkleider oder nicht. Aber weil ich schon mal da bin. Wie wollen Sie die Frühstückseier? Anderthalb Minuten?«

»Natürlich. Wie immer. Und den Tisch am Fenster.«

Nachdem Frau Schober gegangen war, waren alle zunächst vollkommen fassungslos. Niemand hatte eine Bedrohung aus dieser Richtung erwartet. Karl Swoboda kam wieder aus dem Nebenzimmer.

»Die Augen«, sagte er. »Sie hat mich an den Augen wiedererkannt.«

»Langsam wird der Herr Problemlöser selbst zum Problem«, sagte Shan.

»Kusch!«, sagte Swoboda. »Die Frau Schober ist eine, die auf die Augen schaut. Das findet man ganz selten. Die meisten schauen auf das, was man ihnen zeigt. Man gibt ihnen Stereotype, und sie nehmen die Sterotype. Sie lassen sich vom äußeren Erscheinungsbild blenden und merken sich keine Details. Diese Frau Schober habe ich unterschätzt. Sie hat mir in die Augen gesehen! Wirklich erstaunlich.«

Shan hatte ihre Tai-Chi-Übungen beendet und lockerte sich. Aus der gelockerten Haltung heraus sagte sie in scharfem Ton:

»Ich mag es nicht, wenn die unberechenbaren Faktoren überhandnehmen. Was ist eigentlich mit dem Arzt, den wir mit viel Mühe beseitigt haben? Was hat das für einen Sinn gehabt, wochenlang an einer aufwändigen Legende zu bauen, Papiere zu fälschen, Gelder zu verschieben – wenn dieser Kommissar Jennerwein das Lasergewehr nicht findet!«

»Warum er das nicht gefunden hat, das ist mir auch unerklärlich. Manchmal geht halt was schief.«

»Beim Herrn Problemlöser geht mir langsam zu viel schief.«

»Ihr müsst ja grade reden. Ich kann jederzeit wieder fahren. Dann wird es halt nichts mit Chaoyang 2018. Und dann habt ihr beiden wirklich ein Problem. Ein lebensgefährliches Problem.«

»Beruhigung.«

»Ist schon gut. Dann können wir dem Dr. Steinhofer den Neujahrsanschlag halt nicht in die Schuhe schieben, dann müssen wir es jemand anderem in die Schuhe schieben. Und ich habe das feste Gefühl, das wird der Trittbrettfahrer sein. Aber dazu müssen wir ihn erst fassen, Freunde.«

Shan und Wong gaben nach und hörten geduldig zu.

»Ich habe diesen Burschen, diesen trittbrettfahrerischen, direkt vor Augen. Vor Augen ist der falsche Ausdruck – ich weiß nicht, wie er ausschaut, aber ich weiß, wie er gestrickt ist. Es ist einer aus dem Ort, da bin ich mir sicher. Ich brauche jetzt jemanden, der die Einwohner des Ortes aus dem Effeff kennt. Ich brauche jemanden, dem ich meine Vorstellung, meine Silhouette zeige, und der dann sagt: Ja, so wie du ihn beschreibst – das kann nur der oder der sein.«

»Und wer soll das sein?«

Karl Swoboda wusste, wer das sein könnte. Oder besser gesagt: welche *beiden* das sein könnten.

51

Polizeiobermeister Ostler, dem die Schmach des beschrifteten Schaukastens vor dem Polizeirevier immer noch nachhing, schlug einen schärferen Ton an.

»Auf den Gedanken, bei uns anzurufen, sind Sie wohl nicht gekommen?«

Der Fahrer des Ortsbusses drehte mit den Händen verlegen an seiner Uniformmütze herum. Einerseits hatte er Respekt vor Ostler, andererseits war er sich keiner Schuld bewusst:

»Gerade, wenn *so* einer einsteigt, da denkt man doch nicht, dass mit dem etwas nicht in Ordnung ist. Ich hab mir halt gedacht, dass sich der unsere schöne Gemeinde vielleicht ein bisserl anschauen wollte.«

»Fünfmal hintereinander? Immer dieselbe Strecke?«

»Ich habe mir gedacht, so ein arabischer Tourist, der von daheim her nur Sand und Kamele kennt, der fliegt morgen vielleicht wieder nach Hause, und darum will er sich heute noch die schöne grüne Landschaft im Werdenfelser Tal einprägen.«

»Ja freilich, und da hat er das größte Kamel vorne im Führerhäuschen vom Ortsbus sitzen sehen! Ist es Ihnen denn nicht aufgefallen, dass ihr Fahrgast offensichtlich unter Drogeneinfluss stand?«

»Ja, ein bisserl einen Suri hat er schon gehabt, wie ich zu ihm hingegangen bin. Aber ich habe mir gedacht, solche Araber, die dürfen ja bekanntlich nichts trinken daheim. Da hat er vielleicht, an seinem letzten Tag hier in Bayern, noch ein paar Mass

Bier gezischt, um sich die Werdenfelser Landschaft entspannter anzuschauen.«

»Haben Sie denn wenigstens denjenigen gesehen, der ihn in Ihren Bus geschleppt hat?«

»Ja, im Rückspiegel, aber nur schemenhaft.«

»Können Sie ihn beschreiben?«

»Ich bin Ortsbusfahrer, und kein Privatdetektiv.«

»Irgendein Anhaltspunkt? Frau? Mann? Schwarz? Weiß? Groß? Klein?«

»Na ja, was heißt groß, was heißt klein? Das ist alles relativ. Es war halt so eine mittlere Gestalt.«

»Na servus. Es war eine mittlere Gestalt. Kreizkruzifix! Ich werde auch Angestellter im öffentlichen Dienst! Da hat man es einfach.«

Johann Ostler riss das Blatt aus der Schreibmaschine und hielt es dem Busfahrer zum Unterschreiben hin.

»Ja, Sie müssen mich aber auch verstehen«, maunzte der Busfahrer, als er unterschrieben hatte. »Das sage ich jetzt außerhalb des Protokolls. Da kommt ein Araber und hat was getrunken. Und da kann ich doch nicht hingehen und sagen: Sie, jetzt steigen Sie bitte aus, Sie sind mir irgendwie verdächtig. Der verklagt mich am Ende noch wegen Diskriminierung. Ja, zugegeben: Ich habe natürlich heimlich hingeschaut, in meiner Eigenschaft als Angestellter im öffentlichen Dienst, an die Stelle, wo normalerweise der Sprengstoffgürtel – aber ich kann doch nicht sagen: Bitte, ziehen Sie einmal Ihre Jacke hoch! Ist das Ihre Wampe oder ist das ein Sprengstoffgürtel? Aha, danke, in Ordnung, nächster Halt Farchant. Was meinen Sie, was da morgen in der Zeitung steht! Wie schnell ist man nach Nürnberg strafversetzt! Also habe ich mich wieder ans Steuer gesetzt, bin die Route fünfmal gefahren, dann war Dienstschluss. Und jetzt bin ich da.«

»Ja gut, ich habe Ihre Aussage aufgenommen. Und fahren

Sie Ihren Bus bitte ganz schnell wieder weg. Der verstellt uns ja den ganzen Parkplatz.«

Der Fahrer des Ortsbusses trollte sich schimpfend. Dem Aussehen nach zu urteilen konnte das Häuflein Elend, das an der Wand lehnte, wirklich ein Araber sein, doch die Personalien festzustellen war nicht möglich: Der Mann wirkte desorientiert und war nicht ansprechbar. Ostler und der herbeigerufene Hölleisen griffen ihm dezent in alle Taschen. Der Unbekannte ließ sich das gefallen, sie fanden jedoch keinerlei Ausweispapier. Sie setzten ihn auf das hölzerne Wartebänkchen. Dort saßen normalerweise Parksünder, die wissen wollten, wohin ihre Autos abgeschleppt worden waren, und dass sie doch nur zwei Minuten, eigentlich bloß ein paar Sekunden. Der eventuelle Araber schwieg weiterhin, er schien sich in einer anderen Welt zu befinden. Seine Augen weiteten sich manchmal so, als sähe er etwas Erstaunliches und Überirdisches, manchmal senkten sich die Lider, als wollte er einschlafen.

»Wir sollten vielleicht doch einen Arzt holen«, sagte Hölleisen. »Ich glaube, der hat mehr als ein paar Maß Bier getrunken. Hast du den Chef inzwischen angerufen?«

»Ist schon unterwegs.«

»Und Nicole? Die hat mir erzählt, dass sie in Recklinghausen einmal einen VHS-Kurs Arabisch belegt hat.«

»Ist ebenfalls unterwegs.«

»Rosebud«, sagte der Mann auf der Wartebank plötzlich laut und deutlich.

Die beiden Polizisten drehten sich zu ihm um. »Wie bitte?«

»Rosebud. Call one-four-one-three.«

»Das ist nicht Arabisch«, sagte Ostler. »Das ist Englisch. Die Nummer der amerikanischen Garnison.«

»Wir rufen dort an.«

»Gute Idee.«

Zwischen dem Zeitpunkt, als Ostler im Marshall-Center anrief und das Wörtchen »Rosebud« aussprach, und dem ohrenbetäubenden Reifenquietschen vor der Polizeiwache lagen keine fünf Minuten. Ein Jeep fuhr schliddernd in die Einfahrt, wie es noch nie jemand gewagt hatte, dort hineinzudonnern. Zwei amerikanische Militärpolizisten sprangen heraus, sie schrien etwas in ihre Walkie-Talkies und stürmten polternd ins Revier. Ostler und Hölleisen, beide nicht eben schreckhaft, zuckten dann doch ein wenig zusammen, als sie die Riesen ins Zimmer stürmen sahen. Die gefühlten Zweimeterzwanzigkerle der US-Army, im Zweitberuf sicher Basketballprofis in der NBA, schlugen die Hacken zusammen, grüßten Ostler und Hölleisen militärisch ehrerbietig und deuteten erfreut auf den dasitzenden Busfahrgast. Einer von ihnen packte ihn sich wie selbstverständlich über eine Schulter, so wie man ein schlummerndes Kleinkind über die Schultern wirft, und trug ihn nach draußen. Sie verluden ihn dort gemeinsam in den Jeep und machten Anstalten, militärisch korrekt grüßend, aber sonst wortlos, davonzubrausen.

Hölleisen und Ostler liefen ihnen auf den Hof nach.

»Entschuldigung, wir müssen noch einige Formalitäten –«

Ostler brach ab. Er wusste, dass es vergeblich war. Bevor der Jeep anfuhr, war noch ein Mann ausgestiegen, ein unauffälliger, kleiner Mann mit Sonnenbrille. Ostler kannte ihn.

Nicht gar so kühn, aber ebenfalls mit quietschenden Reifen, kamen Jennerwein und Maria in den Hof gefahren.

»Was ist los?«, fragte Jennerwein.

Ostler und Hölleisen berichteten kurz von den Ereignissen.

»Marder, die vierte«, sagte Maria. »Wie er es angekündigt hatte: Kein Anschlag gegen ein bayrisches Symbol, sondern ein Angriff auf die – na ja – internationale Sicherheit. Eine Entführung also. Aber eine Entführung, bei der er vielleicht den Falschen erwischt hat?«

»Ich denke, dass er genau den Richtigen erwischt hat«, sagte Ostler. »Das muss ein ganz Wichtiger gewesen sein.«
»Haben Sie eine Ahnung, wer das war?«
Ostler deutete über den Hof.
»Nein, aber ich habe eine Ahnung, wer *das* sein könnte.«
Der müde aussehende Mann mit der Sonnenbrille, der an der Ecke gewartet hatte, kam nun langsam über den Parkplatz. Schon von weitem hielt er einen Ausweis hoch. Zielstrebig ging er auf Jennerwein zu, als wüsste er, wer hier der Chef ist, nämlich der unauffälligste in der Gruppe.
»Hallo«, sagte er zu Jennerwein, »Sie sind sicherlich der ranghöchste Beamte hier.«
»Was bedeutet CIC?«, fragte Jennerwein, nachdem er den Ausweis des müden Mannes studiert hatte.
»CIC heißt ›United States Army Criminal Investigation Command‹. Eine spezielle Abteilung der Militärpolizei. Um es kurz zu machen: Vergessen Sie, was gerade geschehen ist.«
»Ich bin ein bayrischer Beamter, ich kann nicht so schnell vergessen.«
»Ich brauche bloß den Innenminister anzurufen. Den amerikanischen Innenminister wohlgemerkt. Oder den US-Botschafter, der gerade in – warten Sie – Bad Tölz Urlaub macht. Wollen Sie so einen Wirbel? Einfacher ist es, Sie vergessen den Mann wieder.«
»Den Araber?«
»Er ist kein Araber. Er ist amerikanischer Staatsbürger. Ich verrate kein Geheimnis, wenn ich Ihnen sage, dass er ein sehr wichtiger amerikanischer Staatsbürger ist. Er untersteht deshalb unserer Gerichtsbarkeit, nicht Ihrer. Also?«
»Habe ich eine Wahl?«
»Nein«, sagte der Mann mit der Sonnenbrille. Er sprach akzentfreies Deutsch. »Sie haben zur Zeit sicher andere Dinge zu erledigen. Diese Sache hat nichts mit Ihrer Arbeit hier zu tun.«

»Woher wollen Sie das wissen?«

»Ich weiß es. Ich würde Ihnen empfehlen, die Episode zu vergessen, dieses Gespräch zu vergessen, mich zu vergessen.«

Jennerwein zuckte die Schultern.

»So etwas habe ich gern!«, schimpfte Maria, als der Mann mit der Sonnenbrille gegangen war. »Das können wir doch nicht so einfach hinnehmen.«

»Beruhigen Sie sich, Maria«, erwiderte Jennerwein. »Ich habe nicht vor, das einfach hinzunehmen. Ich werde mich an den Chef wenden. Und ich werde die Staatsanwältin anrufen. Aber das alles stellen wir zurück. Wir sollten uns vordringlich mit unserem Fall beschäftigen.«

»Das finde ich auch«, sagte Hölleisen verschmitzt. »Wir sollten uns zum Beispiel *damit* beschäftigen.«

Er ging zu seinem Schreibtisch, nahm eine Pinzette, und hob damit ein beschriebenes Blatt Papier in die Höhe.

»Sagen Sie bloß –«

»Das habe ich dem Unbekannten aus der Tasche gezogen. Ich dachte mir schon, dass der Marder dahintersteckt. Und wenn die Amis so etwas erst in den Fingern haben, dann rücken sie es nie mehr raus. Das kennen wir von früheren Fällen. Die beiden GIs haben mir keine Zeit gelassen, es zu fotokopieren und das Original zurück –«

»Gut, nennen wir es: improvisierte Beweismittelsicherung durch offensichtlichen Notstand.«

Maria streifte sich die Einmalhandschuhe über, nahm den Brief und begann vorzulesen.

Lieber Herr Kommissar, liebes Team!

Wie geht's Ihnen? Ist unser kleiner Ort nicht top-international? Manche Kurorte würden davon träumen: Russische Ho-

tels am Sonnenhang, amerikanische Militärpräsenz allerorten, abgeschiedene arabische Enklaven. Und überall viel Geld, viel Sicherheit, viele Leibwächter. Unser Kurort ist wie Genf, nur felsiger. Letzte Woche bin ich in der Warteschlange bei Krusti vor dem Handelsminister von Costa Rica gestanden …

»Das passiert jede Woche, du Knaller«, murmelte Ostler. »Kein Grund, damit anzugeben.«

… Hey, Enrico!, habe ich gesagt, und er hat zurückgegrüßt. Im Ochsenstüberl sucht man einen vierten Mann fürs Schafkopfen, wer erklärt sich dazu bereit und spielt mit? Condoleezza Rice, die auf ein Bier hereingeschneit ist …

»Condoleezza Rice? Spinnt er jetzt?«, sagte Nicole.

»Doch, doch«, sagte Ostler, »die hält hier im Marshall Center öfters Vorträge. *Und* sie ist eine leidliche Schafkopferin.«

»Bitte weiterlesen«, sagte Jennerwein. »Es eilt. Wir haben heute noch viel vor.«

… Nicht alle kennt man aus der Zeitung. Je wichtiger sie sind, desto weniger sieht man sie in der Glotze. Aber wissen Sie, woran man sie erkennt? An ihren stets präsenten Leibwächtern …

»Leute, die so wichtig sind, dass man nicht wissen darf, dass die entführt werden«, sagte Jennerwein nachdenklich. »Was hat er vor? Erst macht er einen Anschlag mit möglichst viel öffentlichem Trara. Und jetzt so eine geheime Verschluss-Sache.«

… Ich hätte mir den Außenminister von Katar greifen können, oder den irakischen Handelsattaché. Aber der Rummel, den es dann gegeben hätte, hätte Sie alle zur absoluten Witzfigur

gemacht. Ich finde euch sympathisch, liebes Jennerwein-Team, ich will euch nicht vernichten …

»Ja, vielen Dank, das freut uns außerordentlich«, sagte Hölleisen gereizt. »Jetzt duzt er uns schon. Unglaublich!«

»Das ist seine Art, sich uns emotional zu öffnen.«

»Da pfeif ich wirklich drauf.«

»Weiter«, sagte Jennerwein.

… Was benötigt man für eine Entführung? Nichts weiter als ein kleines Säckchen mit Sand (macht bewusstlos) und eine 0,2-Milliliter-Spritze Muscimol (macht willenlos). Wo sind die guten Orte für Entführungen? Ich würde sagen: Auf dem Kramerplateauweg und auf dem Philosophenweg wimmelt es von Super-Wichtigen und ihren dazugehörigen Weichteilschützern. Man erkennt sie sofort, die hirnlosen Gorillas, die sich als Spaziergänger tarnen. Kein Mensch guckt sich so den Wald an wie diese Typen. Ich bin im Wald zu Hause. Ich werde mich von den Bäumen fallen lassen wie die Zecke auf die Wildsau …

»Er hat Leibwächter niedergeschlagen? Das sind doch ausgebildete Kräfte.«

… Ich schicke Ihnen den Beweis meiner Kunst per Gemeindebus.
Bis bald, mit vielen Grüßen – Ihr Entführer

Maria faltete den Brief zusammen.

»Wie die Zecke auf die Wildsau, so, so.«

»Er hat wieder einmal seine Macht gezeigt. Rein vom Strafmaß her war das der gewichtigste Anschlag. Freiheitsberaubung, Entführung, Verschleppung –«

»Und den Martini bitte geschüttelt, nicht gerührt«, warf James Bond lässig ein. Alle sahen sich verdutzt an. Jennerwein errötete leicht und griff schnell nach seinem Mobiltelefon.

»Schöner Klingelton«, gickerte Nicole.

»Ja, Becker? Wunderbar!«, rief Jennerwein. »Wir kommen sofort.«

»Was gibt's?«

»Becker hat das Hotelzimmer gefunden, von dem aus Sørensen beim Neujahrsspringen vermutlich beschossen wurde. Hölleisen, Sie kommen bitte mit, Sie wissen, wo dieses Hotel ist. Ostler, Sie halten hier die Stellung: Falls noch mal ein Ortsbus vorbeikommt und einen weiteren verwirrten Amerikaner abliefert.«

52

»Becker, Becker, wenn wir Sie nicht hätten!«, schmeichelte Maria im Foyer des Wellness-Hotels *Waltrauds Wohlfühloase*. Es roch aufdringlich nach Schwimmbadchlor und Saunaaufgüssen, zudem waren alle Angestellten streng angewiesen worden, den Gästen bei jeder sich bietenden Gelegenheit ein herzliches *Griaß God! Kammahoiffn?* entgegenzuschreien.

»Kri-aß Gohd! Naa, donkschee«, versuchte Nicole Schwattke zu antworten.

»Vergessen Sie's«, sagte Stengele.

Becker führte das Team durch die verschlungenen Gänge des Hotels. Die Hotelbesitzerin Waltraud zockelte hinterher, sie war wenig begeistert von dem polizeilichen Interesse an ihrer Wohlfühloase.

»Von hier aus muss er geschossen haben«, sagte Becker, als sie das Hotelzimmer betraten, »da bin ich mir ziemlich sicher.«

Das Hotelzimmer befand sich voll im Griff der Pinsler, Klopfer, Fotografen und Computerfreaks. Waltraud seufzte.

»Warum sind Sie so sicher?«, fragte Nicole.

»Ich habe zunächst die These von dem umgelenkten Strahl beiseitegelassen und einen direkten Beschuss angenommen. Wir haben die Fernsehbilder unter dieser Voraussetzung nochmals analysiert. Aus der Reaktion von Åge, aus der Bewegung, die sein Bein macht, haben wir das Terrain errechnet, von dem aus der Strahl generiert worden sein muss. Wir konnten den Bereich zwar ziemlich einengen, es blieben aber immer noch jede Menge Hotels und Pensionen übrig, bei denen wir klingeln mussten. Schließlich haben wir festgestellt, dass der Schuss in diesem Raum abgefeuert wurde.«

Jennerwein trat ans Fenster. Vor hier aus konnte man das Skispringen sicherlich mit bloßem Auge verfolgen. Ein wunderbarer Stehplatz für einen Skisprungfan. Oder für einen Skisprunghasser.

»Und warum sind Sie sich da so sicher?«, fragte er.

Becker setzte sein Da-müsste-ich-jetzt-weit-ausholen-Gesicht auf. Er atmete ein, verdrehte die Augen und setzte zum Reden an.

»Erklären Sie es uns bitte so, dass wir es verstehen«, sagte Jennerwein.

»Gut, ich werde es versuchen. Der Energieaufwand für den Laserstrahl, den der Schütze erzeugen musste, um bis zur Schanze zu kommen, hinterlässt Spuren. Sie wissen alle, dass es bei der Erzeugung von Laserstrahlen um quantenmechanische Prozesse – gut!, ist ja schon gut. Man braucht eine Flüssigkeit oder ein Gas, um die langsamen Lichtstrahlen in schnelle Laserstrahlen umzuwandeln. ›Pumpen‹ nennt man das. Die verschiedenen Arten von Lasern sind übrigens nach diesen Stoffen benannt. Helium-Cadmium-Laser, Metalldampf-Laser, Argon-Krypton-Laser. Alle Stoffe sind nachweisbar, auch Wochen danach noch. Auch Monate.«

»Wir reinigen unsere Zimmer regelmäßig«, sagte Frau Waltraud beleidigt.

»Das hat mit Reinigung nichts zu tun. Je mehr sie reinigen, desto mehr geben sie den Spurensuchern Hinweise, wo sie suchen müssen«, sagte Becker.

»Und was haben Sie hier im Zimmer gefunden?«

»Wir haben hier Konzentrationen von Ytterbium-Partikeln gefunden. Das ist ein Element, das fast ausschließlich zur Lasererzeugung verwendet wird.«

»Jetzt mal eine ganz dumme Frage«, sagte Nicole Schwattke. »Warum haben Sie nach einem Hotelzimmer gesucht? Warum kann der Strahl nicht aus einer privaten Wohnung abgefeuert worden sein?«

»Eigentlich aus dem gleichen Grund. Jemand, der sich so gut mit Laser auskennt, weiß, dass er bei dieser Aktion Spuren hinterlässt. Ich würde also eine Laserkanone nicht unbedingt aus meiner eigenen Wohnung abfeuern. Ich würde, wie unser Marder, ein Hotelzimmer für einen Tag mieten und dann wieder verschwinden.«

Alle außer Waltraud nickten zufrieden. Alle waren ein bisschen stolz auf Becker.

»Chapeau!«, sagte Stengele und deutete eine Verbeugung an, was bei seinem knochigen Gestell einigermaßen skurril aussah.

»Das ist noch nicht alles«, fuhr der Chef der Spurensicherer fort. »Die Dame an der Rezeption hat die Gästeliste im Computer durchgesehen. Sie konnte sich an den Gast in dem Zimmer hier deshalb erinnern, weil er am Silvesternachmittag ein- und am Neujahrstag wieder ausgecheckt hat. Das ist ungewöhnlich für einen Touristen.«

»Sehr ungewöhnlich«, sagte Frau Waltraud. »Gerade am Neujahrstag wird bei uns im Kurort einiges geboten. Und wir hier in Waltrauds Wohlfühloase –«

»Haben Sie schon einen Zeichner –«

»Natürlich, den habe ich auf der Stelle geholt und ihn sofort ein Phantombild in den Rechner trommeln lassen. Nach den Angaben der Dame an der Rezeption ist *das* unser Mann.«

Triumphierend hielt Becker den Computerausdruck hoch, dass ihn alle sehen konnten. Jennerwein und seinem Team stand die Enttäuschung auf dem Gesicht geschrieben.

»Aber das ist ja –«

»Das kann keiner von unserer Liste sein!«

Der Mann auf der Zeichnung war nicht der Angerer Willi, nicht der Harrigl Toni, nicht der Bürgermeister, nicht Frau Oberstudienrätin oder einer ihrer Schüler, es war überhaupt kein Verdächtiger, den sie bisher ins Auge gefasst hatten. Und es war auch offensichtlich kein alteingesessener Einheimischer. Es war ein grimmig dreinblickender Mann, der seine fernöstliche Herkunft nicht verleugnen konnte.

»Ein Asiate!«, rief Stengele entgeistert.

Einen Asiaten hatten sie bislang nicht auf der Rechnung gehabt. Stumm blickten sie sich an.

»Gut gemacht, Becker«, sagte Jennerwein.

»Der Rest ist Ihre Sache«, antwortete Becker. »Wir werden uns noch eine Weile hier aufhalten. Wir machen auch ein paar Schussversuche, diesmal mit einer Laserkanone. Nur um ganz sicherzugehen, dass unsere Theorien stimmen.«

Die Tür ging auf, ein paar Techniker schoben ein Ungetüm von Apparat herein und stellten es ans Fenster. Frau Waltraud beäugte das Ungetüm misstrauisch.

»Das ist der Laserapparat. Mit Stromgenerator.«

Becker steckte ein paar schwarz glänzende, röhrenartige Teile zusammen.

»Und das ist das eigentliche Lasergewehr. Es piekt gewaltig, der Schmerz ist vergleichbar mit einem mittleren Stromschlag. Ich habe schon einen Selbstversuch gemacht – was tut man nicht alles für die Aufklärung eines Verbrechens.«

Alle sahen noch zu, wie sich drüben auf der Schanze, auf der alles begonnen hatte, eine wohlbekannte Gestalt fertig zum Sprung machte. Ihre rote Pudelmütze konnte man bis ins Zimmer hinein erkennen. Und jetzt schien sie sogar zu winken. Gisela war wieder im Einsatz.

Das Team sammelte sich unten in der leeren Hotellobby. Größere Lauschangriffe waren nicht zu befürchten, also konnte man eine Besprechung wagen. Der Kommissar schien unternehmungslustig und angriffsbereit.

»Er ist also Asiate, unser Marder. Er mietet sich am Silvesternachmittag hier ein, um am Neujahrstag einen Riesenwirbel zu veranstalten. Aber warum?«

»Weil er sich, wie Nero am brennenden Rom, an der Katastrophe ergötzt?«, schlug Nicole vor.

»Das wäre eine Möglichkeit, die würde auch zu den anderen Anschlägen und zu den Bekennerbriefen passen. Ich aber habe versucht, einen anderen Grund zu finden. Der Marder produziert am Neujahrstag einen spektakulären Hingucker, weil er von etwas anderem ablenken will. Und er inszeniert noch ein paar weitere Anschläge, weil er wiederum vom Neujahrsspringen ablenken will.«

»Der Neujahrsanschlag sollte von etwas anderem ablenken?«, fragte Stengele zweifelnd. »Von einem anderen Anschlag?«

»Vielleicht«, entgegnete Jennerwein. »Das Neujahrsspringen erregt große öffentliche Aufmerksamkeit. Es gibt einen beachtlichen Auflauf an Prominenz. Mit einem dieser Prominenten will der Marder etwas Unschönes machen. Ich tippe auf Erpressung, sonst hätten wir davon gehört. Der Marder veranstaltet ein Riesenspektakel, das alle ablenkt, auch die Leibwächter. Dann greift er auf den Prominenten zu.«

»Einspruch«, sagte Maria. »Der wäre doch zur Polizei gegangen. Sagen wir, Madonna ist da und soll erpresst werden –«

»Ich rede aber nicht von Madonna. Ich rede von jemandem, der überhaupt kein Interesse hat, an die Öffentlichkeit zu gelangen. Kein normaler Schlagerfuzzi oder Regierungsheinzel, sondern einer, der wirklich was bewegt. Einer der vielen Leute, die wirkliche Macht, wirklichen Einfluss haben, die Strippenzieher, die sich nicht öffentlich zeigen. Ich bin durch den heutigen Brief des Marders draufgekommen. Da redet er von den *wirklichen* Entscheidungsträgern.«

Er nahm die Kopie aus der Tasche und las:

Je wichtiger sie sind, desto weniger sieht man sie in der Glotze. Aber wissen Sie, woran man sie erkennt? An ihren stets präsenten Leibwächtern.

»Wir wissen, dass sich die landläufig bekannten VIPs auf der sogenannten VIP-Terrasse aufgehalten haben. Um sich von dort einen zu greifen, würde auch eine kleinere Ablenkung genügen. Aber unser Marder hat den hundertfachen Aufwand getrieben: Eine komplizierte Laserapparatur in einem Hotelzimmer, aufwändige Folgeanschläge mit außergewöhnlichen Kommunikationsmethoden. Ich schätze, dass man ein paar Monate braucht, um so etwas vorzubereiten – wenn man allein ist, wovon ich immer noch ausgehe. So ein Aufwand lohnt sich aber doch nur, wenn ich ein Objekt auf der allerobersten Ebene im Auge habe.«

»Haben Sie dazu ein Szenario?«, fragte Nicole.

»Natürlich. Der Marder schießt vom Hotelzimmer aus auf Sørensen, er geht runter zur Skischanze, er weiß, wo der Ultra zu finden ist. Die Leibwächter sind durch den Rummel abgelenkt und kümmern sich um andere Dinge. Außerdem ist der Ultra kein Filmschauspieler, den jeder kennt. Es ist meinetwegen, nur um ein Beispiel zu nennen, das mir gerade einfällt, äh –«

»– ein Mitglied der Nobelpreisjury?«, schlug Nicole vor.

»Ja, genau, so eine Kategorie. Da alles in heller Aufregung ist, kann sich der Marder dem Promi nähern. Er macht mit ihm irgendeine Sache von niederster Moralität. Dann geht er zurück, baut seinen Laserapparat ab und nistet sich irgendwo anders im Kurort ein. Um zu verdecken, dass es hier um etwas

Großes, Geldiges, Weitreichendes gegangen ist, führt er noch ein paar unblutige Anschläge durch, beschäftigt die Polizei vor Ort, präsentiert sich als egomanischer Spinner, als krimineller Snob, der es sich sogar leisten kann, mit unverstellter Handschrift zu arbeiten. Dann verschwindet er spurlos.«

»Und das soll alles eine einzige Person gemacht haben?«, sagte Stengele zweifelnd.

»Mit der nötigen Vorbereitung kann man viel alleine machen«, entgegnete Jennerwein.

»Sergei Netschajew«, fiel Maria ein. »Russischer Anarchist. Bis er 1902 gefasst wurde, ging die zaristische Polizei von einer Gruppe mit mindestens einem Dutzend Teilnehmern aus. Die Überraschung war groß – und der Spott der Bevölkerung nicht minder, als sich herausstellte, dass es nur ein Einziger war. Der ermittelnde Polizeikommissar wurde von der Obrigkeit härter bestraft als der Attentäter.«

»Ich verstehe die Anspielung«, sagte Jennerwein lächelnd. »Wir brauchen also –«

»– eine Liste der Alphas, die am Neujahrstag, vielleicht inkognito, da waren. Das wird vermutlich schwierig.«

»Schwierig ist gar kein Ausdruck«, sagte Hölleisen. »Es ist eigentlich unmöglich, denn ich wüsste nicht, wer solch eine Liste haben soll. Offizielle Stellen jedenfalls nicht. Diese Alphas, wie Sie sie nennen, haben sich in der VIP-Lounge aufgehalten, die im unteren Bereich des Schiedsrichterturms versteckt ist. Die Zufahrt ist verdeckt, man fährt durch ein Wäldchen, die Straße ist hochgradig abgesichert.«

»Aber die örtlichen Sicherheitskräfte –«

»Das hat mit den *örtlichen* Sicherheitskräften nichts mehr zu tun. Viele Prominente sind aus dem einfachen Grund inkognito da, um der örtlichen Polizei den enormen Sicherheitsaufwand zu ersparen. Sagen wir mal, nur als Beispiel, wirklich nur als Beispiel, der amerikanische Präsident würde sich gerne das Neujahrsspringen anschauen. Da müsste man ganze Viertel im Ort evakuieren, Demonstrationen zulassen, eine ganze Stadt für die Presse bauen, große Polizeikräfte zusammenziehen – das alles würde nicht gerade zur Lockerheit von solch einer Veranstaltung beitragen. Dafür ist die VIP-Lounge da. Hier gehen die ganz großen Tiere ein und aus.«

»Aber der Bürgermeister ist doch Hausherr dieser Veranstaltung.«

»Auch der Bürgermeister hat auf die VIP-Lounge keinen Einfluss. Er ist droben auf der VIP-Terrasse zu finden. Bei Rosi Mittermaier und Michael Schumacher.«

»Waren Sie selbst schon mal drin, Hölleisen?«, fragte Maria.

»Ja, ganz am Anfang, als der Bau der Sprungschanze gerade beendet war. Da durfte ein kleiner Dorfpolizist noch hinein. Es ist ein überschaubarer Raum, in dem schätzungsweise hundert Personen Platz finden. Seitdem war ich aber nicht mehr drin.«

»Also keine Chance, zu erfahren, wer sich da alles getummelt hat? Keine diskrete Gästeliste, zugeschoben vom BND oder vom – wie hieß der nochmals? – CIC?«

Hölleisen lächelte.

»Ich sehe da bloß eine Möglichkeit. Der vermutlich einzige Einheimische, der dort Zutritt hat, ist der Fischer Beppi.«

»Der Zitherspieler?«

»Genau der.«

53

»Bei wie vielen Neujahrsspringen ich schon dabei gewesen bin? Da habe ich freilich nicht mitgezählt! So lange ich denken kann, spiele ich dort für die Großkopferten. Und ich sag's Ihnen gleich: Normalerweise erzähle ich niemandem davon, es kommt kein Wort über meine Lippen, was da drinnen vorgeht und wer alles da war. Dafür schätzt mich ja die Hautevolee, weil ich so verschwiegen bin. Eine Frage noch: Dürfte ich – meine Zither auspacken?«

»Warum das denn?«, fragte Jennerwein.

»Ich fühle mich wohler, wenn sie vor mir steht. Ich weiß sonst nicht, wohin mit meinen Händen.«

»Also gut, packen Sie das Ding aus.«

»Wissen Sie, wenn man da hineinlangt – ♫ *O steile Bergeshöhen!* – da kann man gleich viel besser nachdenken.«

»Gut, wenn es Ihnen hilft, greifen Sie nur hinein«, sagte Stengele. »Wir wollen Sie auch gar nicht lange aufhalten, wir wollten eigentlich bloß wissen, wer am Neujahrstag alles –«

»Zither spielen beruhigt, ich kann es jedem nur empfehlen. Der Nicolas Cage hat mich einmal gefragt: Warum bist du so locker, Beppi? Was ist dein Geheimnis? Darauf ich: Nicolas, lern Zither, dann weißt du's. Seitdem weiß er's.«

»Nicolas Cage spielt Zither?«

»Ja, freilich. Ich habe ihm ein paar Stunden gegeben. Er spielt gar nicht so schlecht für einen Ami.«

»Herr Fischer –«

»Nennen Sie mich Beppi. Vier Bundeskanzler, der russische

Präsident, der Steve Spielberg, alle nennen mich Beppi, die Naomi Campbell ebenfalls –«

»Die spielt auch Zither?«

»Nein, die Naomi nicht, die hat dafür zu lange Fingernägel – ♫ *Aber bitte mit Sahne* – Viele drehen an ihrem Kugelschreiber, so wie Sie, Frau Kommissarin Schwattke. Andere rühren dauernd in ihrem Kaffee herum wie die Frau Doktor dort hinten, und wieder andere massieren sich die Stirn, ja, ich habe Sie schon beobachtet, Herr Jennerwein! Massieren Sie nur, gerade Ihnen empfehle ich aber –«

»Beppi«, sagte der Kommissar, »wir sind hier, um einen Mordanschlag, sogar mehrere Mordanschläge aufzuklären. Wir wollen wissen, wer am Neujahrstag alles in der VIP-Lounge war.«

»Ja freilich. Aber ich kann mich doch wirklich auf Sie verlassen? Es dringt nichts nach außen, wenn ich was erzähle? Wenn jemand erfährt, dass ich was verraten habe –«

»Sie brauchen sich deswegen keine Sorgen zu machen. Ist Ihnen am Neujahrstag in der VIP-Lounge irgendetwas Besonderes aufgefallen? Etwas Ungewöhnliches?«

»Eigentlich nicht – ♫ *An der steilen Wand des Waxensteins blühte ein Blümelein* – Also gut, lassen wir den Neujahrstag an meinem inneren Auge vorbeidefilieren. Ich habe angefangen mit – ♫ *Muss i denn zum Städtele hinaus* – das weiß ich deshalb so genau, weil ich das damals mit dem Elvis Presley gespielt und gesungen habe, 1972, als er noch gelebt hat. Wir wollten sogar eine gemeinsame Schallplatte aufnehmen –«

»Beppi, bitte, beschränken Sie sich auf das Neujahrsspringen!«

»Ja freilich. Also, dieses Jahr an Neujahr, da war der Beckenbauer da. Dann dieser José Gonzalez, der spanische Baumagnat. Dann waren zwei Kardinäle da, die wollten – ♫ *Highway to hell* – hören. Das wird oft gewünscht. Der Notenbankpräsident wollte – ♫ *Schenkt man sich Rosen in Tirol* – hören, und bei der Textstelle – ♫ *Mir winket neues Liebesglück!* – ist dann der Unfall passiert. Alle Leibwächter haben sich starr aufgerichtet und die Hand am Abzug gehabt. Ich hab natürlich aufgehört mit dem Spielen, weil es viel zu laut geworden ist durch die Schreierei. Viele der Großkopferten sind ziellos umeinandergestolpert, deshalb habe ich meine Zither eingepackt, das ist nämlich eine historische Zither. Dabei habe ich den Chefentwickler von Microsoft hinausgehen sehen, den Vorsitzenden von der Nobelpreisjury für Medizin, auch den Jacques Rogge und den Kalim al-Hasid –«

»Wer ist Kalim al-Hasid?«

»Herr Kommissar, Sie kennen ja gar niemanden! Das ist der verrückte Milliardär, der die Winterolympiade nach Dubai holen will. Seinen Leibwächter, den Jusuf, kenn ich auch ganz gut. Ich kenne überhaupt alle Leibwächter.«

»Sie kennen alle Leibwächter und alle Schutzobjekte«, sagte Jennerwein. »Ist Ihnen jemand aufgefallen, den Sie nicht kannten?«

»Warten Sie, da müsste ich einmal überlegen. Ach ja, bei – ♫ *Mein Glück ist ein Hütterl* – da hab ich einen gesehen, den ich nicht gekannt habe, einen Chinesen –«

Alle waren wie elektrisiert, versuchten aber Fassung zu bewahren.

»Können Sie ihn beschreiben?«

»Ja mei, es war halt ein Chinese.«

Jennerwein entschloss sich zu einem kühnen Schritt. Er zog die Phantomzeichnung heraus und hielt sie dem Zither Beppi vor die Nase.

»Haben Sie diesen Mann gesehen?«

Der Zither Beppi betrachtete das Bild. Er spielte – ♫ *Dirndl, mach as Fensterl auf* – und schloss dabei die Augen, um sich besser erinnern zu können. Dann nahm er die Hände von den Saiten und sagte:

»Der Chinese hat einen Skianorak mit *SC-Riessersee*-Aufdruck getragen. Und er hat eine Pistole in der Hand gehabt. Aber der auf der Zeichnung war es nicht.«

Alle stöhnten auf.

»Dann sind es also doch zwei«, sagte Stengele gepresst.

»Ob einer oder mehrere«, sagte Jennerwein. »Wir müssen sie weiter aus der Reserve locken.«

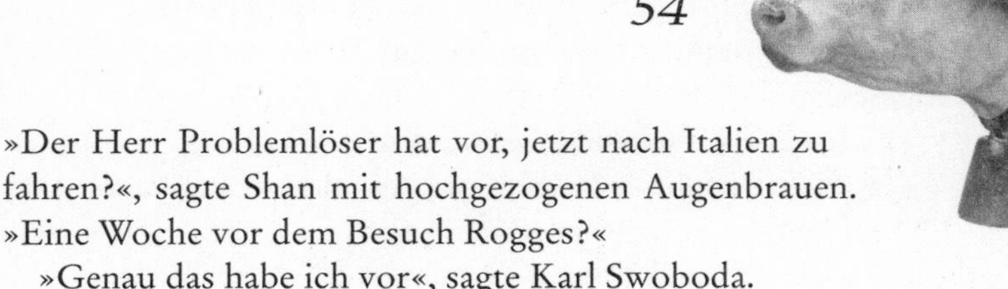

54

»Der Herr Problemlöser hat vor, jetzt nach Italien zu fahren?«, sagte Shan mit hochgezogenen Augenbrauen. »Eine Woche vor dem Besuch Rogges?«

»Genau das habe ich vor«, sagte Karl Swoboda.

Der Österreicher wusste, dass ihm jetzt nur noch zwei ganz bestimmte Personen bei der Suche nach dem penetranten Trittbrettfahrer helfen konnten: das Bestattungsunternehmerehepaar Ignaz und Ursel Grasegger, mit dem er bis vor einem Jahr noch intensiv zusammengearbeitet hatte. Er hatte ihnen Leichen aus Sizilien gebracht, sie hatten sie diskret verschwinden lassen. Man hatte gute Geschäfte gemacht, doch schließlich war die Sache aufgeflogen, und die Graseggers hielten sich seitdem in Italien auf. Für die Graseggers war eine Rückkehr nach Deutschland, nach Bayern oder gar ins Loisachtal zur Zeit nicht ratsam, ihr Konterfei hing in jeder Polizeistation. Doch Ignaz und Ursel, die Urgesteine aus dem Werdenfelser Land, sie waren die Einzigen, die wirklich jeden Grashalm und vor allem jede Nase im Kurort kannten. Nur diese beiden konnten ihm genau sagen, wer der mysteriöse Trittbrettfahrer war.

»Ja, Freunde, ich habe mich entschlossen, nach Italien zu fahren. Das ist nur ein Katzensprung. Ihr bleibt hier und macht inzwischen gar nichts, aber rein gar nichts! Habt ihr das verstanden? Jacques Rogge wird nächste Woche kommen, um sich die Paraglidershow anzuschauen, das Ablenkungsspektakel für euren erneuten Versuch habe ich vorbereitet. Vorher muss der Trittbrettfahrer weg, wir können keine Ablenkung von der Ablenkung brauchen. Und es eilt, Freunde! Dieser Kommissar ist gefährlich nahe an uns dran. Gestern habe ich erfahren, dass er herausbekommen hat, von wo aus Wong seinen Laserpfeil abgeschossen hat.«

»Er hat das Wellnesshotel gefunden?«

»Ja, allerdings. Eine Gruppe von zehn Leuten, die durch den Ort schnüffelt, ist nicht zu übersehen.«

»Die Einschläge kommen immer näher«, sagte Wong.

»Dieser Kommissar Jennerwein ist mir schon von Anfang an unangenehm aufgefallen«, sagte Shan. »Er geht chaotisch vor, ermittelt in alle möglichen Richtungen, gibt wirre, desinformative Zeitungsinterviews. Man gewinnt den Eindruck, dass man es mit einem Provinztölpel zu tun hat. Man wird eingelullt, dann greift er plötzlich zu.«

»Ja«, sagte Swoboda, »das macht ihn so gefährlich. Ich kenne ihn ja. Aber diesmal ist er auf dem Holzweg. Keine Sorge, wir werden uns diesen epigonalen Burschen von Jennerwein greifen. Also nochmals, Freunde: Stillhalten – morgen bin ich wieder da. Baba.«

»Ich bin vollkommen deiner Meinung«, sagte Wong zu Shan, als Swoboda aus dem Zimmer war. »Langsam geht mir dieser österreichische Rechthaber tierisch auf die Nerven.«

»Wir machen es auf unsere Weise«, antwortete Shan.

Swoboda fuhr durch das Lomasone-Tal, ließ San Martino links liegen, brauste am Lago di Tenno vorbei, bis er zu einem imposanten italienischen Landbauernhof kam. Kein Vergleich zu der ehrwürdigen ehemaligen Behausung der Graseggers im Werdenfelser Tal. Aber das Gebäude war respektabel und strategisch gut gelegen. Swoboda schilderte Ignaz und Ursel den

Fall und erzählte von seiner bisher vergeblichen Suche nach dem Attentäter.

»Und du bist sicher, dass es ein Einheimischer ist?«, fragte Ignaz.

»Ja. Er kennt den Ort und die umliegenden Berge genau.«

»Mit gutem Kartenmaterial lernt man die Umgebung auch genau kennen«, wandte Ursel ein.

»Aber er weiß auch, wo es der Volksseele wehtut. Den Aufschrei der Empörung bei diesem Weißwurstanschlag – ihr hättet ihn hören müssen!«

»Wir haben ihn gehört«, sagte Ignaz. »Sogar das italienische Fernsehen hat darüber berichtet. Apropos Weißwürste. Du hast versprochen –«

»Ja, stimmt, ich habe auch ein paar dabei. In der Kühlbox.«

»Also, den Harrigl Toni, den kannst du streichen«, sagte Ignaz und tunkte die Wurst in den süßen Senf. »Ein Harrigl ist nicht der Typ für so etwas. Die Harrigls sind eher Kämpfertypen, keine Wadlbeißer.«

»Aber er will Bürgermeister werden«, sagte Swoboda.

»Schmarrn, der Toni wird so oder so irgendwann einmal Bürgermeister, und wenn nicht im Kurort, dann woanders.«

»Was ist mit dem Bürgermeister selbst?«

»Ja, das ist schon eher so ein Typ. So ein Indirekter, so ein Bandenspieler. Aber was gegen den Bürgermeister spricht: Der will doch die Olympiade ins Dorf holen, der will damit in die Geschichtsbücher eingehen. Der macht keine Aktionen, die den Ort in die negativen Schlagzeilen bringen.«

Die Graseggers stellten viele Fragen, Swoboda schilderte die Anschläge detailgetreu, er hatte die Informationen und Gerüchte akribisch zusammengetragen. Sie gingen alle Namen der Liste durch und schüttelten bei jedem den Kopf. Plötzlich schrie Ursel auf:

»Was, den gibt's immer noch?! Das ist er! Das ist genau der Typ für so was. Er ist ein lediges Kind von der Überreuther Hilde. Sie hat dann später geheiratet, einen von den Dufter-Brüdern. Der hat den Jungen aufgezogen. Der Stiefsohn vom Dufter, das ist unser Mann! Er ist ein leidlicher Bergsteiger, er ist heimatverbunden, war aber jahrelang weg und meint, er ist was Besseres.«

»Ich habe ihn bloß ein paar Mal in der Bäckerei gesehen«, sagte Swoboda, »weiß aber nicht, wo er wohnt.«

Ursel Grasegger schrieb die Adresse auf. Swoboda wählte eine Nummer auf seinem Mobiltelefon.

»Shan? Swoboda hier. Ja, aus Italien. Ich habe ihn. Ich gebe euch die Adresse. Ihr geht hin und zieht ihn aus dem Verkehr. Diskret – und vor allem lebend, versteht ihr. Ihr greift ihn euch lediglich und behandelt ihn gut – ich habe vielleicht noch einiges mit ihm vor. Für das Attentat habe ich alles vorbereitet, ich komme morgen wieder zurück. Macht jetzt keinen Schaas.«

»Schaas?«, fragte Shan.

»Wir haben uns schon verstanden.«

»Ja«, sagte Shan mit süßlicher Stimme.

Swoboda legte auf.

»Der Dufter, so ein Hund«, sagte Ignaz. »Das hätte ich jetzt nicht gedacht.«

»Eigentlich schade um diesen Dufter-Sohn«, sinnierte Swoboda, »das ist eine große Begabung. Wir sollten ihn auf unsere Seite ziehen.«

»So, jetzt geht es los«, sagte Shan zu Wong, nachdem sie aufgelegt hatte. »Such mal im Ortsplan nach der Adresse.«

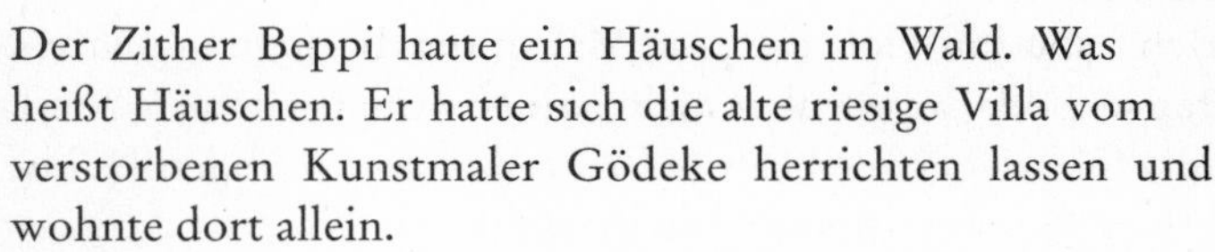

55

Der Zither Beppi hatte ein Häuschen im Wald. Was heißt Häuschen. Er hatte sich die alte riesige Villa vom verstorbenen Kunstmaler Gödeke herrichten lassen und wohnte dort allein.

»Hast du keine Angst, dass einmal eingebrochen wird?«, hatte man ihn oft gefragt.

»Mich stiehlt niemand«, hatte der Zither Beppi darauf immer geantwortet. Josef Fischer, wie er mit bürgerlichem Namen hieß, war nicht unvermögend, er war sogar ziemlich wohlhabend, einige der Über-VIPs steckten ihm schon mal ein Trinkgeld in Monatslohnhöhe zu, steuerfrei, versteht sich. In diesem Trinkgeld inbegriffen war die stillschweigende Übereinkunft der gegenseitigen Diskretion. Jetzt machte sich der Zither Beppi Gedanken darüber, dass er Dinge ausgeplaudert hatte, die unter normalen Umständen nie über seine Lippen gekommen wären. Warum hatte er den Polizisten auf die Nase binden müssen, dass Kardinal Carducci und der spanische Baumagnat Gonzalez am Neujahrstag in der VIP-Lounge gewesen waren! Wenn einer von beiden das erfuhr, war es wohl aus mit seinen Neujahrszithereien.

Zum Haus führte ein breiter Weg, aber er hatte es sich angewöhnt, ein Stückchen durch den Wald zu gehen. Der José Carreras und der Mick Jagger hatten ihm erzählt, dass das ungemein inspirierte. Der Beppi hatte keine großen Wertgegenstände im Haus, das Kostbarste, was er besaß, war seine Zither, und die trug er immer bei sich. Bei dem Instrument handelte es sich um eine dreihundert Jahre alte Stradivari-Zither, angefertigt von Francesco Stradivari, dem Cousin des berühmteren Geigenbaumeisters Antonio. Es waren, natürlich, nur die edelsten Hölzer verwendet worden, die vollendeten Proportionen erstrahlten in dem Stradivari-typischen leuchtend goldbraunen Lack, der Klang war voluminös, und die Kaufsumme konnte man sich nur hinter vorgehaltener Hand zuflüstern.

Das mit der Stradivari-Zither wusste jedoch kaum jemand, und so fühlte sich der Beppi sicher auf seinem dunklen Heimweg. Die Zither trug er in einem Kasten unter dem Arm, er musste ein paar hundert Meter durch den rabenschwarzen Tann stapfen, er ging quer durch den Wald, er kannte den Weg. Den letzten halben Kilometer ging es steil bergauf, bis man zur Villa kam – ein Flachländer hätte dort oben nicht wohnen mögen. Am Anfang des Steilhangs blieb der Zither Beppi stehen. Denn es hatte geknackt. Es hatte deutlich geknackt. Der Zither Beppi war Musiker, er hatte ein feines Gehör, er wusste, wie sich das Knacken von Rehen und Wildsauen anhört, wie das Geraschel von Raubvögeln klingt, die um diese Zeit noch Beute machten. Doch das war kein Knacken von Tieren gewesen, das war ein menschliches Knacken. Es war das Knacken eines verstohlenen Waldschleichers, dem versehentlich ein Raschler ausgekommen war.

»Hallo!«, rief der Beppi in die sündenschwarze Nacht hinein. »Hallo! Ist da jemand?«

Er hatte keine Angst. Wer sollte ihm etwas tun? Es knackte nochmals, diesmal an einer anderen Stelle, schräg hinter ihm. Er drehte sich um.

»Hallo!«, rief er in diese Richtung. »Angerer, bist du das? Mach keinen Schmarrn.«

Und schon kam das Knacken wieder von vorn. Wäre er doch bloß nicht so gutmütig gewesen und hätte alles ausgeplaudert.

Hätte er doch bloß sein Maul gehalten. Bei den Ermittlungen helfen! Nun gut, von dem einen oder anderen Großkopferten, der damals in der VIP-Lounge war, hatte er dem Kommissar ohnehin nichts erzählt. Aber der Kardinal und der Baumagnat, der Carducci und der Gonzalez, die konnten ziemlich unangenehm werden, wenn sie etwas erfuhren. Es war auch ziemlich unklug gewesen, hier im Wald einen Schrei abzulassen. Wenn dort in der Dunkelheit wirklich Leute waren, die ihm an den Kragen wollten, dann hatte er ihnen mit den beiden Schreien seine genaue Position durchgegeben: Grundausbildung Bundeswehr, zweite Woche. Hätte er sich zwischen seinen beiden Hallo-Rufen doch bloß ein paar Meter bewegt! Das Sonderbare bei der ganzen Situation war: So richtige Angst hatte er immer noch nicht. Vorsichtig und unendlich langsam stellte er seinen Zitherkasten auf den Boden. Er schnallte seinen Rucksack ab und zog seine weite Lederjoppe aus. Er legte alles auf den Boden, dann ging er los. Er schaffte zehn Schritte, ohne dass man ein Geräusch gehört hätte. Hochkonzentriert und Fuß vor Fuß setzend schlich er auf diese Weise bergaufwärts, in Richtung seines Hauses, dessen Umrisse in der Ferne schon undeutlich zu sehen waren.

»Hallo!«, rief er nochmals, diesmal wesentlich leiser. Er wartete. Zwei Minuten. Vier Minuten. Ein Musiker hat ein gutes Gespür für Zeit. Sollte er sich hinsetzen? Oder sollte er gar die Nacht hier draußen verbringen? Oder sollte er einfach weitergehen und die Zither als Fersengeld hinterlassen?

Ohne dass er vorher Schritte gehört hätte, spürte er unvermittelt eine eiskalte Stahlsaite um seinen Hals, die sich schnell zuzog. Er wusste sofort, dass es sich um eine tiefe A-Saite seiner Zither handelte, denn sie bestand aus dickem, weichem Kupferdraht, der mit einem anderen, wesentlich dünneren und härteren Kupfer-Nickel-Draht umwickelt war. Unwillkürlich griff er mit beiden Händen nach der Saite, doch es war zu spät, der Draht hatte sich schon so in seinen Hals gegraben, dass er mit den Fingern nicht mehr dazwischen kam. Sprachloses Entsetzen stieg in ihm auf. Er wollte schreien, doch er brachte keinen Laut heraus. Nur klägliches Geröchel kam noch aus seinem Mund. Er versuchte über die Schultern nach hinten zu greifen, sich zu drehen und dorthin zu treten, wo er den Angreifer vermutete, doch durch diese ungezielten Bewegungen zog sich die Schlinge nur noch schmerzhafter zu.

Seine Beerdigung fand schon am übernächsten Tag statt.

56

(Ein Mikrophon pfeift.)

»Sprechprobe, Sprechprobe. Einundzwanzig, zweiundzwanzig.«

»Fällt Ihnen nichts anderes ein?«

»Was soll ich denn sagen?«

»Irgendetwas, aber nicht dauernd *Sprechprobe* und *einundzwanzig, zweiundzwanzig.*«

»*Keine* Sprechprobe. *Drei*undzwanzig, *vier*undzwanzig.«

»Ich brauche einen ganz normalen Text, damit ich die Empfindlichkeit richtig einstellen kann. Verdammt nochmal, Sie alle sind doch jetzt schon oft genug verkabelt worden!«

»Becker, werden Sie nicht unverschämt.«

»Vielleicht kennen Sie ein paar Dienstvorschriften auswendig?«

»Polizeiaufgabengesetz, Artikel einundzwanzig zweiundzwanzig.«

»Weiter, weiter!«

»Weiter weiß ich nicht. Ich müsste nachschlagen.«

»Dann lesen Sie halt was vor. Da, vor Ihnen, da liegt die Lokalzeitung.«

»Feiger Mordanschlag im Kurort ... der allseits bekannte Musiker ... auf dem Heimweg ... die Zither, die mit drei Millionen Euro versichert sein soll ... gestohlen ... Schuhe und Socken im Gebüsch .... unverkennbar die Handschrift des Serientäters ... genügt das?«

»Von mir aus.«

»Fertig?«

»Nein, Moment mal!«

»Was ist denn noch?«

»Ich brauche noch etwas ganz Lautes und etwas ganz Leises.«

»OAAAAAARG! Das war das Laute.«

»Das habe ich gemerkt, dass das nicht das Leise war. Jetzt das Leise.«

»Wie leise?«

»So leise, dass ich es fast nicht mehr höre.«

»Ich weiß ja nicht, wann Sie fast nichts mehr hören.«

(Ein Mikrophon pfeift.)

57

»In nomine patris et filii et spiritus sanctus –«, psalmodierte der Pfarrer und steckte das kleine Holzkreuz auf das Grab. Es war ein strahlend schöner Tag, und der Friedhof war total überfüllt. So einen Andrang hatte Jennerwein nicht erwartet, er hatte für eine ergiebige Observation der Trauergäste eigentlich viel zu wenig Beamte. Viele Freunde vom Zither Beppi waren gekommen, viele Musikerkollegen, natürlich auch die weit verzweigte Verwandtschaft, dazu eine stattliche Zahl von Prominenten, Großkopferten und anderen *busybodies*, die zum Teil rund um den Erdball geflogen waren, um dem Werdenfelser Original die letzte Ehre zu erweisen – und sich, wenn sie schon mal da waren, danach das Military-Paragliding anzusehen.

»Er war auf dem Heimweg von seiner Arbeit«, begann der Pfarrer seine Leichenrede. »Auch an diesem seinem letzten Tag hat er sicherlich vielen Menschen das Herz erwärmt, mit seinen Liedern, mit seinen zarten Silberklängen, die wir alle noch im Ohr haben. Er hat sein Tagwerk getan, er wollte sein müdes Haupt auf das wohlverdiente Ruhekissen senken. Was wird er da wohl gedacht haben, als er durch den herrlichen, mondbeschienenen Forst schritt, unser geliebter Bruder Josef Fischer vulgo Zither Beppi? Ich sehe ihn vor mir –«

»Sprechprobe, Sprechprobe, hören Sie mich, Stengele?«

»Ja, ich höre Sie. Was ist?«

»Ich wollte bloß testen, ob die Mikros funktionieren.«

»Und wie muss er erschrocken sein, der brave Waldläufer, als er dem Mordbuben Aug in Aug gegenüberstand –«

Der Pfarrer machte jetzt eine kleine Pause, damit sich jeder die Szene auch gut vorstellen konnte. Wenn man den Blick erhob und ein wenig herumschaute, konnte man Marianne und Michael in der Menge sehen, zwei Brauereidirektoren, Pierre Brice, eine Handvoll bayrischer Minister. Ganz hinten stand Beckenbauer, allein und im schwarzen Anzug, eine kalte Zigarre in der Hand. Der Kaiser konnte sich das erlauben.

»Eine Zithersaite war sein Verhängnis«, fuhr der Pfarrer fort, »seine Melodien sind für immer verstummt. Er ist der Hand des Unholds zum Opfer gefallen, der uns schon so viel Kummer und Sorgen bereitet hat in unserer schönen Gemeinde.«

Wieder machte der Pfarrer eine Pause, ließ die Raben hoch droben auf den Bäumen auskrächzen, er ließ ein paar Raucher aushusten.

»Schön redet er, unser Pfarrer«, sagte ein wohlbeleibter Mann ganz in Schwarz zu seiner Frau.

»Hä?«, schrie die Frau und hielt sich die Hand ans Ohr.

»SCHÖN REDET ER, UNSER PFARRER!«, schrie ihr der wohlbeleibte Mann in die Handmuschel, dass die Raben erschrocken aufflogen. Der Pfarrer aber hatte es gehört und lächelte zufrieden.

Dann waren eilige Schritte auf dem Kies zu hören: noch ein Minister, noch eine Jodelkönigin, noch eine Olympiazweite. Und immer wieder Personenschützer. Die hatten hier auf dem Friedhof überhaupt keine Chance, in Deckung zu bleiben, die bulligen Gestalten in den geschmacklosen schwarzen Anzügen stachen aus den übrigen Friedhofsbesuchern deutlich heraus. Manchem stand die Uzi so weit vom Körper ab, dass er genauso gut sein Jackett hätte ausziehen können, um die ganze Pracht herzuzeigen. Von allen Seiten kamen die Trauergäste, denn dieser Friedhof hatte unüberblickbar viele Eingänge, auf der Ostseite schloss er sogar an einen struppigen Forst an, der direkt auf die Kramerspitze führte.

»Hören Sie mich? Hubertus, hören Sie mich?«

»Ja, natürlich höre ich Sie, Stengele.«

»Da haben wir uns ja ein total unübersichtliches Gelände ausgesucht.«

»Gehen Sie in Richtung Südeingang, Stengele. Dort kommen noch ein paar interessante Nachzügler.«

Die interessanten Nachzügler bestanden aus der Raskolnikoff-Gang samt Oberstudienrätin Ronge.

Jennerwein hatte seinem Team Anweisung gegeben, sich über den ganzen Friedhof zu verteilen und alle, ob mehr oder weniger prominent, unter die Lupe zu nehmen und die Beobachtungen ins Mikro zu sprechen.

»Er war ein guter Mensch und Christ«, fuhr der Pfarrer fort, »und sein Tod ist der traurige Tiefpunkt einer Serie von Untaten, die auf das Konto eines Mannes gehen, der hier mitten unter uns lebt – und der vermutlich hier irgendwo in der Menge der unbescholtenen Bürger steht.«

»Hallo, Maria, hören Sie mich?«

»Natürlich, Nicole.«

»Er hält es nicht mehr lange aus, ich spüre, wie es knistert.«

»Bei bayrischen Beerdigungen knistert es immer«, erwiderte Maria. »Oft entlädt sich die Energie beim anschließenden Leichenschmaus mit einer ordentlichen Wirtshausschlägerei. Hier im Ort gab es bei einem Leichenschmaus schon einmal einen Toten. Bei der Beerdigung dieses Toten gab es wiederum eine Schlägerei –«

»Psst, da tut sich was. Sehen Sie auch, was ich sehe?«

Hinter einem etwas weiter entfernten Grabstein schob sich ein Mann hervor, der ebenfalls schwarz gekleidet war, wie alle anderen hier. Und er zeigte unverkennbar fernöstliche Züge.

Er zog eine Digitalkamera heraus und fotografierte die Umstehenden.

»Zugriff?«, fragte Maria.

»Wir können nicht einfach jemanden verhaften, nur weil er fernöstlich aussieht«, erwiderte Nicole. »Behalten wir ihn im Auge.«

Der Mann blieb stehen. Es sah nicht so aus, als ob er bemerkt hatte, dass man ihn beobachtete. Eine junge Frau im Dirndl trippelte ins Bild, sie bewegte sich langsam seitwärts. Sie gehörte nicht zu dem fernöstlichen Mann, sie versuchte vielmehr, sich Beckenbauer zu nähern, Papier und Bleistift hielt sie hinter dem Rücken verborgen. Die ganze Bäckerei-Krusti-Clique war da, der Stammtisch ehemaliger Polizisten, der komplette Gemeinderat, natürlich der Bürgermeister. Und der glatzköpfige Chefarzt. Und sämtliche Adventure Scouts der Eventagentur *IMPOSSIBLE*.

»Und weil wir uns gewiss sind«, fuhr der Pfarrer fort, »mit Gottes Hilfe diesen Menschen zu finden, der das getan hat, sind wir beruhigt.«

Der Pfarrer sprach mit angriffslustiger Rhetorik, er wurde jetzt emotional, viele Tränen kullerten.

»Er macht seine Sache gut«, sagte Nicole.

»Kein Wunder, bei *dem* Text«, erwiderte Maria stolz.

»Die weltliche Gerechtigkeit ist auf unserer Seite!«, sang der Pfarrer fast. »Die viel geschmähten, aber wackeren Polizisten des Ortes, sie werden ihn der irdischen Gerechtigkeit zuführen! Und wenn dieser Mann nur einen Funken Glauben in sich verspürt, dann trete er jetzt vor und gestehe seine Schuld. Ich bin bereit, ihm zu vergeben.«

Der Pfarrer machte eine Pause, eine bedeutungsschwere Pause. Nichts geschah. Aber es hätte klappen können. Es war einen Versuch wert.

Nicole ließ den Mann am Grabstein nicht aus den Augen. Alle im Team trugen Zivilkleidung und waren, sicherheitshalber, mit Bleiwesten ausgerüstet. Sie sah Ostler, wie er, nicht allzu schnell, um im Rahmen des Pietätvollen zu bleiben, zwischen den Trauergästen herumhuschte.

»Ostler?«

»Was gibt es, Nicole?«

»Sehen Sie den Mann dort drüben an dem Grabstein mit dem schmiedeeisernen Kreuz? Wer ist das? Kennen Sie den?«

Ostler drehte sich so unauffällig wie möglich hin, ganz langsam. Als er sich endlich hingedreht hatte, war der Mann mit dem fernöstlichen Aussehen verschwunden. Nicole sah Handlungsbedarf. Sie quetschte sich ächzend durch die dicht gedrängte Trauergesellschaft.

Der Pfarrer hatte gute Arbeit geleistet. Er hatte die Predigt beendet, alle waren ergriffen, alle spürten die Hand des Allmächtigen. Dieser Marder, so cool er sich bisher verhalten hatte, er musste doch irgendwann einmal einen Fehler machen! Es gab eine Ansage über das Friedhofsmikrophon.

»Der Voralpenchor möchte dem Zither Beppi die letzte Ehre erweisen.«

Es wurde angestimmt, ein Chor von sicherlich fünfzig Sängern, natürlich auch ganz in Schwarz, hatte sich vor der Aussegnungshalle aufgebaut und begann jetzt ein Lied. Nicole verstand kein Wort, es wurde bayrisch gesungen. Aber die Melodie kam ihr bekannt vor. Es war – natürlich – es war die bayrische Fassung von *Highway to hell*, die zu Ehren des Zither Beppi gegeben wurde.

Nicole Schwattke trug ein schwarzes Kleid, darunter die Bleiweste, sie kam langsam höllisch ins Schwitzen. Sie hatte sich aus dem dichtesten Gewühle herausgekämpft und beschritt einen der Kieswege, die aus dem Friedhof herausführten. Dreißig Meter vor sich sah sie den Mann gehen, den sie vorher am Grabstein gesehen hatte. Er blickte sich kurz um, sah sie und beschleunigte sein Tempo. Das hatte vielleicht nichts zu bedeuten. Doch jetzt blickte er sich nochmals um. Sie sprach in ihr Sendermikro.

»Hallo, hier Nicole. Ich bin momentan auf der Nordseite des Friedhofs, im Sektor – keine Ahnung – hier ist ein riesiger Felsbrocken als Grabstein – Moosbacher Liesl steht drauf. Da schleicht ein Mann mit einem Fotoapparat herum, es könnte ein Asiate sein. Ich nehme die Verfolgung auf. Er ist klein, muskulös, etwa Mitte dreißig. Geht vor mir her. Er hat sich kurz umgedreht, jetzt geht er schneller.«

58

Nicole Schwattke verfiel in Laufschritt.

»Halt, warten Sie!«

Der Mann blieb stehen. Kriminalkommissarin Schwattkes rechte Hand schwebte nervös in der Nähe der Dienstpistole.

»Warum laufen Sie vor mir weg?«, fragte sie freundlich.

»Was wollen Sie von mir?«, erwiderte der Mann in erheblich unfreundlicherem Ton. »Warum verfolgen Sie mich?«

»Kriminalpolizei, Routinekontrolle, laufende Ermittlung«, sagte Nicole und zeigte ihren Dienstausweis. »Legen Sie bitte Ihren Fotoapparat langsam auf den Boden, heben Sie die Hände über den Kopf und stellen sie sich möglichst breitbeinig hin.«

»Willkommen im Polizeistaat Deutschland«, sagte der Mann.

Nur nicht provozieren lassen, dachte Nicole. Laut sagte sie: »Ich weiß nicht, was Sie damit sagen wollen. Sie haben vielleicht gehört, was hier im Ort in letzter Zeit los war. Aus diesem Grund führen wir Sicherheitskontrollen durch. Es ist übrigens auch zu Ihrer Sicherheit.«

Nicole versuchte den guten Cop zu geben, die warmherzige Staatsdienerin, sie legte ein paar Kilo Verständnis und einen Zentner Großmut in ihre Stimme. Der Mann ließ sich davon nicht beeindrucken. Er hob die Hände, während er sie entrüstet anfuhr:

»Das ist wirklich unglaublich! Sie behandeln mich wie einen

Schwerverbrecher! Weil ich Ausländer bin? Ich lebe mit meiner Familie seit Jahren hier, habe Ihre Sprache gelernt, führe im Ort ein Restaurant, gebe einigen Menschen einen Arbeitsplatz –«

»Bleiben Sie ruhig und behalten Sie die Hände oben, ich werde Sie jetzt durchsuchen.«

Rasch hatte Nicole den Mann abgetastet, keine Schusswaffe, keine Nachtsichtgeräte, keine Panzerabwehrraketen, kein Atomsprengkopf, puh. Erleichtert richtete sie sich auf und entspannte sich. Die Kleidung klebte ihr auf der Haut. Sie trat einen Schritt zurück und sah dem Mann ins Gesicht. Er wirkte aufgebracht, aber nicht aggressiv. Sie schätzte ihn als nicht gefährlich ein. Sie war noch jung.

»Danke für Ihre Geduld. Ich würde gerne noch einen Blick in Ihren Ausweis werfen.«

Der Mann hielt die Hände immer noch über dem Kopf. In der Ferne hörte man *Highway to hell*, gesungen vom Voralpenchor. Die Hälfte der Trauergäste sang mit. Die Geräuschkulisse, die da von Ferne herwehte, war gespenstisch.

»Sie können die Hände wieder herunternehmen«, sagte Nicole. Noch immer hielt der Mann beide Hände über dem Kopf. Das hätte Nicole zu denken geben müssen.

Der Trick ist keiner von den ganz spektakulären, aber seine Wirkung ist doch immer wieder verblüffend. Zauberkünstler führen ihn aus nächster Nähe vor. Auf der gerade noch leeren Handfläche erscheint – nur einmal kurz die Faust geballt – eine Münze. Zauberei? Keineswegs. Der Magier klemmt die Münze so zwischen Mittel- und Ringfinger, dass sie beim Betrachten der Handfläche nicht sichtbar ist. Während er die Hand zur Faust schließt, lässt er die Münze in die Hand fallen, wenn er die Faust öffnet, ist plötzlich eine Münze da. Wong hatte diesen Trick vor Jahren bei einem Jahrmarktsgaukler in Hongkong gesehen, und er hatte viel Energie darauf verwendet, ihn zu lernen. Jetzt beherrschte er eine Variante davon: Wong konnte aus dem Nichts ein höchst stichbereites Messer erscheinen lassen.

»Ich würde noch gerne Ihren Pass sehen. Und nehmen Sie endlich die Hände runter, das ist ja albern.«

Wong lächelte.

Wong zuckte mit den Achseln und lenkte dadurch davon ab, dass er das Messer in eine andere Position brachte. Er krümmte die Hand nach vorne, bekam somit das Ka-to am Griff zu fassen und führte die Bewegung nach unten weiter. Wongs Gnadgott raste so schnell auf Nicoles Brust zu, dass sie, selbst wenn sie es gesehen hätte, zu keiner Abwehrbewegung mehr fähig gewesen wäre. Die Spitze des scharfen Messers setzte exakt rechts neben dem Brustbein, zwischen der dritten und vierten Rippe auf und zerriss dort das Kleid. Nicole schrie entsetzt auf. Dann rutschte es mit einem hässlichen, schleifenden Geräusch nach unten, knirschend schlidderte die Messerspitze über Nicoles Bauch – nicht, weil Wong schlecht gezielt hätte, sondern weil die Schutzweste aus Aramidfasern dem Ka-to keine Chance gab, auch nur einen Millimeter einzudringen. Wong brauchte eine Zehntelsekunde, um zu begreifen, was da geschehen war. Das Gnadgott war abgerutscht. Nicole sah an sich hinunter, nur das Kleid war zerrissen, sie war unverletzt. Bevor sie auch nur ansatzweise die Waffe ziehen konnte, spürte sie einen scharfen Schmerz an ihrem Unterarm. Das war ihre Pistolenhand gewesen, sie brannte jetzt wie Feuer und war unbrauchbar geworden. Ein tiefer Schnitt zeigte sich über ihrem Handgelenk. Es verging eine weitere Sekunde, bis sie begriff, dass der Angreifer geflohen war. Sie riss ihre Pistole mit der anderen Hand aus dem Holster und nahm die Verfolgung auf.

Die Gesänge des Voralpenchors schwollen an – ♫ *Mir fahrn mit 'm Viechwagn in d' Höll!* – hieß es da, Wong hatte zwanzig

Meter Vorsprung. Es wimmelte hier von Sicherheitskräften, es war nur noch eine Frage der Zeit, wann die Polizistin Hilfe holen würde und sich die internationalen Top Ten der Personenschützer einen Spaß daraus machten, ihn wie einen Hasen zu jagen. Er spurtete im Zickzack durch die Gräber, in die Richtung, in der der Friedhof an eine unübersichtliche Waldung grenzte. Nach einiger Zeit blickte er sich um, Verfolger konnte er nicht ausmachen. Er verstaute sein Gnadgott und ging langsam, fast schlendernd weiter. Das Kabel, das das Mikrophon der Kommissarin mit dem Sender verband, hatte er mit dem Rapier zerrissen. Das war gerade noch einmal gutgegangen.

Nicole rannte, was das Zeug hielt. Vor einigen Wochen beim Schießtraining hatte man ihr Tennisbälle von allen Richtungen an den Kopf geworfen, während sie auf fünf verschiedene bewegliche Ziele schießen und auch noch darauf achten musste, ob es die Guten oder die Bösen waren, die sie da beschoss. Sie würde doch jetzt wohl einen einzelnen Flüchtigen fassen und stellen können! Er konnte noch nicht weit gekommen sein, sie vermutete, dass er sich durch die Bewaldung des Kramerplateaus schlagen wollte. Ein zweites Mal würde sie sich nicht übertölpeln lassen. Sie überholte ein langsam dahinwackelndes Paar, einen wohlbeleibten Mann und eine Frau, die die Hand am Ohr hielt. Das war das schwerhörige Paar von vorhin, das den Pfarrer so amüsiert hatte. Zu langwierig, dieses Pärchen zu fragen, ob sie einen Flüchtigen gesehen hatten. Nicole rannte weiter und vertraute ihrem Instinkt. Sie kam in ein Areal des Friedhofs, das menschenleer war.

Ein frisch ausgehobenes Grab, ein Erdloch für eine Bestattung am Nachmittag. Wong schaute hinab in die Tiefe, drei Meter waren das schon. Neben dem offenen Grab lag eine große Holzplatte, auf der die ausgehobene Erde aufgehäuft war.

Wong kniete sich hinter dem Grabstein nieder. Diese Polizistin konnte keine Verstärkung über Funk rufen, dafür hatte er gesorgt, ihre Kollegen hatten vermutlich, eingepfercht im zähflüssigen Gemenge der Trauergäste, nichts von seinem Angriff mitbekommen. Er sah, wie sie sich anpirschte, allein, mit gezogener Pistole, nach links und rechts hinter jeden Grabstein blickend. Sie kam näher.

Der erste Schlag riss ihr die Pistole aus der Hand. Der zweite Schlag traf sie in die Kniekehlen, es war ein gezielter Tritt mit dem Fuß. Nicole strauchelte, versuchte sich zu fangen, doch Wong riss sie nieder auf den harten Kies. Er fasste sie an den Beinen, sie strampelte, versuchte ihn abzuschütteln. Die schwere Schutzweste behinderte sie, die verletzte Hand tat höllisch weh. Wong zerrte sie zum offenen Grab, ließ sie kopfüber in die Grube fallen. Bevor sie sich aufrappeln konnte, spürte sie schon Erde auf sich rieseln.

Wong hob das Brett auf einer Seite in die Höhe, bis der schwere, lehmige Humus vollständig in die Grube gerutscht war. Dann nahm er Nicoles Pistole auf und steckte sie ein. Er wollte endlich verschwinden. Doch er musste sich abermals hinter dem Grabstein verstecken, denn zwei Friedhofsbesucher kamen den Kiesweg entlanggeknirscht.

»Na, aber da schau her«, sagte der wohlbeleibte Mann zu der schwerhörigen Frau, und beide blieben an Nicoles Grab stehen. »Den alten Fetzer Egon haben sie anscheinend schon beerdigt.«

»Hä?«

»DEN ALTEN FETZER EGON HABEN SIE ANSCHEINEND SCHON BEERDIGT!«

»Ich habe gedacht, die Beerdigung ist erst heute Nachmittag!«

»Ja, das habe ich auch gedacht.«

»Hä?«

Hansjochen Becker war ein Mann, der immer einen Plan B in der Tasche hatte. Für den Fall, dass ein Mikrophon ausfiel, dass sich ein Kabel löste oder dass es bei einer Auseinandersetzung beschädigt wurde, hatte Becker ein Peilsignal in alle Mikrophonsender eingebaut, er hatte sich eine Karte des Friedhofs und der Umgebung besorgt und sie in den Rechner eingescannt. Auf dem Bildschirm konnte er die Bewegungen der Beamten verfolgen. Als das grüne Signal bei Nicole auf Rot umgesprungen war, als nur noch ein Rauschen zu hören gewesen war, hatte er Jennerwein alarmiert. Der jagte nun mit Hansjochen Beckers Anweisungen im Ohr zwischen den Gräbern hindurch, die verschlungenen Kieswege entlang. Ludwig Stengele und Maria Schmalfuß keuchten hinterher.

»Und jetzt scharf rechts, am Brunnen vorbei, dann wieder rechts!«

Doch dann blieb Jennerwein schier das Herz stehen – vor ihm war eine dunkelrote Blutspur auf dem Kiesweg zu sehen, alle paar Meter glänzte ein dicker Fleck, was darauf hindeutete, dass der Läufer eine Arterienverletzung hatte, bei der das Blut in rhythmischen Stößen herausgeschossen war. Jennerwein hoffte inständig, dass es sich um das Blut des Verfolgten und nicht um das der Verfolgerin handelte.

»Passen Sie jetzt auf!«, hörte er Becker im Kopfhörer schreien. »Der nächste Seitenweg rechts, gleich ganz am Anfang.«

Jennerwein bremste ab und spähte um die Ecke. Dort standen zwei Leute vor einem Grab. Er sah die Leute nicht von vorn, aber er war sich sicher, dass die Beschreibung von Nicole auf keinen von beiden zutraf. Dann sah Jennerwein einen Mann hinter einem Grabstein kauern. Er verließ den Kiesweg und ging auf dem Gras weiter, um verräterische Schrittgeräusche auf ein Minimum zu beschränken. Auch die Blutspur führte hier ins Gras, verlor sich aber bald und war nicht mehr zu erkennen. Jennerwein schlich gebückt hinter den Grabsteinen vorbei, bis er den kleinen, schwarzhaarigen Mann wieder sah. Der drehte ihm den Rücken zu und kauerte immer noch am Boden. Jennerwein sprang los. Mit einem Schrei warf er sich auf ihn, riss ihm die Pistole aus der Hand und drehte ihm den Arm auf den Rücken. Mit dem Knie hielt er ihn am Boden fest. Wong wehrte sich verzweifelt, und erst mit Hilfe von Stengele und Maria konnte Jennerwein die Handschellen anlegen.

»Wo ist die Polizistin?!«, schrie Maria.

Keine Antwort.

»Wo ist die Frau!?«, brüllte Stengele und packte Wong unsanft am Kragen.

»Sie muss direkt bei euch stehen«, tobte Becker durchs Mikrophon, und seine Stimme überschlug sich. »Mitten unter euch. Das gibt's doch nicht!«

Jennerwein stöhnte auf, als sein Blick die frisch aufgeschüttete Erde traf. Für die beiden Zuschauer, den Wohlbeleibten und die Schwerhörige war es jetzt schon ein höchst verstörendes Bild, wie zwei schwer atmende Männer und eine genauso atemlose Frau, nachdem sie einen kleinen Chinesen mit Handschellen an das gusseiserne Kreuz des Nachbargrabes gefesselt hatten, auf das Grab des alten Fetzer Egon sprangen und wie wild zu buddeln begannen, mit den bloßen Händen, mit Schaufeln und Grabbesteck, das sie hinter anderen Grabsteinen gefunden hatten.

»Was machen Sie da?«, fragte der Wohlbeleibte.

»Polizeieinsatz«, schrie Jennerwein.

»Was geschieht da?«, fragte die Schwerhörige.

»VIELLEICHT EINE EXHUMIERUNG!«, schrie ihr der Dicke ins Ohr.

»Hä?«

»POLIZEIEINSATZ!«

59

»Jetzt reicht's mir aber endgültig mit diesen Pfuschern!«

Swoboda schaltete den Radioapparat aus und nahm sich noch eine Portion Kaiserschmarrn.

»Was ist denn mit unserem kleinen Konfliktfresserchen?«, fragte Ignaz Grasegger verschmitzt.

»Ist doch wahr«, erwiderte Swoboda. »Du kannst sie nicht alleine lassen. Und jetzt auch noch ein Mord an einem allseits beliebten Original! Mit Gewalt erreichst du doch gar nichts!«

»Von wem redest du?«, fragte Ursel. »Von den Chaoyangern? Mit denen hätte ich mich sowieso nicht eingelassen. Die waren mir von Anfang an suspekt.«

Swoboda wählte eine Telefonnummer.

»Zwischen Bergen und Gehölz –«, sagte die Frau am anderen Ende der Leitung.

»– ist meine Heimat Werdenvölz!«, ergänzte Swoboda schnell. Er war wütend. Er war auf hundert.

»Um es kurz zu machen«, bellte er ins Telefon, »ich habe die Nachrichten im Radio gehört. Die Sache wird mir zu brenzlig. Morgen kommt Rogge. Ich habe das Ablenkungsspektakel vorbereitet, damit habe ich meinen Auftrag erfüllt. Der Rest ist eure Sache. Ich bin raus.«

Swoboda klappte sein Mobiltelefon zu.

»Schiffschaukelbremser, chinesische«, schimpfte er.

Auch Shan klappte ihr Telefon zu und steckte es wieder ein. Gut, dann eben nicht. Sie brauchten diesen nervtötenden Österreicher ohnehin nicht mehr. Sie würden die Sache jetzt alleine in die Hand nehmen. Wie China Blue sah sie momentan nicht aus, ganz im Gegenteil. Sie trug einen schlabberigen Trainingsanzug, hatte einen kleinen Rucksack umgeworfen und lief leichtfüßig durch den Ort. Bald stand sie vor dem Haus, das sie gesucht hatte. Sie schlich um den alten Bauernhof herum, tat so, als bestaune sie die Lüftlmalereien, die Bauernfresken, die klugen Sprüche. Sie zog einen Fremdenführer heraus und betrachtete alles so, als ob sie Kunstgeschichte im sechsten Semester studierte. Dabei blickte sie sich verstohlen um. Sie war beruhigt, denn dieser Hinterhof war von den umliegenden Häusern aus schlecht einzusehen, er lag mehr oder weniger mitten im Grünen. Zudem war das komplette Polizeiteam sicherlich auf der Beerdigung vom Zither Beppi. An der Hinterseite des Hauses war ein Haufen Brennholz aufgeschichtet, dort kletterte sie hinauf. Mit einem kräftigen Klimmzug wuchtete sie sich hoch und stand bald auf einem kleinen Balkon. Nach ein paar Schritten konnte sie durchs Fenster in ein vollgestopftes Zimmer sehen. Sie hatte vorgehabt, die Wohnung des vermutlichen Trittbrettfahrers zu durchsuchen, während ihn Wong auf der Beerdigung abpasste. Shan und Wong waren sich sicher, dass ihr lästiger Rivale zur Beerdigung ging, schon deswegen, um nicht aufzufallen. Deshalb war Shans Überraschung groß, als sie drinnen in dem vollgestellten Zimmer einen Mann sitzen sah, auf den Swobodas Beschreibung haargenau passte. Umso besser. Dann konnte sie ihn sich gleich vornehmen. Sie holte eine Skimaske aus ihrem Rucksack und streifte sie über. Dann machte sie sich daran, das Fenster zu öffnen.

Der Mann drinnen schrieb einen Brief. Er kämpfte mit den Worten, er rang um den richtigen Ausdruck, er sprach alles laut mit. *Lieber Herr Kommissar, ich bin entsetzt, ich bin ent-*

rüstet, ich bin außer mir, ich rase vor Zorn, ich koche über, ich spucke Blut und Galle – Der Mann stand auf, ging im Zimmer herum und deklamierte weiter. Shan musste sich ducken, als er am Fenster vorbeikam. Ein Kohleofen bullerte dahin. Mitten im Sommer? Die Ofenklappe stand auf, Shan konnte die gierigen Flammen lodern sehen. Er hatte wohl schon mehrere solcher Briefe geschrieben oder besser gesagt begonnen, denn viele weiße Papierknäuel lagen vor dem Ofen. Ach, deshalb das Feuer. Wieder knüllte er ein Blatt zusammen und pfefferte es Richtung Ofenklappe. Treffer. Neuer Versuch. *Lieber Herr Kommissar, mit einem Mord will ich nichts zu tun haben, das ist nicht mein Stil, das ist nicht meine Philosophie, das war nie meine Absicht, das war nie mein Plan* – Er zerknüllte auch diesen Brief. Er stand auf, sammelte alle Papierknäuel ein und übergab sie den Flammen. Shan beobachtete ihn verwundert. War der Mann verrückt? Er schnitt Grimassen, er tanzte linkisch, er pfiff undefinierbare Weisen. Dann setzte er sich wieder an den Schreibtisch. *Lieber Herr Kommissar, ich habe zwei CIA-Leibwächter mit einem schlichten Sandsäckchen ausgeschaltet, ich habe einen hohen US-General in meine Gewalt gebracht – ich habe es kaum nötig, eine alte, popelige Zither zu klauen!*

Shan beobachtete, wie der Mann aufstand, die Sätze noch einmal wiederholte, als hätte er Kommissar Jennerwein leibhaftig vor sich. Diesmal zerriss er den Brief nicht, sondern schrieb weiter. *Lieber Herr Kommissar, da gibt es jemanden, der mich imitiert, der mich kopiert, der auf meinen Zug aufspringt, der aber meine Philosophie nicht versteht! Wir kennen uns inzwischen gut. Sie müssen mir glauben: Ich war das nicht!*

Shan hatte das Fenster jetzt so weit geöffnet, dass sie hineinschlüpfen hätte können. Sie wollte sich aber das Zimmer genauer ansehen. Sie ließ ihre Blicke durch den Raum schweifen: Das war kein Zimmer, das war eine Mischung aus Werkstatt, Atelier und Lagerraum. Die Regale waren über und über vollgestopft mit Fläschchen und Tuben in den verschiedensten Größen, mit Tüten und Kistchen, Päckchen und anderen Behältnissen. Die meisten der Exponate waren beschriftet. Dieser Mann war ein Pedant, ein Perfektionist, ein verrückter Sammler. Auch die Wände waren über und über bedeckt mit Werkzeugen aller Art. Auf einem Tisch lagen Schreibutensilien, Stifte, Pinsel, Malerrequisiten. Dort fand sie, wonach sie suchte. Shan, die Lotusblüte, stieg katzengleich ins Zimmer und versteckte sich hinter einem frei stehenden Regal.

Sie hörte ihm noch eine Weile zu. Sie erfuhr Interessantes. Etwa, dass beim Weißwurstanschlag kein Milligramm Botulin verwendet wurde. *Lieber Herr Kommissar, Sie haben mich vielleicht heute auf der Beerdigung vermisst, Sie haben mich gesucht und nicht gefunden –*

Der Sucher nach dem richtigen Ausdruck verstummte mitten im Wort. Ein schwarzer breiter Strich, ähnlich einem Zensurbalken, führte plötzlich quer über seinen Mund. Es war kein Zensurbalken, es war dickes schwarzes Klebeband, das ihm Shan von hinten auf den Mund gespannt hatte. Sein erster Impuls war, nach dem Band in seinem Gesicht zu greifen, es schnell wieder herunterzureißen, doch da spürte er einen brennenden Schmerz an seinem Handgelenk, und er kam gar nicht dazu, sich von dem Knebel zu befreien. Er musste mit der anderen Hand, mit der unverletzten Schreibhand dort hingreifen, wo es wehtat. Sein Schreibtischstuhl wurde herumgedreht. Wie aus dem Erdboden gewachsen, stand vor ihm eine kleine zierliche Frau im schlabberigen Jogginganzug mit einer über den Kopf gezogenen Skimütze, und sie hielt einen Schürhaken in der Hand, dessen Spitze glühte.

Er hatte den Eindruck, dass sich die Frau ein wenig verneigte und dass sie den Schürhaken in einer kämpferisch gespannten, fast eleganten, tänzerischen Weise in der Hand hielt. Sie bewegte die improvisierte Waffe langsam auf und ab. Diese gespenstische Szene jagte ihm mehr Angst ein, als wenn ein bulliges Monstermannsbild vor ihm gestanden hätte.

»Bleiben Sie ganz ruhig«, sagte die Frau, »dann geschieht Ihnen nichts.«

Shan hielt ihm das Eisenteil direkt vor die Nase, er konnte den Ruß und das verbrannte Papier riechen. Mit der anderen Hand wies sie nach hinten, zum sechs Meter entfernten Bullerofen.

»Ich habe einen zweiten Schürhaken hineingelegt«, sagte sie. »Ich kann Sie also immer mit einem glühenden Stab bedrohen. Ein Angriff auf mich wäre deshalb ziemlich unklug. Haben Sie mich verstanden? Nicken Sie!«

Er nickte. Er kannte die Frau nicht. Er konnte sich die Situation nicht erklären.

»Sie nehmen jetzt ein Blatt Papier und einen Stift. Sie werden einen Brief schreiben, den ich Ihnen diktieren werde. Dann werde ich wieder verschwinden. Haben Sie mich verstanden?«

Er nickte. Mit der unverletzten Hand suchte er nach einem neuen Stift. Shan stellte sich hinter ihn. Die heiße Spitze des Schürhakens war sicherlich nur ein paar Zentimeter von seinem Rückgrat entfernt. Sich umdrehen und versuchen, das Eisen wegzuschlagen? Vom Stuhl aus seitlich weghechten? Auf den Tisch springen und aus dem Fenster hüpfen? Alles Unsinn. Hatte sie etwas mit dem entführten US-General zu tun? Hatte er bei dieser Aktion in ein politisches Wespennest gestochen?

»Wenn Sie bereit zum Schreiben sind, nicken Sie.«

Er nickte. Was blieb ihm anderes übrig.

»Schreiben Sie: *Lieber Kommissar Jennerwein, das ist mein letzter Brief an Sie.* Nicken Sie, wenn Sie den Satz zu Ende geschrieben haben.«

Er nickte. Er verstand immer noch nichts. Rein gar nichts.

Wieso bedrohte ihn diese Frau? Er bereute jetzt, nicht doch zur Beerdigung des Zitherers gegangen zu sein.

»Schreiben Sie: *Die Sache ist mir über den Kopf gewachsen. Ich habe schwere Schuld auf mich geladen und weiß nicht mehr ein noch aus.* Haben Sie das?«

Er nickte. Es widerstrebte ihm, so etwas zu schreiben. *Schwere Schuld auf mich geladen.* Das war nicht sein Stil.

»Schreiben Sie: *Irgendwann werden Sie mich fangen, Kommissar. Nach dem Neujahrsanschlag, nach dem Lawinenabgang, nach der Giftattacke gibt es keine Steigerung mehr. Ich möchte dem zuvorkommen und mich von Ihnen verabschieden.* Haben Sie?«

Der Mann mit dem Klebeband über dem Mund nickte matt. Blankes Entsetzen stieg in ihm auf. Das war ein Abschiedsbrief! Das war sein eigener Abschiedsbrief. Er überlegte fieberhaft, was das für einen Sinn haben sollte. Steckte am Ende diese Frau hinter dem Neujahrsanschlag?

»Geben Sie mir Ihren Personalausweis«, sagte die Frau. »Wo ist er? Deuten Sie hin.«

Er griff nach seiner Gesäßtasche und spürte sofort einen heftigen Faustschlag auf seinem rechten Ohr.

»Sie sollten nur hinzeigen!«, schrie die Frau. »Das nächste Mal spüren Sie die heiße Eisenspitze!«

Sie nahm seine Brieftasche heraus und öffnete sie. Es raschelte. Sie kramte nach seinem Personalausweis.

»Und jetzt unterschreiben Sie. Mit Ihrer eigenen Unterschrift bitte. Und ich warne Sie: keine Tricks. Los!«

Er ließ den Kugelschreiber fallen, um einen neuen suchen zu müssen. Er bekam einen Hustenanfall, um weitere Zeit zu gewinnen. Er überlegte fieberhaft. Wenn er hier unterschrieb, war er für die Frau nicht mehr wichtig. Panische Angst stieg in ihm auf. Sein Wohnzimmer war eigentlich eine große Requisitenkammer für kriminelle Aktivitäten. Er hatte im Lauf der letzten Jahre so viele Dinge ausprobiert, gebastelt, zusammengemischt, konstruiert – lauter gesetzeswidrige Utensilien, die für ihre krummen Zwecke nie zum Einsatz gekommen waren. Vage bildete sich ein Gedanke. Er hatte nicht mehr viel Zeit, er musste es versuchen.

»Also, was ist? Ich warte«, sagte die Frau.

Er nahm ein weiteres Blatt vom Stapel, legte es neben den Brief und schrieb: *Gleich kommt ein Klient von mir.*

Der Schmerz kam unerwartet und an einer ganz anderen Stelle, als er angenommen hatte. Er hatte das Gefühl, als wären ihm die Lippen aus dem Gesicht gerissen worden.

»Was soll das heißen? Ein Klient?«, schrie die Frau. »Reden Sie!«

Er drehte sich um, sie hielt das schwarze Klebeband in der Hand und pfefferte es wütend auf den Boden. Er war einen kleinen Schritt weitergekommen.

»Ich habe Ihnen einen lukrativen Deal anzubieten«, sagte er mit zitternder Stimme. »Wie Sie vielleicht wissen, habe ich einen hochrangigen amerikanischen Armeeangehörigen entführt.«

»Nein, weiß ich nicht. Und was soll mit dem sein?«, sagte Shan unwirsch, doch er hatte das Gefühl, dass ein kleines bisschen Interesse in ihrer Stimme lag.

»Ich habe einen Zettel mit einer wichtigen Information in seiner Jackentasche gefunden.«

»Wo ist der Zettel?«

»Ich habe ihn sichergestellt.«

»Wo?«

»Er klebt dort drüben unter dem Tisch.«

»Na dann.«

Shan machte Anstalten, frisches Klebeband von der Rolle abzureißen und es ihm wieder über den Mund zu kleben. Ein kleiner Rückschlag.

»Warten Sie. Es ist natürlich nur die eine Hälfte der Information, so dumm bin ich nicht. Öffnen Sie den Briefumschlag, der unter dem Tisch hängt. Sehen Sie nach, dann können wir reden.«

Shan hatte angebissen, das konnte er sehen. Ohne ihn aus den Augen zu lassen, ging sie in die Hocke, warf einen schnellen Blick auf die Tischunterseite, griff hin und nahm den angeklebten Briefumschlag ab.

»Es gibt gar keinen Klienten, nicht wahr?«, sagte sie.

»Nein, ich gebe es zu. Das war ein Trick. Ich wollte Sie für den Inhalt dieses Briefes interessieren. Vielleicht kommen wir ins Geschäft.«

Sie blieb in der Hocke. Je mehr sie redete, je mehr Zeit verstrich, desto besser für ihn. Er hatte sich diesen Effekt einmal in müßigen Stunden überlegt. Steronyin war ein geruchloses Gas, das sich bei Wärme schnell ausbreitete und das leichte halluzinogene Wirkungen hervorrief. Es war kein schwerer Hammer, dieses Gas, nichts in der Art von Sterkox, aber der Gegner war abgelenkt, er war für ein paar Sekunden betäubt. Man musste ihn vorher nur dazu bringen, irgendein Behältnis zu öffnen, das dieses Gas ausströmen ließ …

Shan hielt den Brief mit spitzen Fingern in der Hand und schüttelte ihn. Sie setzte sich auf den Boden und hielt ihn gegen das Licht der Deckenlampe.

»Halten Sie mich für so blöd?«, sagte die Frau mit zynischem Amüsement. »So ein uralter Trick. Was haben Sie reingetan in den Brief? Was Biologisches? Milzbrandsporen? Ein Betäubungsmittel? Ein Gas? Ich ahne es: Sterkox?«

Die Frau, die dort am Boden saß, verdrehte die Augen, das war eines der ersten Symptome von Steronyin. Sie wollte aufspringen, es gelang ihr nicht.

Der Marder hatte lange an dem Mechanismus gebastelt. Das Gas war nicht im Briefumschlag. Das Gas strömte von der Unterseite des Tisches aus. Das Klebeband hielt ein Häkchen. Wenn das Klebeband weggerissen wurde, schlug das Eisenhäkchen in eine Gummiblase, in der sich das Gas befand. Die Gasflasche war in den Tisch eingelassen. Das Gas war nicht stark, es betäubte nur kurz, es lenkte nur kurz ab, man verspürte einen starken Hustenreiz. Shan ließ den Schürhaken sinken, er fiel scheppernd zu Boden. Sie stand schwankend auf und griff sich an den Hals. Jetzt musste er handeln. Der Marder sprang vom Stuhl und rannte los. Er stieß Shan dabei unsanft zur Seite, sie strauchelte, kam aber auf die Füße. Hustend schlingerte und taumelte sie durchs Zimmer und rempelte gegen die Regale. Er lief zum Bullerofen und griff sich den zweiten, heißglühenden Schürhaken. Als er sich umdrehte, erwartete er, dass sie im vollen Lauf auf ihn zu käme, er packte den Haken schon fester, um mit ihm auszuholen und sich so zu verteidigen. Doch die Frau lag in einiger Entfernung auf dem Boden, sie lag auf dem Rücken und war mit dem Kopf auf einer eisernen Handwerkskiste aufgeschlagen, die er schon lange hatte wegräumen wollen. Aus ihrem Hinterkopf tropfte es, und unter ihr bildete sich eine Blutlache.

60

Das Sanitätsauto kurvte mit quietschenden Reifen über den sauber geharkten Kies des Viersternefriedhofs, da und dort musste der Fahrer erschrockenen Friedhofsbesuchern ausweichen, der Wagen pflügte über jahrhundertelang ausgetüftelte Grabbepflanzungen. Der Sanka plättete die Begonien, Katzenpfötchen, Marokko-Kamillen und Zwergmispeln zu einem floralen und ganz und gar pietätlosen Matschbrei, kam endlich vor dem Grab des alten Fetzer Egon an – Hansjochen Becker hatte den Fahrer gut geleitet. Drei Männer in grellen Warnwesten sprangen heraus. Auf dem Kiesweg lag ein beleibter Mann, ohnmächtig, mit aufgerissenem Mund. Seine Begleiterin, die über ihn gebückt war, schien mit ihren schreckgeweiteten Augen der Ohnmacht ganz nahe zu sein und musste sich am Bauch des Daliegenden festhalten.

Die beiden schockstarren Friedhofsspaziergänger hatten zwei Männer und eine Frau gesehen, die wie verrückt gewordene Hunde in einem frischen Grab gebuddelt hatten. Die spindeldürre Frau und der große, vierschrötige Mann waren bald außer Atem, sie japsten und keuchten und hielten sich stöhnend die Flanken. Der Dritte, ein unscheinbarer Beamtentyp, grub zielstrebig weiter, abwechselnd mit einer kurzen Schaufel und mit den bloßen Händen. Die Gesänge des Voralpenchors in der Ferne waren längst verstummt, die Wolken über dem Gottesacker hatten sich verdüstert. Dann, plötzlich, ein einziger Aufschrei aus drei Kehlen. Ein schwarzer Schuh ragte aus der Erde, ein Fuß ragte aus dem Grab. Die drei Berserker legten jetzt den Fuß frei, sie ließen nicht locker, sie schrien sich Mut und Ausdauer zu. Von allen Seiten des Friedhofs eilten erschrockene Trauergäste herbei, die sehen wollten, was um Gottes Willen da geschehen war. Jetzt packte der Unscheinbare zu, er zog und ruckte an den Beinen, die inzwischen zum Vorschein gekommen waren, die anderen buddelten immer noch weiter und weiter. Und dann der unerhörte Anblick: Er zog einen leblosen Körper aus dem Grab heraus! Der wohlbeleibte Mann fiel bei diesem Anblick in Ohnmacht, die Frau mit dem Hörgerät erlitt einen polytraumatischen Schock. Der Anblick war so gruselig, dass die ersten Trauergäste, die der Szenerie schon nahe gekommen waren, erschrocken zurückwichen. Einige bekreuzigten sich, andere standen mit offenem Mund da. Die drei schmutzstarrenden und blindwütigen Buddler zogen und zerrten weiter, bis eine junge Frau mit blutverschmiertem Kopf ans Tageslicht kam. (Dieses Blut gab der morbiden Szene makabererweise wieder etwas Lebendiges, Hoffnungsvolles.) Nun aber versuchten sich die drei Grabräuber abwechselnd in atemeinhauchenden Todesküssen und anderen wiederbelebenden Maßnahmen. Mit Erfolg – die junge Frau schlug die Augen auf. Sie hustete. Sie würgte und spuckte, aber sie lebte! Die Menge stöhnte auf. Der Unscheinbare wischte ihr mit dem Taschentuch eine Haarsträhne aus dem Gesicht. Klatschten da nicht sogar einige der Umstehenden? Murmelte die Untote da nicht etwas? Diejenigen, die in der vordersten Reihe standen, bekamen einige Worte mit:

»... Glück gehabt ... Da unten aufgeschlagen ... mit dem Kopf durch ein Brett ... etwas Luftvorrat ... sonst erstickt ...«

Die Sanitäter stürzten sich auf Nicole. Doch die winkte ab. Sie richtete sich auf. Sie schüttelte sich. Und in der Tat hatten die Sanitäter bei ihr nur eine stark blutende, aber sonst harmlose

Platzwunde an der Stirn zu versorgen, die sie sich zugezogen hatte, als sie mit dem Kopf das morsche Brett dort unten durchschlagen hatte. Auch die Schnittwunde an der Handwurzel war bald verbunden. Kaum war die letzte Halteklammer gesetzt, stand Nicole auf und atmete tief durch.

»Habt ihr ihn?«

Stengele, Maria und Jennerwein lagen japsend im Gras. Sie konnten nur nicken und auf das Grabkreuz nebenan deuten.

Ostler und Hölleisen kamen genau rechtzeitig. Sie waren die einzig Uniformierten im Team, sie waren momentan auch die saubersten. Zudem waren sie ortsbekannt, so konnten sie sich den Respekt verschaffen, der nötig war, um die Neugierigsten der neugierigen Katastrophenguckermeute zurückzuscheuchen.

»Ist das unser Mann?«, fragte Ostler, doch Jennerwein war durch die Buddelei so außer Atem gekommen, dass er immer noch zu keiner Antwort fähig war. Er deutete noch einmal hinüber. Dort war ein fernöstlich aussehender Mann am eisernen Grabkreuz angekettet.

»Haben Sie ihn gut festgemacht?«, fragte Ostler.

Jennerwein nickte. Ostler sah Handlungsbedarf, denn der Trubel wurde durch die anwogende Menge immer größer. Er tippte einem der Sanitäter auf die Schulter.

»Kann ich mal euren Lautsprecher im Wagen benutzen?«

»Natürlich, weißt du, wie er funktioniert?«

»Wahrscheinlich wie bei einem Polizeiauto.«

»So ist es.«

»Achtung, Achtung«, hörte man Ostlers Stimme über Lautsprecher. »Dies ist ein Einsatz der Kriminalpolizei. Beruhigen Sie sich, es besteht keine Gefahr mehr. Wir bitten Sie allerdings, den Bereich um diese Grabstätte zu verlassen und sich zügig zu den Ausgängen des Friedhofs zu begeben.«

Ostlers Stimme war weich und warm, die Worte waren gut gewählt, kurz und knapp, bestimmt, aber nicht zu autoritär. Die mehr oder weniger prominente Meute wich tatsächlich zurück. Hölleisen schob einige Unentschlossene weg, so dass schließlich nur noch übrig blieben:

1 leitender Ermittler	am Boden liegend, halbtot
1 Polizeipsychologin	schwer keuchend, mit vollständig abgesplitterten Fingernägeln
1 Allgäuer Kommissar	vollkommen außer Atem, mit dem festen Vorsatz, das Rauchen aufzugeben
2 Ortspolizisten	letzte Neugierige zurückscheuchend
3 Sanitäter	diverse Erste Hilfe leistend
1 Bewusstloser	im Sanitätsauto, bereit zum Abtransport
1 Recklinghauser Kommissarin	putzmunter, mit »zwei kleinen Blessuren«
1 Verdächtiger	angekettet am eisernen Grabkreuz

Hölleisen beugte sich über diesen Verdächtigen und vergewisserte sich, ob die Handschellen ordentlich am Grabkreuz befestigt waren. Dann tastete er ihn vorsichtig ab und durchsuchte seine Taschen. Der Mann war unbewaffnet und hatte keine Papiere bei sich.

»Verstehen Sie mich?«, fragte Hölleisen, der Mann antwortete nicht. Hölleisen trat einen Schritt zurück. Dieser Asiate hatte große Ähnlichkeit mit dem Asiaten, den er auf der Phantomzeichnung gesehen hatte.

»Ich bin mir sicher, dass Sie mich verstehen. Ich bin gesetzlich dazu verpflichtet, Sie zu fragen, ob Sie einen Arzt brauchen. Das habe ich hiermit getan, ich werte Ihr Schweigen als nein. Sie haben eine Polizeibeamtin tätlich angegriffen. Außerdem besteht der dringende Tatverdacht, dass Sie in die Anschläge hier im Ort verwickelt sind –«

Wong schwieg zu alledem. Er musste nur noch bis morgen durchhalten. Nur noch bis morgen! Morgen kam Rogge in den Kurort. Morgen fanden die Vorführungen im Military-Paragliding statt. Shan würde den Anschlag auf ihn allein durchführen müssen, aber auch so müsste es klappen. So nervig der Österreicher war, so zuverlässig war er. Karl Swoboda hatte den Angriff gut vorbereitet.

61

Mi|li|gli|ding [miːligl'eidin] <engl.> Wortbildung aus »Military« und »Paragliding«, Sommersportart, bestehend aus Paragliding mit eingeschobenen Schießübungen. *Sportgeräte:* Dazu werden, wie beim <Biathlon> Spezial-Kleinkalibergewehre (5,6 mm) mit offenem Visier und ohne Ladeautomatik benutzt. *»Challenge«*: Eine Spezialform des Miligliding. Neben dem Zielschießen mit Kleinkalibergewehren dürfen gegnerische Paraglider mit Paintballmunition beschossen werden. Weltweit nimmt das Interesse an dieser Sportart zu. Ab 2022 soll es olympische Disziplin werden. (siehe auch: **Ex|trem|sport|ar|ten, <em|bed|ded sports>**)

Er konnte das nicht mit ansehen. Er konnte eigentlich überhaupt kein Blut sehen. Er hatte in einer kindischen Geste das Gesicht in den Händen vergraben, und erst als er keine gurgelnden und röchelnden Geräusche mehr zu hören glaubte, wagte er es, zu dem leblosen Körper der Frau hinzublicken. Er hatte Angst, den Kopf zu verlieren und durchzudrehen. Aber er musste handeln. So etwas hatte er nicht eingeplant. Er ging hin und stieß den Körper vorsichtig mit dem Fuß an. Keine Reaktion. Ihre Augen standen offen, er konnte den Anblick keine Sekunde länger ertragen, er musste sich abwenden. Jahrelang hatte er mit dem Entsetzen gespielt, er hatte Folterwerkzeuge und Mordmaschinen entworfen und gebastelt. Er hatte heimliche Sprengungen veranstaltet, er hatte einige spaßige Aktionen durchgeführt und dabei Menschen zu Tode erschreckt – und schließlich hatte er jetzt die drei Anschläge durchgeführt – seine Meisterwerke. Bisher war jedoch kein Blut geflossen, kein einziger Tropfen Blut. Und das war auch seine Absicht gewesen. Er wollte seine Macht demonstrieren, sonst nichts. Das hier war die erste Leiche, die er in seinem Leben sah, und diese Leiche musste wieder aus seinem Leben verschwinden, sie musste ausradiert werden. Sie durfte gar nie da gewesen sein. Er atmete tief durch und zog die Frau auf einen kleinen Teppich, in den er sie schnell und hastig einrollte. Über den Kopf und über die Füße, die herausstanden, zog er blaue Müllsäcke, und jetzt atmete er schon ruhiger. Er holte Putzzeug und säuberte den Boden. Einmal, zweimal, fünfmal. Er schwitzte und putzte, und mit jedem Eimer Putzwasser, den er in den Ausguss schüttete, wurde er ein kleines bisschen ruhiger. Er musste alles verschwinden lassen, was mit diesem grässlichen Unfall in Zusammenhang stand. Und Eile war geboten. Er packte Shans eingewickelten Körper und schleifte ihn zum Ofen. Die gusseiserne Tür stand immer noch offen, und die Flammen züngelten und schrien nach neuer Nahrung.

Er warf zuerst das Putzzeug hinein, dann den Rucksack der Frau, danach seine sämtlichen Entwürfe zu den Bekennerbriefen, seine Pläne und Aufzeichnungen zu den Attentaten, die Zeitungsausschnitte über die Attentate – und mit jedem der Stücke wurde die Geschichte etwas unwirklicher. Er war dabei, mit diesem Lebensabschnitt ganz und gar aufzuräumen. Es fehlte nur noch die Frau, die er in den Teppich eingewickelt hatte. Jetzt erst wurde ihm klar, dass er sie nicht in einem Stück durch die Ofenklappe bringen würde. Es klingelte. Einer seiner Klienten? Oder noch so ein Eindringling? Panische Angst stieg in ihm auf.

Es klingelte nochmals. Von einem Augenblick auf den anderen war es ihm ganz gleichgültig geworden, wer das war, er wollte nur noch weg von hier, er wollte die Tat ganz und gar ungeschehen machen, indem er aus diesem Haus ging, um vermutlich nie mehr hierher zurückzukehren. Er stieg über das Fenster auf den Balkon, er nahm den Weg, den Shan genommen hatte, er sah darin etwas Symbolisches, etwas, das die Geschichte umkehrte und auf null zurückführte. Er stieg ins Auto und fuhr los. Ohne Ziel, irgendwo hin, weit weg. Er fuhr am Friedhof vorbei. Dort strömten die Menschenmassen heraus. Er fuhr am Haus der alten Kreitmayer Resi vorbei, und sogar an der Skischanze. Wer war diese Frau gewesen? Sie hatte etwas mit dem Neujahrsanschlag zu tun gehabt. Aber was? War sie die Schützin? Warum wollte sie ihm diesen Anschlag gewaltsam unterschieben? Das hätte er doch freiwillig getan. Er fuhr weiter, aus dem Ort heraus, ohne Ziel. Ein vermutlich uralter Instinkt trieb ihn über die Grenze. Als er die alte, durch die Geschichte sinnlos gewordene Grenze nach Österreich überschritten hatte – da erst fühlte er sich ein kleines bisschen sicherer, ein ganz kleines bisschen freier. Ein ganz klein wenig unschuldiger. Die kleinen Panikattacken, die noch aufloderten, konnte er niederkämpfen. Es war ein Unfall gewesen. Oder etwa nicht?

Kurz hinter den unnütz gewordenen Wechselstuben kam ihm die Idee, dass hinter dieser Frau noch jemand anders stecken musste. Er war sich jetzt ganz sicher: Diese Frau hatte etwas mit dem Neujahrsanschlag zu tun, und sie war bestimmt nicht allein. Und jetzt wusste er: Sie würden ihn jagen. Ein eiskalter Schauer breitete sich über seinen ganzen Körper aus. Nicht die Polizei würde ihn jagen. Eine Organisation würde ihn jagen. Bis ans Ende der Welt. Er hielt an und stieg aus, so weiche Knie hatte er bekommen. Er sah sich um. Er befand sich im ersten österreichischen Dorf nach der Grenze. Eine internationale

Organisation. Der Begriff *Chinesische Mafia* stieg langsam aus einem Nebel von unklaren Gedanken auf. Sie würden ihn fassen, wo immer auf der Welt er sich auch aufhielt. Er hatte die Kontrolle über seine weitere Zukunft verloren, er war nicht mehr Täter, er war jetzt Opfer. Er musste sich der Polizei stellen. Die Staatsgewalt würde ihm helfen. Die allein konnte ihn jetzt noch retten. Nur bei ihr war er sicher.

»Bitt' schön?«

»Ich möchte mich stellen. Bitte machen Sie schnell, ich bin in großer Gefahr.«

Große Fragezeichen in den Augen des einzigen Gendarms in der kleinen Gendarmerie, der da hinter seinem übervollen Schreibtisch saß und äußerst übellaunig wirkte.

»Was woll'ns?«

»Hier ist mein Personalausweis. Ich ganz allein bin verantwortlich für die Anschläge drüben im Loisachtal. Wenn Sie wollen, kann ich Ihnen Details geben, später. Und ich habe gerade eine Frau –« Er brach ab.

»So sehen Sie aus«, sagte der Gendarm.

»Wie sehe ich aus?«

»Als ob sie ein wahn-sin-nig gefährlicher Verbrecher sind.«

»Bitte nehmen Sie mein Geständnis auf. Die Details nenne ich Ihnen später.«

»Schaun's: Wenn Sie jetzt heimgehen, dann vergessen wir zwei die ganze Geschichte. Dann vergesse ich Sie und Sie mich. Wir haben hier anderes zu tun. Wissen Sie, was da drüben über der Grenze grade los ist? Wir müssen hier Bereitschaft schieben, bloß weil ein Idiot die deutschen Behörden an der Nase herumführt. Die Deutschen bekommen das nicht in Griff – und jetzt kommen Sie, und nerven noch extra?«

»Kommissar Jennerwein!«

»Was ist mit dem?«

»Ich kenne ihn, rufen Sie ihn bitte an. Ich bin der Attentäter, den er sucht.«

»Lieber Herr. Was meinen Sie, wie viele Spinner heute schon angerufen haben und genau das gesagt haben? Dass sie der Attentäter sind!«

»Das sind die Trittbrettfahrer. Die reaktiven Psychotiker. Ganz normal. Ich aber –«

Er ging um den Schreibtisch des Gendarmen herum.

»Halt, was machen Sie da!«

»Wenn es nicht anders geht.«

»Bleiben Sie mir vom Leib.«

»Tut mir leid –«

Er holte aus und gab dem Polizisten eine schallende Ohrfeige. Der verdutzte Gendarm hielt sich die Wange, dann ging alles sehr schnell. Widerstandslos ließ sich der Angreifer abführen, und schließlich fand er sich in der Einzelzelle der Gendarmerie wieder.

»Kann ich Papier und Bleistift haben?«

»Ja freilich, der Herr! Vielleicht noch ein Paar Ärmelschoner, ein Tasserl Kaffee? Etwas Gebäck?«

Die letzten Worte hatte der Tiroler Gendarm nicht gesagt, er hatte sie geschrien. Und es war auch das Letzte, was der Gefangene von dem Gendarmen hörte. Danach knallte die Zellentüre zu. Irgendwann in der Nacht fand er einen Bleistiftstummel hinter der Pritsche. *Lieber Herr Kommissar*, schrieb er an die Wand, *lieber Herr Kommissar Jennerwein, bitte kommen Sie!* – Er schrieb so lange, bis der Bleistiftstummel zu Ende war.

62

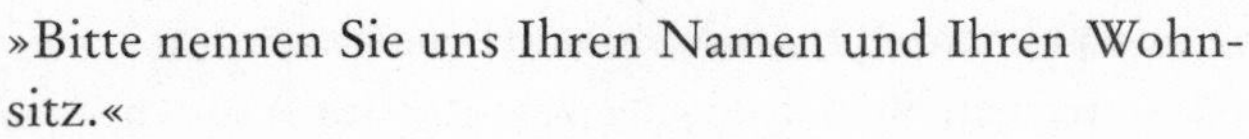

»Bitte nennen Sie uns Ihren Namen und Ihren Wohnsitz.«

Wong schwieg, er verzog nicht einmal den Mund. Er schien den Fragen der Beamten aufmerksam, sogar freundlich zu folgen, doch er schwieg. Jennerwein seufzte.

»Warum haben Sie behauptet, Einwohner dieses Ortes zu sein?«

Schweigen.

»Warum haben Sie behauptet, Einwohner dieser Gemeinde zu sein?« (*Szroczcki, Verhörtechniken, S. 27, »Dieselbe Frage mit einer kleinen unbedeutenden Veränderung«*)

Schweigen.

»Verraten Sie uns bitte Ihre wahre Nationalität.«

Schweigen.

»Wie dürfen wir Sie nennen? Es muss nicht Ihr wirklicher Name sein!« (*Szroczcki, S. 27, »Scheinbares Entgegenkommen«*)

Schweigen.

»Wären Sie einverstanden damit, uns eine Schriftprobe zu geben?«

Verwunderter Blick. Schweigen.

»Rauchpause.«

Das Team sammelte sich draußen auf der Terrasse. Auch Nicole Schwattke war dabei, sie hatte sich nicht dazu überreden lassen können, ein paar Tage freizunehmen.

»Freinehmen? Wegen der kleinen Platzwunde? Wegen dem kleinen Schnitt?«, hatte sie gesagt. Sie hatte tatsächlich nicht mehr als eine kleine Platzwunde am Kopf und einen schmerzhaften, aber ungefährlichen Schnitt an der Handwurzel davongetragen. Auch psychisch ging es ihr gut. Das behauptete sie jedenfalls: Der kurze Blick ins Reich der Toten hatte keine spürbaren Traumata bei ihr zurückgelassen. Hubertus Jennerwein akzeptierte das. Dr. Maria Schmalfuß hatte da ihre Zweifel. Aber auch sie musste es akzeptieren, dass es so etwas wie die psychologisch noch wenig klassifizierte Spezies der Dickköpfe gab.

»Ich glaube nicht, dass das da drinnen unser Mann ist«, sagte Maria. »Er passt schon deswegen nicht ins Profil, weil sich der Marder, wie wir ihn bisher kennengelernt haben, mehr produzieren würde. Er würde mit seinen Taten angeben, er würde uns als unfähigen Chaotenhaufen beschimpfen. Oder das genaue Gegenteil: Er würde alles entrüstet von sich weisen und uns ebenfalls als unfähigen Chaotenhaufen beschimpfen. Dieser Mann hier ist mir einfach zu gelassen. Er schweigt, und ich habe den Eindruck, dass er dieses Schweigen noch tagelang durchhält.«

»Also ein Trittbrettfahrer?«, fragte Ostler.

»Für einen bloßen Trittbrettfahrer hat er viel zu viel riskiert«, sagte Jennerwein. »Wenn jemand einen Polizisten angreift, dann muss etwas Größeres dahinterstecken. Wir müssen herausbekommen, was er auf dem Friedhof zu suchen hatte. Rein touristisches Interesse an katholischen Beerdigungsritualen wird es nicht gewesen sein.«

»Und wenn er tatsächlich nicht gut oder gar nicht deutsch spricht?«

»Der spricht hervorragend deutsch«, sagte Nicole. »Der hat mich doch bequatscht ohne Ende.«

»Gehen wir wieder hinein.«

»Verstehen Sie uns?«

Schweigen.

»Brauchen Sie einen Dolmetscher?«

Schweigen.

Schweigen.

Schweigen.

(*Szroczcki, Verhörtechniken, S. 156, »Spiegelung des Verhaltens des Verhörten durch die verhörenden Beamten«*)

»Wissen Sie, dass in unserem Land solch ein Angriff auf einen Polizeibeamten mit Gefängnis nicht unter fünfzehn Jahren bestraft wird?«

Keinerlei Regung. Schweigen. Nur weiter so, dachte Wong. Mit jeder Minute, die verstreicht, komme ich näher an unser großes nationales Ziel. Shan wird es schaffen. Sie wird unsere ehrenvolle Aktion zu Ende führen. Nur noch ein paar Stunden, dann steht sie vor Rogge.

»Wollen Sie ein Glas Wasser?«

Ich selbst müsste dieses Verhör hier führen, dachte Wong. Dort drüben müsste ich sein, wo diese Provinztölpel jetzt stehen. Ich würde schon einiges mehr erfahren. Die Tricks der schlaksigen Frau sind zu durchsichtig, wie aus einem Lehrbuch der Verhörtechnik, viel zu mechanisch angewandt. Die Frau, an deren Schutzweste sein Ka-to abgeglitten war, sagte gar nichts, sie schaute ihn nur milde lächelnd an, mit einem großmütigen Ich-vergebe-dir-Lächeln, das ihn wohl weichklopfen sollte. Keine Chance. Der leitende Kommissar ist der Gefährlichste, dachte Wong.

»Wollen Sie eine Tasse Tee? Wir trinken hier alle Tee. Möchten Sie auch eine Tasse?«

Er sieht aus wie ein Bürobote, dessen Gesicht man schon vergessen hat, wenn der Blick noch darauf ruht. Aber er stellt die besten Fragen. Und er stellt sie gut, er stellt sie so, dass man fast ein bisschen schmunzeln muss und dadurch unaufmerksam wird. Was gibt es jetzt dort zu flüstern? Alter Polizeitrick. Soll den Verhörten ablenken.

»Kommen Sie, Chef, kommen Sie schnell«, flüsterte Nicole Jennerwein zu. Zwei Minuten später saßen sie im Polizeiauto und jagten in Richtung Friedhof.

»Manchmal gibt es so etwas«, sagte Nicole zu Jennerwein, »dass der Trubel so groß ist, dass niemandem ein verlorengegangenes Stück auffällt.«

»Hier war es«, sagte Nicole, als sie wieder auf dem Kiesweg standen. »An dieser Stelle habe ich ihn aufgefordert, die Kamera abzulegen. Er hat die Kamera so verkrampft festgehalten, dass ich zuerst dachte, das wäre seine Waffe.«

»Eine kleine Kamera als Waffe?«

»Ja, nach alledem, was wir von Becker über Laserwaffen gehört haben.«

»Verstehe.«

»Jetzt aber denke ich, dass er die Kamera aus anderen Gründen so verkrampft festgehalten hat. Es sind Fotos drauf, die wichtig für ihn sind. Oder die etwas verraten.«

Sie suchten den Kiesweg ab. Sie krochen auf dem Boden herum. Dem Kiesweg sah man an, dass vor ein paar Stunden eine Horde von Leuten drübergetrampelt war. Sie suchten die Gräber in der Nähe ab. Nichts.

»Sie schon wieder!«

Sie hatten den Friedhofswärter gar nicht gehört.

»Ja, wir schon wieder.«

»Suchen Sie was Bestimmtes?«

»Eine Kamera. Eine kleine Digitalkamera.«

»Kommen Sie mit.«

Der Friedhofswärter hatte alle Fundsachen der letzten zwei Stunden auf einem Tisch ausgebreitet. Zwei Regenschirme, vier Krückstöcke, sechzehn Schachteln Zigaretten, darunter die schwer erhältliche Dubaier Marke *Wüstensand*, zwei Handtaschen, eine ungeladene Pistole Marke Luger, eine CD *Marianne und Michael* (signiert), acht Taschentücher, ein linker Herrenschuh, ein Briefumschlag mit Jetons der örtlichen Spielbank im Wert von fünftausend Euro, dreizehn Brieftaschen, eine unbekannte Anzahl von Blumensträußchen und Grabgebinden, ein Siegelring mit den Initialen J. R., vier Digitalkameras. Nicole erkannte die Digitalkamera des Asiaten sofort wieder, es war die einzige schwarze.

Becker war immer noch im Übertragungswagen und wertete die Aufzeichnungen von der Trauerfeier aus.

»Können wir die Fotos hier sofort anschauen?«, fragte Jennerwein.

»Kein Problem«, sagte Becker. »Ich übertrage die Bilder gleich auf den Rechner.«

Auf dem Bildschirm erschienen Landschaftsaufnahmen. Weggabelungen, sonderbar geformte Bäume, markierte Wegsteine. Vor dem Bildschirm saßen drei enttäuschte Beamte.

»Rufen Sie bitte Hölleisen, Nicole«, sagte Jennerwein. »Der soll sich das ansehen. Der weiß, wo das aufgenommen wurde, ich kenne mich in der Umgebung hier nicht besonders gut aus.«

Becker, Schwattke und Jennerwein schwiegen wie vorher Wong. Sie sahen die Zeitungsmeldung schon vor sich.

> **Die kuriose Nachricht** – (dpa) Ein chinesischer Urlauber wollte nur die bayrische Alpenwelt genießen und ein paar Fotos knipsen, da wurde er von der Kriminalkommissarin Nicole S. (24) für einen lange gesuchten Verbrecher gehalten. Er zückte ein Austernmesser, da zog sie die Dienstpistole. Bei der anschließenden Verfolgungsjagd fiel sie in ein offenes Grab und verletzte sich

```
dabei, sie wurde inzwischen in den Innen-
dienst nach Franken versetzt. Er werde das
Voralpenland trotzdem wieder besuchen, sagte
der Chinese freundlich.
```

»Hallo, Chef.«

Hölleisen war am Apparat. Und er war in heller Aufregung.

»Jetzt dreht er vollkommen durch.«

»Wer?«

»Der Marder.«

»Wie bitte? Der Marder? Von welchem Marder reden Sie?«

»Gerade ist hier ein Fax aus Österreich gekommen. Aus der Gendarmerie gleich hinter der Grenze. Ein Mann hat sich dort gestellt, und er nervt die Tiroler Kollegen mächtig. Er will alle Anschläge hier im Ort begangen haben.«

»Das kommt uns doch bekannt vor.«

»Ja, es ist wahrscheinlich ein Trittbrettfahrer. Das Außergewöhnliche daran: Er schreibt dieselben Bekennerschreiben wie unser Marder. Und die Schrift: Steil und streng aufwärts gerichtet, sie *flattert in den Oberlängen, als würde sie brennen*, wie die Frau Doktor immer sagt.«

»Wie weit ist das von hier?«

»Eine halbe Stunde.«

»Ich fahre mit Maria hin.«

Frau Doktor fuhr wie eine gesengte Sau die kleine Landstraße entlang, die vom Kurort in das Bundesland Tirol führte. Jennerwein hatte sie fahren lassen, weil er angeblich seine Sehhilfe vergessen hatte. Er hatte noch nie im Leben eine Sehhilfe getragen. Er wollte es nur vermeiden, zu fahren. Ein Anfall seiner Akinetopsie beim Fahren könnte tödlich enden. Er hatte bis dahin nicht geahnt, dass eine Überlandfahrt mit Maria Schmalfuß mindestens ebenso gefährlich war. Als sie an der Gendarmerie ankamen, stieg der Kommissar schweißgebadet aus.

»Mit Blaulicht fahren macht Spaß«, sagte Maria. »Alle spritzen links und rechts weg, freie Fahrt für freie Bürger, da ist was dran.«

Der wachhabende Gendarm begrüßte sie.

»Willkommen, die Herrschaften aus dem befreundeten Ausland! Sie haben doch sicherlich noch ein Platzerl frei in Ihrem Auto? Diesen Landsmann da drinnen können Sie nämlich gleich wieder mitnehmen, der sekkiert uns dermaßen, dass es nicht mehr zum Aushalten ist!«

»Sie haben ihn in Haft genommen?«

»Er hat einen Kollegen von mir geohrfeigt.«

»Dann sehen wir ihn uns einmal an.«

Es war eine vergitterte Zelle, und der ungebetene Gast saß mit dem Rücken zu den Besuchern. Er hatte die Wände vollgeschrieben, er hatte die Decke vollgeschrieben, er hatte den Boden vollgeschrieben, und überall stand: *Kommissar Jennerwein – helfen Sie mir!*

»Mein Name ist Hauptkommissar Jennerwein. Ich bin auf Ihren Wunsch gekommen. Drehen Sie sich bitte um, ich möchte mit Ihnen sprechen.«

»Sind Sie alleine, Herr Kommissar?«

Die Stimme kam Maria bekannt vor. Sehr bekannt.

63

»Eine schöne Beerdigung hat er schon gehabt, der Zither Beppi!«, sagte Willi Angerer in der Bäckerei Krusti. »Da kann man wirklich nichts sagen. Und ich hab sogar die Enkelin vom Birger Ruud getroffen.«

»Birger Ruud? Das ist doch dieser Norweger«, mutmaßte Glasermeister Pröbstl. »Der Olympia 1936 gewonnen hat?«

»Unnachahmlicher Sprungstil. Schaut einmal her –«

Birger Ruud mit dem hochgereckten Hintern nachzuahmen war einer der Höhepunkte von Angerers Kunst. Es gab Applaus. Dann erinnerte man sich wieder an den Verstorbenen.

»Auf den Zither Beppi!«

»Auf den größten Werdenfelser Musiker nach Richard Strauss!«

Alle stießen an, es war proppenvoll in der Bäckerei, der Pfarrer war da, der Bürgermeister schaute, ganz kurz, auf ein kleines Weißbier herein, der Harrigl war natürlich da, die Frau Oberstudienrätin Ronge kaufte sich eine der *Highway-to-hell-Semmeln* (in Form einer kleinen Zither), der Schlossermeister Wollschon war da, und die Drogistin von gegenüber rief:

»War das ein schöner Nachruf, Herr Pfarrer! So positiv und moralisch erhebend wie nie. Ich muss Ihnen ganz ehrlich sagen: So eine gute Predigt habe ich noch nie von Ihnen gehört!«

Der Pfarrer lächelte süßsauer.

»Um ganz ehrlich zu sein«, sagte er, »die Predigt habe nicht ich geschrieben, sondern diese Polizeipsychologin.«

»Ach, das tut mir jetzt leid, Herr Pfarrer.«

»Apropos Psychologie«, sagte der Feuerwehrhauptmann Mirgl, »wo ist denn eigentlich der Manfred?«

»Ja, den habe ich schon seit ein paar Tagen nicht mehr gesehen.«

»Und auf der Beerdigung war er auch nicht.«

»Vielleicht ist so ein Andrang in seiner Praxis!«

Alle lachten und prusteten. Alle wussten, dass Manfred Penck in seiner neu eröffneten Mediationspraxis auch nach gut einem Jahr noch keinen einzigen Klienten gehabt hatte. Nicht einmal ein redlich auseinandergelebtes Ehepaar hatte sich zu ihm verirrt, kein einziger Beziehungsdepp oder Streithansel hatte um – na ja – professionellen Beistand gebeten. (Was auch kein Wunder war: In diesen Breitengraden regelte man verfahrene Angelegenheiten in den eigenen vier Wänden, man hielt die Kulisse aufrecht und ging nicht hausieren mit seinen Problemen.) Jeder wusste, dass Penck niemals Konfliktforscher, Katastrophenberater oder Bundeswehrpsychologe gewesen war, wie er immer erzählte. Jedem hier in der Bäckerei und auch im Ort war klar, dass er noch nie irgendetwas gestemmt hatte. Er wurde – Liberalitas Bavariae! – als liebenswürdiger Spinner akzeptiert, wie es in jeder Gemeinde einen gab. Jeder wusste, dass er seinen Lebensunterhalt damit verdiente, dass er bei dem einen oder anderen Bauern im Stall oder bei dieser oder jener Wirtin in der Küche mithalf.

Momentan aber befand sich Manfred Penck in der Arrestzelle der kleinen österreichischen Gendarmerie gleich hinter der Grenze. Er deutete auf die Wand vor sich. *Kommissar Jennerwein – helfen Sie mir!* – war dort deutlich und dramatisch zu lesen. Dann drehte er sich langsam um. Er war unrasiert, hatte Augenringe und wirres Haar. Er sah nicht gut aus.

»Was tust *du* denn hier?«, fragte Maria entgeistert.

»Sie kennen diesen Mann?«, fragte Jennerwein.

»Ja, natürlich. Das war ein Studienkollege von mir. Ich wusste, dass es ihn hierher in den Kurort verschlagen hat. Ich wusste aber nicht, dass –« Sie wandte sich direkt an Penck. »Sag einmal, spinnst du! Du hetzt uns hierher, während wir –«

»Maria, mäßigen Sie sich!«

»Ist doch wahr! Wir haben momentan anderes zu tun, als solchen Spinnereien nachzugehen.«

»Bitte, Herr Kommissar!«, rief Penck. »Helfen Sie mir! Jemand ist hinter mir her. Ich bin in großer Gefahr. Ich habe mit dem Feuer gespielt, jetzt kann ich es nicht mehr löschen.«

»Wieso sind Sie in großer Gefahr?«, fragte Jennerwein ruhig. »Sie haben hier auf dem Revier einen Polizisten geohrfeigt. Warum?«

»Man nimmt mich nicht ernst!«

»Was haben Sie mit den Anschlägen zu tun?«

»Alles!«, schrie Penck. »Alles! Alles! Ich kann Ihnen alles beweisen! Aber deswegen habe ich Sie nicht rufen lassen.«

»So, er hat uns rufen lassen«, spottete Maria. »Wie gnädig von ihm!«

»Mit dem Anschlag auf den Zitherer habe ich nichts zu tun. Ich bin nicht der Mann, der einen Mord begeht. Aber jetzt ist es passiert, verstehen Sie! Die Frau hat mich bedroht –«

Jennerwein wurde ungeduldig. Er atmete scharf aus und machte eine unwirsche Handbewegung.

»Wissen Sie was, das klingt mir jetzt alles zu wirr. Erst bestreiten Sie, einen Mord begangen zu haben. Im nächsten Augenblick haben Sie doch wieder einen begangen –«

»Eine fernöstlich aussehende Frau –«

Schlagartig wurden Jennerwein und Maria hellhörig.

»Sie liegt bei mir in der Wohnung auf dem Boden. Sie ist tot. Ich bin dafür verantwortlich. Und es gibt Hintermänner. Die chinesische Mafia. Beschützen Sie mich, Herr Kommissar!«

»Die chinesische Mafia, aha. Wissen Sie was«, sagte Jennerwein, »bloß aus alter Freundschaft zu Frau Schmalfuß. Wir fahren jetzt alle drei zu Ihrer Wohnung, Herr Penck. Und wenn an der Geschichte *nichts* dran ist, können Sie was erleben! Dann sind Sie wegen Behinderung der Ermittlungen dran. § 258 StGB.«

»Ich weiß!«, rief Penck. »Ich war mal Polizeipsychologe.«

»Einen Schmarren warst du«, sagte Maria.

Sie fuhren in Pencks Wohnung. Penck selbst sperrte auf. Die Wohnung war leer. Keine Frauenleiche lag auf dem Boden, keinerlei Spuren eines Kampfes waren zu finden, geschweige denn Blutspuren auf einem Teppich. Zwei blitzende Schürhaken hingen sauber und unschuldig in ihren Halterungen. Der Schreibtisch sah sauber und aufgeräumt aus. Auch der Bullerofen war geputzt, die Asche war ordentlich in den Aschenkübel geschichtet worden.

»Aber die Blutspuren!«, schrie Penck. »Bei einer Untersuchung mit Luminol müsste man sie finden, die Blutspuren!«

»Sie schreien mir zu viel«, sagte Jennerwein.

»Es ist mir sehr peinlich, Hubertus«, sagte Maria leise.

»Lassen Sie nur«, gab Jennerwein leise zurück, »dieser Mann sieht mir nicht nach einem lästigen Wichtigtuer aus. Dieser Mann hat wirklich Angst.«

»Was machen Sie jetzt mit mir?«, schrie Penck weinerlich.

»Für die Polizistenohrfeige bekommen Sie eine Anzeige«, sagte Jennerwein. »Das wird ganz schön teuer, das kann ich Ihnen gleich sagen. Aber es gibt keinen Grund, Sie einzusperren. Wir gehen jetzt.«

»Nein!«, rief Penck verzweifelt. »Sperren Sie mich ein!«

Er schrie es so verzweifelt, dass Maria und Jennerwein sich zunickten.

Sie fuhren mit dem kläglich krakeelenden Penck aufs Revier, dort schloss sich die Zellentür hinter ihm.

»Bin ich hier auch wirklich sicher?«

»Nein, es gibt einen Geheimgang, der direkt zu Doktor Mabuse führt«, sagte Maria.

»Ja, mach dich nur über mich lustig.«

Als sie wieder alleine waren, sagte Jennerwein: »Was halten Sie von ihm, Maria?«

»Ein Wichtigtuer, ja, das war er immer schon. Aber er braucht psychologische Betreuung.«

»Ein Psychologe braucht psychologische Betreuung?«

»Eigentlich brauchen fast alle Psychologen psychologische Betreuung. Ich kümmere mich darum. Und dann die Schrift. Die Schrift an der Wand und die Schriftprobe, die uns der österreichische Gendarm zugeschickt hat, ähnelt doch sehr der unseres Marders, ich werde nachprüfen lassen –«

Becker und Hölleisen traten, ohne anzuklopfen, herein, sie breiteten die Fotoausdrucke auf dem Tisch des Besprechungszimmers aus. Nach kurzer Zeit stand das ganze Team um den Tisch herum. Der Mardermanfred Penck war vergessen.

»Der erste Schwung Fotos bezieht sich wohl auf das Neujahrsspringen«, sagte Hölleisen. »Bilder von der VIP-Lounge, von den angrenzenden Zufahrtswegen, aber auch von dieser Wohlfühl-Wellness-Oase, wo wir waren, und die dazugehörigen Bilder von einem Laserapparat. Der zweite Schwung Bilder sind Landschaftsaufnahmen, alle aus der Umgebung von der Schlenggerer-Hütte, die in der Nähe vom Osterfelderkopf steht.«

»Schlenggerer-Hütte, noch nie gehört. Was ist das für eine Hütte?«

»Ein exklusives Restaurant in tausend Meter Höhe. Zutritt wieder nur für superwichtige Prominente. Etwas Ähnliches wie die VIP-Lounge im Skistadion, bloß nicht so kalt. Und dann noch ein dritter Schwung Fotos von der unteren Stütze der Eibsee-Seilbahn, die auf die Zugspitze führt.«

»Sonst nichts? Keine Fotos vom Schachen, vom Haus der alten Kreitmayerin, von der amerikanischen Garnison? Oder vom Haus des Zitherers?«

»Nein, nichts dergleichen.«

»Jedenfalls waren ihm diese Fotos außerordentlich wichtig«, sagte Nicole. »So wichtig, dass er mich ausschalten wollte, als ich ihn aufgefordert habe, die Kamera auf den Boden zu legen.«

Alle schwiegen und dachten nach. Niemand wurde aus den Fotos schlau.

»Ach, was ich vergessen habe«, sagte Hölleisen, »es gibt auch ein Personenfoto. Nur ein einziges.«

Er wühlte in dem Berg und holte schließlich die Porträtaufnahme eines gebräunten und sportlichen Mittsechzigers heraus.

»Wer ist das?«, fragte Jennerwein.

»Den kennen Sie nicht? Das ist Jacques Rogge, der IOC-Präsident. Einer von den Superwichtigen. Er ist für die Vergabe der Olympischen Spiele verantwortlich.«

Und jetzt ratterte es in den Köpfen, und jetzt blitzte es auf, jetzt arbeiteten die grauen Beamtengehirnzellen, und schließlich blickten sie sich an, und der eine oder andere schnappte nach Luft. Niemand sagte etwas, jeder versuchte Zusammenhänge herzustellen. Jeder überlegte fieberhaft. Was lag da auf dem Tisch ausgebreitet: eine Dokumentation eines ausgeübten Anschlags. Dann die Planung eines weiteren Anschlags. Gemeinsames Bindeglied: Jacques Rogge. Nur die Seilbahnstütze passte nicht ganz ins Bild. Trotzdem schrillten die Alarmglocken. Jeder wusste, dass jetzt etwas unternommen werden musste.

»Wir teilen uns auf«, sagte Jennerwein plötzlich. »Stengele, Sie gehen mit Hölleisen und Nicole zu dieser Stütze und sehen sich die an. Maria und Ostler, Sie gehen mit mir zu dieser Hütte. Wie heißt sie nochmals? Schlenggerer-Hütte.«

»Da ist heute aber einiges los«, sagte Hölleisen.

»Was denn?«

»Ich glaube, ein paar Sportgrößen schauen sich eine neue Paragliding-Disziplin an.«

»Das könnte es sein!«

Der Himmel war schon übersät mit den bunten Gleitschirmen, Jennerwein musste seinen Dienstausweis etwa zweitausendmal zeigen, bis er in der Wirtsstube der Schlenggerer-Hütte stand, in der *Frozen Strawberry Margaritas* und *Singapur Slings* ausgeschenkt wurden. Ein Rundblick: kein Rogge weit und breit.

»Sie schon wieder?«, hörte er von ein paar Leibwächtern und von ein paar Prominenten.

»Kriminalpolizei. Gefahr im Verzug«, sagte er zu einem bulligen Sicherheitsdienstler, der ihm den Weg versperrte. »Wo ist Rogge?«

»Draußen auf der Terrasse. Aber Sie können jetzt nicht –«

Jennerwein konnte. Durch die Wirtsstube durch, viel Vorabendserienprominenz, Sportler, Sportreporter, ehemalige Sportler, ehemalige Sportreporter, im Gespräch vertieft, das Schaufliegen draußen sah sich kaum jemand an. Das entschied ohnehin Rogge allein. Miligliding, so ein Schmarren! Einige blickten mürrisch von ihren Lachsterrinen auf, als die Polizisten näher kamen. Draußen auf der Terrasse: ebenfalls keine Spur von Rogge. Niemand wusste, wo der IOC-Präsident hingegangen war. Jennerwein blickte hoch zum Himmel: eine Invasion von bunten Gleitschirmen. Und wie bequem konnte man von dort oben mit einem Präzisionsgewehr herunterschießen! Ein kleines Gatter, das von der Terrasse wegführte.

»Suchen Sie hier weiter nach Rogge«, sagte Jennerwein zu den anderen, »vergessen Sie die Toiletten und Besenkammern nicht.«

Für weitere Anweisungen blieb keine Zeit. Jennerwein sprang über das kleine Gatter, von dem aus ein Weg zu einer kleinen Hütte führte. Eine Anhöhe, ein Hügelchen, fünfhundert Meter entfernt. Er rannte, was das Zeug hielt. Fünfhundert Meter im Spurt, und dann noch bergauf. Schon bei der Hälfte der Strecke war er total außer Atem. Als er noch näher gekommen war, sah er, dass es eine Imbissbude war, die ein paar Dutzend Touristen angezogen hatte, die sich das Miligliding ebenfalls ansehen wollen. Viele hatten etwas Essbares in der Hand.

»Acht Euro für eine Thüringer Bratwurst? Unverschämtheit«, hörte er einen Gast sagen.

»Was wollen Sie, es ist Hochsaison!«, sagte die Frau hinter der Theke.

Jennerwein lief um den Bauernhof herum. Es war ein typischer Bergbauernhof, mit Wohnhaus und einigen Viehställen. Alle Gebäude waren mit Lüftlmalereien verziert. Aus einem besonders aufwendig geschmückten Fenster mit grünen Fensterläden blickte eine Kuh heraus. Zuerst dachte er, dass es eine gemalte Kuh war, aber sie schlackerte mit den Ohren und schnupperte die würzige Luft, sie war echt. Aber so ganz wusste man hier im Kurort nie, was echt war, das hatte er inzwischen gelernt. Und dann sah Kommissar Jennerwein den IOC-Präsidenten Jacques Rogge. Er stand in einiger Entfernung auf einer Wiese, er war allein, er schaute gut gelaunt in die Luft, er biss genussvoll in eine extragroße Thüringer Bratwurst. Er gab ein ideales Ziel ab. Jennerwein eilte auf ihn zu.

64

Stengele war ein strammer Bergwanderer, und so hatte er die beiden anderen, Hölleisen und Schwattke, bald weit hinter sich gelassen. Er hielt sich an die Trasse der Seilbahn, die vom Eibsee zur Zugspitze führte. Die Stütze, die die mächtigen Drahtstränge trug, ragte wuchtig und trotzig in den Mittagshimmel. Stengele als alter Kommisskopf, als ehemaliges Mitglied eines Allgäuer Pionier-Bataillons hatte eine dunkle Ahnung, was die Fotografien einer solchen Stütze bedeuten könnten. Noch eine Steigung der Trasse, noch eine Kurve, dann sah er sie in ihrer ganzen Pracht stehen, sie wuchs monumental aus dem Boden, das Fundament wirkte solide, wie für die Ewigkeit gemacht. An den roten und weißen Stahlstreben schlängelten sich dünne farbige Drähte und Kabel hoch. Stengele trat neugierig näher.

Als Jennerwein noch zwanzig Meter von Rogge entfernt war, zerfetzte eine Explosion die Idylle. Es begann mit einem dröhnenden, tiefen Wummern, das sich zu einem metallischen Kreischen auswuchs. Die vielen, sich in Tempo und Lautstärke steigernden Nachexplosionen ließen alle Anwesenden unwillkürlich in Deckung gehen. Die meisten warfen sich längs auf den Boden, andere kauerten sich in die Hocke, alle hielten sich die Ohren zu. Nur zwei Personen in der Grünfläche der Almwirtschaft hatten die Explosion mehr oder weniger erwartet und erschraken nicht zu Tode. Da war einmal Jennerwein, der spurtende Hauptkommissar, der auf einen verdutzten, in den

Himmel starrenden IOC-Präsidenten zuraste. Und dann war da noch die zierliche kleine Frau, die etwas abseits an einem Viehzaun stand. Sie trug eine Golfkappe. Auch sie ging nicht in Deckung. Hätte sie das gemacht, wäre sie Jennerwein vielleicht gar nicht aufgefallen. Der Kommissar war davon überzeugt gewesen, dass die Gefahr dort oben, irgendwo in der Flotte der bunten Luftschiffe lauerte. Jetzt erkannte er, dass die Gefahr für Rogge von dieser Frau ausging. Sie konnte ihre fernöstlichen Wurzeln nicht verleugnen. Und sie steckte gerade ein kleines, dunkles Kästchen in ihren Rucksack zurück. Das war keine Brotzeitschatulle, kein bergkompatibles Notebook, kein Transistorradio, kein randvolles Gipfeltagebuch – dieses Kästchen sah verdammt nach einer selbst gebastelten Fernzündung aus. Eine Peilantenne, ein großer Drehknopf, ein Kippschalter, das hatte Jennerwein noch gesehen, bevor der Apparat im Rucksack verschwand. Die Frau musste die Explosion verursacht haben – die Attentäter hatten tatsächlich eine Stütze der Bergbahn gesprengt. Und jetzt lief diese Frau über die Almwiese auf Rogge zu. Der war in die Hocke gegangen, die Thüringer hielt er immer noch in der Hand, er machte Anstalten, sich auf den Boden zu legen. Immer noch und immer wieder waren Explosionen zu hören, viele kleine Geräuschkaskaden, hässliche Schnalzer, das heisere Gebell von detonierendem Sprengstoff. Stengeles Truppe war zu spät gekommen, dachte Jennerwein, sie hatten es anscheinend nicht mehr geschafft, die Zündung außer Kraft zu setzen. Rogge lag jetzt auf dem Bauch. Die Frau war noch fünfzehn Meter von ihm entfernt, Jennerwein änderte seine Laufrichtung. Er rannte jetzt auf die Frau zu, die ihn noch nicht gesehen hatte. Was hatte die Frau vor? Er hatte keinerlei Anzeichen dafür entdeckt, dass sie eine Waffe trug oder gezogen hatte. Zehn Meter. Die Frau schien sich ihrer Sache sicher zu sein, sie blickte sich nicht einmal um, sie nahm offenbar an, dass jeder im Umkreis von zwei Meilen auf dem Boden lag und wartete, bis alles vorbei war. Fünf Meter. Erst als Jennerwein zum Schlussspurt ansetzte und loshechtete, blickte sie zu ihm hin. Da war es aber schon zu spät. Das hatte sie nicht erwartet, sie konnte nicht mehr ausweichen. Shan hatte Jennerweins Gesicht schon oft in der Zeitung gesehen. Der, den sie immer wieder mal als Provinztölpel bezeichnet hatte, flog auf sie, die kleine zierliche Lotusblüte, zu, riss sie um, bedeckte sie mit seinem Körper, begrub sie unter sich. Doch ehe er ihre Hände zu fassen bekam, um sie ganz auf den Boden zu drücken, schaffte sie es noch, sich ein kleines, postkartengroßes Stück Papier in den Mund zu stecken.

Die Flachländerin Nicole Schwattke und der behäbige Franz Hölleisen waren keine besonders guten Bergsteiger, sie hatten dem beherzt dahinstapfenden Ludwig Stengele irgendwann nicht mehr folgen können. Jetzt aber wummerte die ohrenbetäubende Explosion, und sie gingen zunächst in Deckung. Erst nach ein paar Sekunden blickten sie auf: keine herumfliegenden Teile. Beide waren wohlauf.

»Wir hätten ihn nicht gehen lassen sollen«, schrie Nicole. »Wir hätten zusammenbleiben sollen.«

»Die Stütze!«, brüllte Hölleisen. »Sie haben die Stütze gesprengt!«

Man konnte die Stütze zwischen den Nebelschwaden erkennen. Sie schien zu wanken.

»Sie muss jeden Augenblick kippen! Sie kommt auf uns zu!«

Jennerwein lag auf der zierlichen Frau. Sie strampelte jetzt und schrie, doch er hatte sie an den Händen gefasst und hielt sie mit seinem Gewicht am Boden. Sie versuchte ihn zu treten, und beide rangelten noch eine Zeitlang, rollten dabei ein Stück weit einen kleinen Abhang hinunter, weg von Jacques Rogge, der von dem Vorfall wohl gar nichts mitbekommen hatte und gierig in seine Thüringer biss – auch eine Art der Angstbewältigung. Jennerwein blickte hinauf zu der VIP-Terrasse. Sie schien menschenleer, doch er wusste, dass sich alle auf den Boden geworfen hatten. Jeder der Leibwächter hatte sein Objekt sicherlich unter sich begraben. Nur einer, der kaiserlich Leibwächterlose (denn wer würde es wagen!) stand aufrecht auf der Terrasse.

»Los, auf geht's! Wir müssen uns um Stengele kümmern!«, schrie Hölleisen Nicole zu, und beide rannten den Forstweg hinauf, der zum Fundament der Stütze führte. Beide trugen immer noch die schweren Schutzwesten, die sie jetzt abwarfen. Noch eine Kurve, noch eine Steigung, dann würden sie vermutlich ein Bild der Zerstörung sehen, so befürchteten sie jedenfalls. Die Explosionen hielten immer noch an, aber erstaunlicherweise flogen keine Splitter in der Luft herum, es regnete keine abgerissenen Äste, keine Teile des Betonfundaments, keine Stahlsplitter, keine geschmolzenen Drähte. Nichts. Sie bogen um die Ecke. Stengele lag auf dem Boden.

Wo waren Maria und Ostler?, dachte Jennerwein. Die Frau unter ihm tobte und schrie, und er hatte keine Handschellen bei sich. Wenn nicht bald jemand vom Team kam, konnte die Situation gründlich missverstanden werden. Am Ende überwältigten ihn noch hilfsbereite Bürger und befreiten die Frau. Die Frau wiederum schien auch auf diesen Gedanken gekommen zu sein. Sie schrie jetzt gezielt um Hilfe, in mehreren Sprachen. Jennerwein blickte nach oben, in Richtung VIP-Terrasse. Niemand war zu sehen. Keine Maria und kein Ostler, die zu Hilfe eilten. Nur ein prallgrüner, sanftgeschwungener Hügel, eingerahmt von hundertjährigen Buchen, darüber der blauweiße Himmel mit einem Mosaik von Drachenfliegern. Jennerwein hatte die Frau jetzt einigermaßen am Boden fixiert. Sie konnte sich nicht mehr bewegen, nur noch schreien. Er wandte den Kopf und blickte in Richtung Rogge. Kein Rogge, nur ein prallgrüner, sanftgeschwungener Hügel, eingerahmt von hundertjährigen Buchen, darüber der blauweiße Himmel, bedeckt von einem Mosaik von Drachenfliegern. Er sah der Frau direkt ins Gesicht. Ein prallgrüner, sanftgeschwungener Hügel, eingerahmt von hundertjährigen Buchen, darüber der blauweiße Himmel mit einem Mosaik von Drachenfliegern. Verdammt nochmal! Er hatte wieder einen Akinetopsie-Anfall.

Nicole und Hölleisen stürmten den Hügel hinauf, dort oben lag Stengele auf dem Rücken, nicht weit entfernt vom Fundament der Stütze.

»Ich bin total außer Atem«, sagte Stengele. »Aber sonst geht's mir gut. Sehen Sie, dort oben ist eine Gondel.«

Sie blickten hinauf, in dreißig Metern Höhe schwebte eine vollbesetzte Gondel geradewegs auf die Stütze zu, sie kam von oben, von der Zugspitze. Man sah einige Menschen, die verzweifelt winkten und panisch schrien. Aus dem Gestänge stiegen dichte, schwarze Rauchschwaden nach oben. Die Insassen mussten den Eindruck haben, als ob die Stütze brannte. Stengele richtete sich auf.

»Ich habe es mir beim allerersten Rums schon gedacht. Wenn es Sprengstoff gewesen wäre, wäre er viel zu weit oben an der Stütze angebracht gewesen. Entweder wären das dilettantische Anfänger gewesen – oder sie haben es nur auf den Effekt abgesehen.«

»Es ist nur ein Fake?«

»Sieht so aus.« Stengele schnupperte. »Riechen Sie das?«

»Natürlich. Stinkt bestialisch«, sagte Nicole.

»So riecht aber kein TNT und kein Hexogen, so riechen nur – Feuerwerkskörper.«

»Wie bitte?«

»Knallkörper, Rauchentwickler. Sind überall an der Stütze

angebracht. Vermutlich wurden sie ferngezündet. Sie sollten einen Riesenlärm machen und eine gefährliche Rauchentwicklung simulieren. Es war ein rücksichtsvoller Attentäter. Mit einem Anschlag ohne Personen- und Sachschäden.«

Swoboda hatte wieder einmal ganze Arbeit geleistet.

»Ist alles in Ordnung, Miss?«

Jennerwein war grob an der Schulter gepackt und hochgerissen worden. Dann war er wieder zu Boden gestoßen worden. Er öffnete die Augen blinzelnd. Ein prallgrüner, sanftgeschwungener Hügel. Er schloss die Augen wieder und rief in Richtung der Stimme, die er gehört hatte:

»Dies ist eine Verdächtige in einem Mordfall! Passen Sie auf! Mein Name ist Kriminalkommissar –«

Er bekam einen Tritt ins Gesicht.

»Ich danke Ihnen für Ihre Hilfe«, hörte Jennerwein eine zuckersüße Frauenstimme.

»Gern geschehen, Miss«, sagte die erste Stimme wieder.

»Greifen Sie in meine rechte Gesäßtasche«, schrie Jennerwein, »dort steckt mein –«

Wiederum bekam er einen Tritt, noch stärker als vorher, diesmal in den Brustkorb.

»So ein Schwein!«, ereiferte sich die Frauenstimme. »Er hat die Situation hier unverschämt ausgenützt. Sie waren mein Retter. Ich danke Ihnen vielmals. Aber jetzt komme ich allein zurecht. Auf Wiedersehen.«

»Miss, warten Sie mal. Ich bin vom Sicherheitsdienst dort oben.«

Er deutete wahrscheinlich jetzt in Richtung der Schlenggerer-Hütte.

»Ich darf Sie um Ihre Personalien bitten, wir müssen den Vorfall aufnehmen. Keine Angst, um den da kümmere ich mich später.«

Jennerwein spürte nochmals einen Tritt.

»Das ist nicht nötig, mir geht's gut«, sagte die zuckersüße Frauenstimme.

»Ich muss leider darauf bestehen.«

Jennerwein verhielt sich ruhig, er tat so, als hätte ihn der letzte Tritt in eine tiefe Ohnmacht geschickt. Er überlegte fieberhaft. Er konnte es nicht riskieren, seine Waffe zu benutzen, denn so blind, wie er jetzt war, war es nicht auszuschließen, dass er andere damit gefährdete. Wann kamen denn endlich Ostler und Maria!

»Kommen Sie, ich bin eine harmlose Touristin. Lassen Sie mich gehen.«

»Zeigen Sie mir –«

Jennerwein hörte, wie der Mann mitten im Wort abbrach und seufzte. Es war eigentlich kein Seufzen, es war eher ein Stöhnen. Es war ein schreckliches Stöhnen. Dann hörte Jennerwein einen Körper ins Gras fallen. Darauf entfernten sich Schritte. Jennerwein wagte es. Er zog seine Pistole und hielt sie in Richtung der Schritte. Er schoss in die Höhe der Beine.

»Was machen wir?«, fragte Nicole.

»Hier droht keine Gefahr mehr«, antwortete Stengele. »Wir müssen Entwarnung geben.«

Nicole hatte ihr Mobiltelefon schon am Ohr. »Mist, hier oben haben wir kein Netz.«

»Dann gehen wir runter zur Schlenggerer-Hütte.«

»Sie kennen den Weg?«

»Natürlich kenne ich den Weg«, sagte Hölleisen.

Schritte, schnelle Schritte von zwei Personen.

»Hallo Chef! Chef! Alles in Ordnung?«

Nur zwei Meter von Jennerwein entfernt: Das Geräusch eines Körpers, der auf den Rücken gedreht wird, das Aufreißen des Hemds, das erschrockene Einziehen der Luft, ein gemurmelter Fluch von Ostler.

»Alles in Ordnung, Chef?«

Marias Stimme beruhigte.

»Was ist mit dem Leibwächter?«

»Stich ins Herz«, sagte Ostler. »Nichts mehr zu machen.«

Jennerwein deutete in die Richtung, in die Shan gelaufen war.

»Folgen Sie ihr. Pechschwarze, schulterlange Haare, asiatische Gesichtszüge. Eins fünfundsechzig groß, zierlich. Hellgrüne Trainingsjacke, Golfkappe. Sie läuft auf die Höllentalklamm zu.«

Jennerwein hörte schnelle Schritte im Gras, die sich entfernten.

Shan hörte das Tosen der Höllentalklamm schon von weitem. Als sie näher kam, atmete sich die Luft feucht wie in einer Waschküche. Die Wassermassen zwängten sich wütend durch die enge, zackige Felsspalte, Gischt spritzte hoch, und ein eiskalter, böser Wind pfiff schneidend durch die Klamm. Es war ein gefährlicher Klettersteig nach unten zum gesicherten Touristenweg, sie musste höllisch Acht geben, nicht auf den glitschigen Steinen auszurutschen. Aber sie war diesen Weg gekommen, sie würde diesen Weg wieder zurückgehen. Beim Aufstieg hatte sie allerdings noch kein zerschossenes Knie gehabt.

»Bleiben Sie stehen!«, rief Ostler. »Sie haben keine Chance mehr! Alle Ausgänge der Höllentalklamm sind besetzt!«

Kein Wort davon war wahr.

»Kommen Sie zurück!«

Shan sah den Mann dort droben, er war zwei Steinwürfe entfernt. Er hatte eine Pistole gezogen. Wenn sie den Weg weiterging, nur ein paar Meter weiterging, war sie aus seinem

Gesichtskreis verschwunden. Es war nicht Jennerwein, der Fuchs, es war ein älterer, behäbiger Mann, er konnte sie nicht so schnell verfolgen. Shan nahm alle Kraft zusammen und versuchte weiterzuhinken. Nur noch ein paar Meter, dann hatte sie es geschafft! Sie fasste mit der Hand an den Oberschenkel des blutenden, höllisch schmerzenden Beines und schob es nach vorn. Sie sah noch einmal zurück. Der Mann stand dort oben, hatte die Pistole im Anschlag, schoss aber nicht. Ein Feigling. Noch ein Schritt. Das verletzte Bein begann zu zittern, sie konnte die Krämpfe nicht mehr unter Kontrolle bringen. Sie stellte den schmerzenden Fuß fest auf den Boden und verlagerte das Körpergewicht darauf. Bei einem Wadenkrampf half das. Der Mann hatte die Pistole wieder eingesteckt, er machte Anstalten, ebenfalls herunterzusteigen. Das Zittern ließ tatsächlich etwas nach, sie belastete das Bein noch mehr. Dann entschloss sie sich, weiterzuklettern und trat auf das andere Bein. Dabei kam sie auf einem bemoosten, feuchten Felsbrocken zu stehen und rutschte ab. Sie verlor das Gleichgewicht, konnte sich nicht mehr halten und stürzte mit einem gellenden Schrei zwanzig Meter in die Höllentalschlucht hinunter. Wong wird es noch einmal versuchen, dachte Shan, Wong wird unsere ehrenvolle Aktion zu Ende führen.

65

Klar gibt es Blaskapellen auch auf norwegischen Jahrmärkten, die Basstuba röhrt auch in New Orleans, die La-Montanara-Trompete schnedderätängt auch in Wladiwostok, aber der ordinärste und krachledernste Blasmusiklärm findet sich in den Bierzelten unter weißblauem Himmel. Es ist das Raunzen eines ausgelassenen Gottes. Der Bayer, verzärtelt vom Zithergezupfe und faserigen Dreigesinge, findet im Blechgetöse eine ideale Ergänzung zu den sonstigen Rauschmitteln. Erst die Kombination von Gerstensaft, uneinholbarem Selbstbewusstsein und einem schneidig geblasenen Tölzer Schützenmarsch, der das Zeltdach hochhebt, bringt ihn in die Stimmung, für die Gemütlichkeit nur ein schwacher Ausdruck ist.

Jennerwein und sein Team hatten einen Tisch im Bierzelt reserviert, sie hatten einen ganz vorne bekommen, direkt vor der Blaskapelle. Das hatten sie nicht erwartet, es war eine große Ehre, es war aber auch sehr laut. Gespräche waren nicht möglich, so hoffte man auf die Darbietungen droben auf der Bühne, die Ostler und Hölleisen als *außergewöhnlich* angepriesen hatten. Bei der Heimatwoche des Kurorts stand Schuhplatteln und Steinheben auf dem Programm, nicht jedermanns Geschmack, aber alle wollten sich entspannen von den Strapazen der vergangenen Tage. Die Untersuchung des Mageninhalts von Shan war ein Volltreffer gewesen. Die Gerichtsmediziner fanden einen postkartengroßen Zettel mit der mehr als dringlichen Aufforderung an Jacques Rogge, die Winterolympiade 2018 doch gefälligst in Chaoyang durchzuführen: *Diese Aktion zeigt, dass wir Sie überall finden können.* Wong wiederum hatte sein Schweigen bisher noch nicht gebrochen, von ihm waren wohl keine Auskünfte zu erwarten.

Wie wenn sie vom Himmel gefallen wären, standen die Masskrüge plötzlich da, so schnell hatte sie die Bedienung auf den Tisch geknallt. Alle Mitglieder der SoKo Marder prosteten sich erschöpft zu. Der Fall war noch nicht ganz abgeschlossen. Manfred Penck, der Marder, behauptete immer noch hartnäckig, den Neujahrsanschlag durchgeführt zu haben. Man musste unbedingt den dritten Mann finden, den Mann, den der selige Zither Beppi in der VIP-Lounge gesehen haben wollte. Die Musik diminuierte, soweit das bei Marschmusik überhaupt möglich ist, und eine Stimmungskanone schritt ans Bierzeltmikrophon.

»Aha, die Herrschaften von der Polizei! Sitzen in der ersten Reihe! Da kann uns ja nichts passieren heute Abend.«

Gelächter, Applaus, aber auch ein paar Pfiffe. Die Stimmung war gut, auch innerhalb der SoKo Marder. Jennerwein hatte die Ehre, einige Autogramme zu geben, eines auf den muskulösen, nackten Oberarm einer Bedienung.

»Dank schön, Herr Kommissär«, schrie sie ihm ins Ohr.

»Gern geschehen.«

»Wenn mich einmal der Schlitzer erwischt – versprechen Sie mir, dass *Sie* den Fall dann aufklären?! Das wäre eine große Ehre für mich.«

Gelächter, Zuprosten, die Blaskapelle spielt jetzt ♫ *Es war ein Schütz in seinen besten Ja-ha-ren …* Das Jennerwein-Lied, das musste ja kommen. Der Kommissar lächelte müde. Maria hatte tatsächlich so etwas wie ein Dirndl aufgetrieben, Ostler und Hölleisen waren selbstredend in Werdenfelser Tracht gekommen. Beckers Team saß zusammen und fachsimpelte brüllend über neueste Untersuchungstechniken, von denen das Fachblatt *Die Spur* berichtet hatte. Nur Gisela fehlte. Dann gab es wieder ein paar Saunaaufgüsse Blasmusik, ♫ *Hoch Wittelsbach!* und ♫ *Bier her!*, alles bunt gemischt.

»Da hocken's also beieinander!«, schrie Toni Harrigl vom übernächsten Tisch zu den Polizisten herüber. Der Gemeinderat hatte eine kräftige Stimme, er kam gut gegen das Blech an, seine Stimmbänder waren wohl gestählt von endlosen Vereinssitzungen in verrauchten Nebensälen.

»Gut, heute habt ihr alle noch Narrenfreiheit, aber morgen lasse ich meine Beziehungen ins Innenministerium spielen, dass es grade so schnackelt!«

Er zwinkerte. Die Bemerkung war wohl nicht so ganz ernst gemeint, aber ein bisschen doch. Maria verdrehte die Augen. Oben auf der Bühne marschierten jetzt zwanzig Burschen und Mädchen ein. Hölleisen schrie Nicole Schwattke ins Ohr:

»Jetzt kommen die Schuhplattler!«

»So viel weiß ich auch!«, schrie Nicole zurück. Sie trug immer noch zwei große Pflaster, eines bedeckte die rechte Schläfe, das andere die linke Pulsader. Ein Suizidberater hätte nicht vorbeikommen dürfen.

»Prost, Franz!«

»Prost, Nicole!«

Nach dem Schuhplatteln bat die Stimmungskanone um eine Schweigeminute für den Zitherer, alle standen auf und gingen in sich. Es folgte, natürlich, eine Brass-Fassung von *Highway to hell.* Dann kündigte der Stimmungsteufel ein besonderes Highlight des heutigen Heimatabends an: Biertisch-Lupfen. Die Spielregeln wurden nicht erklärt, aber sie waren evident. Ein besonders fetziger Marsch ertönte, dazu stiegen im ganzen Saal die Biertische hoch, geschultert von den Kräftigsten am Tisch. Darauf standen die leichtgewichtigsten Damen oder schmächtigsten Herren, die an den Tischen zu finden gewesen waren, diese mussten während des Biertisch-Lupfens eine Mass Bier bis zum letzten Tropfen austrinken. Einige Tische kippten und wackelten gefährlich, bei anderen drohten die Obenstehenden auf den feuchten Sauerkrautresten auszurutschen. Siegertisch war der, dessen Trinker am schnellsten den leeren Bierkrug vorweisen konnte. Und die Firmen im Kurort hatten fette Preise gestiftet: eine Ballonfahrt rund um das Werdenfelser Land, ein Verwöhnwochenende in Waltrauds Wohlfühloase, ein Schnupperflug mit einem Paraglider.

Jennerwein war mit der festen Absicht hierhergekommen, sich zu entspannen, nicht an den Fall zu denken, doch ganz gelang ihm das nicht. Die Frau war tot, der Mann schwieg immer noch beharrlich, und beide entsprachen nicht der Beschreibung des Zither Beppi. Wo war dieser dritte Mann? Gab es ihn überhaupt? Jennerwein versuchte den Gedanken wegzuschieben. Heute war ein freier Tag, heute war auch sein freier Tag. Er blickte hoch auf die Bühne. Schuhplattler, Burschen und Mädchen. Aber war da nicht ein prallgrüner, sanftgeschwungener Hügel, eingerahmt von hundertjährigen Buchen, darüber der blauweiße Himmel – Jennerwein schloss die Augen und schüttelte sich.

»Geht's Ihnen gut, Hubertus?«

»Ja, Maria.«

Dann kam das Unvermeidliche. Die Stimmungskanone – es war derselbe, der auch das Neujahrsspringen moderiert hatte – trat wieder ans Mikrophon.

»Was ist denn mit unserem Kriminaler-Stammtisch da unten? Ja meint ihr, ihr seid zur schieren Gaudi da? Auf geht's zum nächsten Biertisch-Lupfen! Und wehe, die Herren und Damen Beamten drücken sich!«

Ihnen blieb keine andere Wahl. Die Bedienung, die das Autogramm Jennerweins trug, stellte zwinkernd eine bis zum Rand mit Flüssigkeit gefüllte Mass auf den Tisch.

»Und, wer macht's?«, fragte Stengele.

»Sie selbst, Ludwig?«

»Ich bin kein Biertrinker. Vor allem kein In-einem-Schluck-Austrinker. Ich nuckle schon seit zwei Stunden an meiner Mass herum.«

Niemand traute sich zu, auf den Tisch zu steigen und einen Liter Gerstensaft in zwölf Sekunden auszutrinken. Da meldete sich ein kleines, schweigsames, spilleriges Männchen.

»Ich mach's.«

Das Pinselchen, der Stillste aller Spurensucher, stieg auf den Tisch. Und es gelang. Unter dem Gejohle einer Tausendschaft von Einheimischen und Kurgästen, unter der lautstarken Begleitung der Blaskapelle – ♫ *Ja im Wald, da sind die Räu-häuber* – schluckte das Pinselchen, was das Zeug hielt. Nach acht Sekunden machte der kleine Spurensucher die Nagelprobe: leer. Frenetischer Applaus.

»Wie haben Sie das gemacht?«, fragte Hölleisen.

»Ich komme aus Niederbayern«, sagte das Pinselchen. »Da wächst man mit so etwas auf.« Sonst hörte man den ganzen Abend nichts mehr von ihm.

Der schon wochenlang auf allen Plakaten angekündigte Höhepunkt des heutigen Heimatabends war das Steinheben. Nachdem Jennerweins Team seine Bewährungsprobe schon beim Biertisch-Lupfen hinter sich gebracht hatte, drohte keine Gefahr, dass sie bei dieser Kraftsportart auch noch mitmachen mussten. Beim Publikumsheben gab es regelmäßig Leistenbrüche und Kreuzbandrisse, die Sanitäter saßen an einem eigenen Tisch.

»Zuerst die Regeln!«, rief die Stimmungskanone.

Es gab eigentlich nur eine Regel. Man musste einen schweren Stein so hoch wie möglich heben. Das Gewicht der Steine war nicht einheitlich, jedes Bierzelt verwendete seinen eigenen Block. Heute war es ein rauer Quader, ein urtümlicher Monolith, ein 500-Pfund-Prügel, der aus einem blauweiß bemalten Schacht herausgezogen werden musste. In der Körpergewichtsklasse über hundertzehn Kilo hatte es der Hundertrieder Benedikt aus Eschenlohe schon geschafft, das Monstrum auf 78 Zentimeter hochzuziehen. Der Poschinger Franz aus Murnau setzte noch zwei Zentimeter drauf. Der Weixlbaumer Martin aus Krün erhöhte auf 82 Zentimeter. Und nun erhob sich ein erwartungsvolles Raunen und Zischeln im Zelt, sogar die Bedienungen blieben stehen, um das folgende Spektakel mitzuverfolgen. Denn jetzt kam ein einheimischer Crack, ein Lokalmatador: Der Wasl Wuni, ein Mannsbild mit hundertdreißig Kilo Lebendmasse, nicht etwa Metzger von Beruf, sondern Steuerfachangestellter in Ausbildung, aber einer, der schon einige Preise im Steinheben eingeheimst hatte. Die Stimmungskanone heizte zusätzlich noch tüchtig ein.

»Und jetzt kommt Wuuuuuuuni –«

»– Waaaaaaasl!«, vervollständigte das Zeltpublikum, das inzwischen auf sechshundert Besucher angewachsen war. Den Wasl Wuni musste man sich anschauen. Den konnte man sich nicht entgehen lassen. Jetzt tappte er auf die Bühne, der Wasl, eine mächtige Komposition aus Fett und Muskeln. Er grüßte in die Menge, dann nahm er einen kräftigen Schluck aus einem extra für ihn angefertigten Zweiliter-Masskrug.

»Gell, so einer wäre recht bei der Polizei!«, schrie Harrigl vom übernächsten Tisch herüber. Gelächter, Gegröle, die Blaskapelle schmetterte – ♫ *We are the champions* – und verwandelte den Auftritt des Wasl Wuni in einen Auftritt eines unbesiegbaren Gladiators im Strickjanker. Jetzt stieg er auf die Heberampe und grüßte nach allen Seiten, auch hinauf zu einer gedachten Galerie, die es hier gar nicht gab. Er unterbrach. Er stellte den Fuß auf einen Stuhl, um sich die Schnürsenkel zu binden: ADIDAS war da zu lesen, auch das musste sein. Die Musik verstummte, es wurde auch sonst erstaunlich ruhig im Zelt, man wusste: Der Wasl Wuni konnte sich so besser konzentrieren. 82 Zentimeter hatte der Weixlbaumer Martin aus Krün vorgegeben, 82 Zentimeter mussten übertrumpft werden. Der Stein lag noch friedlich in seinem Schacht. Es war ein Stein, den kaum einer der Mannsbilder hier im Zelt auch nur einen Zentimeter gelüpft hätte. Es wurde noch stiller im Publikum, bis zuletzt nur noch die Kleinkinder schrien. Hier geschah gleich etwas ganz Großes, das spürte jeder. Der Wasl Wuni packte mit seinen magnesiabeschmierten Pratzen den Griff des 500-Pfund-Ungetüms. Er stellte sich in Position. Er schloss die Augen. Er zog an. Und mit dem ersten Ruckler hob der Muskelprotz den Stein auf einen halben Meter hoch, als wäre das nur eine Übung zum Aufwärmen. Doch er zog weiter, der Wasl. 60 Zentimeter, 70 Zentimeter. Das Kreischen im Saal schwoll auf eine Dezibelzahl an, wie sie zuletzt bei einem Vulkanausbruch gemessen wurde. Dieser phonetische Zuspruch gab dem Wuni noch einmal einen Schub. Er kniff die Augen fester zusammen und zog ein weiteres Mal an. 80 Zentimeter, der Wuni wurde feuerrot. 90 Zentimeter. Die Stimmungskanone am Mikrophon schrie:

»Wuni, lass es krachen!«

Die entgeisterten Musiker schnappten sich ihre Instrumente und stießen wild in die Hörner. Die Quartenorgie von ♫ *Wittelsbach, o stolzes Königshaus* gab dem Wuni noch einmal das Quentchen übermenschlicher, puterrot gefärbter Kraft, und er zog den Findling auf 105 Zentimeter hoch – das war schon eine Handbreit über dem Rand des Schachts, in den der Stein zurückfallen sollte. Mit dem nächsten Zug hatte der Wuni einen Jahrhundert-Rekord aufgestellt. Dann konnte der Wuni nicht mehr, er ließ den monströsen Stein fallen und trat einen Schritt zurück. Der Stein fiel nicht zurück in die Öffnung, der Stein verkantete sich, er legte sich quer über die obere Begrenzung und kippte langsam über den Rand. Der Stein fiel herunter und krachte auf den gusseisernen Sockel. Dort zerbrach er in zwei Teile.

Die Musiker ließen ihre Instrumente sinken. Der Stimmungskanone glitt das Mikrophon aus der Hand. Der Saal verstummte schlagartig. Die meisten, die sich eben noch die Seele aus dem Leib geschrien hatte, standen da in sprachlosem Entsetzen. Im Inneren des zerbrochenen Steins konnte man deutlich zwei Männer erkennen, die in inniger Umarmung verschlungen waren. Sie waren gut erhalten durch die Beigabe von Bitumen zum Zement. Der eine hatte ein Loch in der Stirn, dem anderen ragte ein Austernmesser mit einem Holzgriff aus der Brustgegend. Dr. Steinhofer und Xun Yü hätten es sich nie träumen lassen, auf diese Weise der Höhepunkt eines Bierzeltabends zu werden.

Epilog

Die 628. Heimatwoche war schon wieder Geschichte, Jacques Rogge reiste gerade ab, in alten Bauernfamilien wurde das Fest der hl. Stephanie gefeiert, und man beging den Namenstag von Eleonora, als Polizeiobermeister Ostler kräftig an die Eichenholztür mit der verschnörkelten Aufschrift *Privat* klopfte.

»Frau Schober, sind Sie da drinnen?«

Im Zimmer der Direktrice hatte mehrere Tage Licht gebrannt. Gut, das war schon öfters vorgekommen. Die Angestellten der Pension waren es gewohnt, eine Zeitlang ohne ihre Chefin auszukommen, wenn eine neue Lieferung Giftkitsch eingetroffen war. Auch die Stammgäste der Pension Alpenrose wussten von Frau Schobers Leidenschaft, sie wussten auch, wo der Schlüssel hing und vor allem wohin man das Geld stecken musste, nämlich ins tiefe Maul des Jugendstil-Bronzefrosches, dem Gelobten Land außerbuchhalterischer Depots. Doch jetzt hatten die Pensionsgäste schon drei Tage kein Frühstück mehr bekommen. Sie hatten bei der Polizei angerufen.

»Frau Schober, hören Sie mich?«

Keine Antwort. Ostler brach schließlich die Tür auf. Das Zimmer war leer, eine Tasse Tee stand halb ausgetrunken auf dem Tisch und schimmelte vor sich hin. Leise liefen *Die schönsten Märsche der Welt XXIII* im Auto-Repeat-Modus. Keine Spur von Margarethe Schober, auch im Speicher nicht, im Garten oder in der Dusche, die so aussah, als wäre sie von Norman Bates gereinigt worden. Ostler durchsuchte, zum hundertsten

Mal, das Zimmer, in dem die Chaoyanger gewohnt hatten. Auch nichts. Ostler durchsuchte nochmals die ganze Villa, im Keller wurde er dann schließlich doch fündig. Der wilde Wein, der die Pension Alpenrose umkränzte, färbte sich schon herbstlich rot, die Abendsonne beschien die Spinnweben, die sich allerorten breit gemacht hatten, und im glitzernden Eis der Tiefkühltruhe lag Dornröschen. Ihre Hände waren zu einer dreiviertelten Blautanne gefaltet. Sie schien zu träumen von *Folgenreichen Küssen* und *Verbotenen Wünschen*. Sie war den Chaoyangern einen Tick zu neugierig gewesen.

Ein paar tausend Kilometer entfernt von dem verwunschenen Schloss ging die Sondermaschine der International Airline Emirates in den Sinkflug über. Kalim al-Hasid hatte sich entschlossen, den IOC-Präsidenten direkt anzusprechen.

»Haben Sie eigentlich irgendetwas von den Anschlägen an Ort und Stelle mitbekommen?«, fragte der Araber.

»Überhaupt nicht«, sagte Rogge. »Ich war mir der Gefahr gar nicht bewusst, ich habe es auch erst aus der Zeitung erfahren. In Zukunft lasse ich mir meine Würstchen wieder bringen, anstatt mich ins Gewühl zu stürzen. Ich hätte nicht gedacht, dass in diesem harmlosen bayrischen Nest Terroristen auftauchen. Das nächste Mal nehme ich meine Rugby-Kluft mit.«

Dubai legte sich jetzt quer und saugte sich von unten an das Flugzeug. Kalim räusperte sich.

»Dann ist Chaoyang als Ausrichter der Olympischen Winterspiele 2018 wohl aus dem Rennen?«

»Die richten die Spiele hundertprozentig nicht aus, da können Sie zehn Kamele darauf verwetten.«

»Und der bayrische Kurort? Der hat wohl auch keine guten Karten mehr?«

»Noch ist er im Spiel. Doch das Image wackelt bedenklich.«

»Und da hätte ich eben einen Vorschlag«, sagte Kalim al-Hasid.

»Ich ahne es schon«, sagte Jacques Rogge. »Sie bieten Dubai als Austragungsort 2018 an. Da kommen Sie ja fast in Verdacht, die Anschläge begangen zu haben.«

Kalim lachte herzhaft.

»Ich beschieße keine Skispringer. Ich kaufe sie.«

Rogge warf dem Araber einen strengen Blick zu.

»Wenn das bekannt wird, fällt der Bürgermeister aus diesem bayrischen Kurort in Ohnmacht.«

»Er fällt nicht in Ohnmacht«, sagte Kalim. »Er weiß es schon. Er erwartet uns.«

Die Maschine setzte jetzt auf dem Rollfeld auf. Jusuf blickte aus dem Fenster und suchte den Horizont gewohnheitsmäßig nach verdächtigen Figuren unter dem Bodenpersonal ab, nach Mechanikern mit ausgebeulten Jacken, nach Fluglotsen, die überhaupt nicht aussahen wie Fluglotsen, nach Stewardessen mit viel zu großen Rollköfferchen, nach Flugkapitänen mit Uniformen aus dem Kostümverleih. Aber was hatte das alles überhaupt noch für einen Sinn? Er hatte als Personenschützer versagt, und dieses Versagen lastete schwer auf ihm. Auch nach einem halben Jahr war er mit der verflixten Geschichte immer noch nicht weitergekommen. Er hatte ein Bild des namenlosen Asiaten im *Zugspitzkurier* gesehen. »Wer kennt diesen Mann?«, stand unter dem Foto. Na, *er* kannte diesen Mann! Das war genau der Mann gewesen, der den Skianorak mit *SC-Riessersee*-Aufdruck getragen hatte und den er beschossen hatte! Jetzt war der Unbekannte bei einem Volksfest wieder aufgetaucht, als lithoklastische Gesteinsablagerung, als ammonitische Volksbelustigung. In der Zeitung stand, dass er erstochen worden war. Wollten die ihn total veralbern? Erstochen?! Und damit nicht genug. Sie schrieben weiter, dass die gerichtsmedizinische Untersuchung ergeben hat, dass der Unbekannte querschnittsgelähmt war: Inkomplette Halsquerschnittslähmung S 14. Wie sollte das gehen – wie war der Asiate dann in die VIP-Lounge gekommen? Und er hatte sich doch auch bewegt! So viel war klar, er musste den Beruf des Leibwächters aufgeben. Er war einfach zu alt dafür.

Sie fuhren jetzt mit dem Rolls-Royce durch Dubai, durch Al Raffa, durch Umm Ramool, durch Jumeirah.

»Sehen Sie«, sagte Kalim, »die Skischanze dort drüben ist schon fast fertig, hier die Anlagen für die Langläufer. 2018 ist das bestimmt alles –«

»Aber das gibt es doch nicht, das ist doch –«, unterbrach ihn Rogge und deutete auf das Panorama rings herum.

»Ja, doch, das gibt es«, unterbrach Kalim. »Ich habe versucht, den Charme eines oberbayrischen Kurorts mit der Potenz von Dubai zu verbinden. Ich habe Teile des Kurorts hier wiederaufgebaut. Sehen Sie – das wird die Alpspitzkulisse.«

Sie fuhren an einer riesigen Baustelle vorbei, an der überdimensionale Drahtgeflechte in den Boden gelassen wurden.

»Zuerst haben wir es mit Hologrammen versucht«, fuhr Kalim fort. »Aber das hat einfach nicht den Flair von Oberbayern, den Stallgeruch. Das war mir nicht authentisch genug. Ich will alles echt haben. Hellbraune Milchkühe, Bauerntheater, Föhn. Alpenländischer als im Alpenland selbst.«

»Und der Bürgermeister hat –«

»Ja, er ist inzwischen mein Mitarbeiter. Ein paar Einheimische habe ich auch schon engagiert.«

Der Rolls hielt auf einem orientalischen Marktplatz in der Altstadt. Arabische Sprachfetzen. Alhaschamageb und der Singsang von marokkanischen Händlern in der flirrenden Hitze des 25. Breitengrades. Wüstendialekte, beladene Kamele, unverrutschbare Turbane. Ein Hauch von *Lawrence von Arabien*, eine Prise von *Der Mann, der zu viel wusste*. Eine nachgebaute Kasbah. Kalim und Rogge gingen hinein, Jusuf wartete draußen im Wagen. Drinnen prunkte die orientalische Dekoration, duftender Tee schwappte in geschliffenen Gläsern, auf gehämmerten Kupfertabletts wurde Falafel und Muhallabia serviert. Die Ober im reichbestickten Fez. Eine kleine Kapelle mit Musikern, die Riqq und Rababa beherrschten, eine Sängerin ahmte den zitternden Gesang der Wüstenfrösche nach.

»Kommen Sie mit«, sagte Kalim, »dort drüben gibt es echte bayrische Weißwürste.«

»Tatsächlich? Thüringer Rostbratwürste auch?«

»Natürlich. Und jetzt sehen Sie bitte aus dem Fenster.«

»Was ist das? Eine Projektion?«

»Nein, keine Projektion – das ist echter Schnee, aus echten Wolken.«

Lieber Herr Kommissar Jennerwein,

warum tun Sie mir das an!? Sie schicken mir einen Psychologen! Ich brauche keinen Psychologen! Ich bin kein behandlungsbedürftiger Psychopath, ich bin kein verwirrtes Weichei, sondern ein ganz normaler, unrasierter Outlaw, der vom rechten Weg abgekommen ist und der dafür seiner gerechten Strafe entgegensehen will. Ich bin ein Serientäter! Ich brauche eine Einzelzelle mit Dauerbeobachtung und keine langen Spaziergänge über endlos geschwungene Landschaften mit verständnisvoll nickenden Mediatoren und anderen butterweichen Begleitern des Strafvollzugs. Langsam habe ich den Eindruck, dass Sie diese meine Briefe überhaupt nicht mehr lesen. Und dass Sie keinen von den Briefen an meine verehrte

Studienkollegin Maria Schmalfuß weitergeben. Sie würde mich verstehen! Wir haben zusammen eine Vorlesung bei Prof. Castian gehört: »Verbrechen als Rebellion.« Deshalb ersuche ich Sie dringend, mein lieber Herr Kommissar, an meine Schuld zu glauben! Tatsache ist doch, dass Sie für das Neujahrsspringen noch keinen geständigen Schuldigen haben! Einen halbseidenen, schweigenden Verdächtigen haben Sie, sonst nichts! So war es jedenfalls in der Zeitung zu lesen. Ich muss gestehen: Ich kann meine Enttäuschung nicht ganz verbergen.

Wie wäre es denn zum Beispiel, wenn Sie nach dem Ski forschen würden, den der Däne verloren hat! Wie wäre es, wenn Sie die Kugel suchen würden, die immer noch auf dem Gelände liegen muss! Wie wäre es, wenn Sie meine Wohnung gründlich nach DNA-Spuren dieser asiatischen Kampfmaschine durchforsten würden. Das war eine Gegnerin! Mein lieber Schwan! Stattdessen durchsuchen Sie das Haus dieses Zitherspielers. Herrgott, ja, ich war drin, ich gebe es zu! Ich habe mich bei ihm umgesehen – bei meinem nächsten Anschlag sollte der Zitherer eine ganz bestimmte Rolle spielen. Aber, sagen Sie mal ganz ehrlich: Bin ich wirklich einer, der ein kleines, unbewaffnetes Männchen grundlos mit einer Zithersaite erdrosselt? Aber wenn ich dadurch in Ihrer Achtung steige – dann bin ich halt der, der das gemacht hat.

»Nein, das bist du nicht«, sagte Maria Schmalfuß und ließ den Brief sinken.

»Machen Sie sich keine Gedanken, Maria«, sagte Jennerwein und steckte den Brief wieder in den Umschlag. »Mehr können wir nicht tun. Wir wissen, dass Manfred Penck weder den Neujahrsanschlag noch den Anschlag auf den Zither Beppi begangen hat. Irgendwann wird das auch die Staatsanwältin begreifen.«

»Meinen Sie?«

»Ja, das meine ich. Gehen Sie noch mit ins Pinocchio?«

Maria antwortete nicht gleich.

»Ganz privat, keine Sorge«, sagte Jennerwein, der ihr Zögern bemerkt hatte. »Ohne irgendwelche dienstlichen Hintergedanken.«

»Wirklich?«

»Versprochen.«

Jetzt wäre eine gute Gelegenheit, ihm alles zu beichten, dachte Maria, als sie das Restaurant betraten.

In der Bäckerei Krusti war die Schlange schon wieder einmal endlos lang. Es gab *Jailhouse*-Semmeln (mit einer eingebackenen Feile). Toni Harrigl war da, auch der Glasermeister Pröbstl, der Pfarrer und der Schlossermeister Wollschon – die ganze Bagage, die jeden Nachmittag hier herumlungerte. Nur der Manfred Penck war nicht da, und die meisten hatten es ja schon immer gewusst, dass mit dem etwas nicht stimmte.

»Trotzdem Prost!«, sagte der Apotheker Blaschek, der jetzt zum ersten Intellektuellen am Stammtisch aufgerückt war.

Ein paar Meter weiter an einem Cafétischchen steckten Franz Hölleisen und Kevin die Köpfe zusammen. Das Treffen zwischen dem Polizeiobermeister und dem Mitglied der Raskolnikoff-Gang vom wissenschaftspropädeutischen Seminar »Alpspitz-Projekt« hatte einen Hauch von Konspiration.

»Was hast du damit vor?«, fragte Hölleisen.

»Weiß nicht, das wollte ich Sie als Bullen fragen.«

»Du solltest eher einen Rechtsanwalt fragen.«

»Mein Vater ist Rechtsanwalt, da frage ich lieber einen Bullen, der sich mit Fußball auskennt.«

»Wenn du es zu früh verrätst, dann ändern sie vermutlich einfach die Regeln.«

»Ja schon. Aber ich könnte die Idee doch an die deutsche Nationalmannschaft verkaufen.«

»Und wie willst du an die rankommen?«

»Sie haben doch die Kontakte. In die VIP-Lounge, zur Fußballprominenz. Sie kennen den Beckenbauer. Und den Netzer. Und alle.«

»Und was soll ich da machen? Soll ich jemanden erpressen?«

Hölleisen las den kleinen Zettel nochmals.

Ein Fußballspieler wirft regelgerecht ein, möglichst auf Höhe des gegnerischen Strafraums, und möglichst weit in Richtung des gegnerischen Tors. Während der Ball in der Luft ist, bilden ein paar seiner Teamkollegen einen Kreis, in den der eingeworfene Ball fällt. Diese Spieler fassen sich an den Händen, drehen sich im Kreis und bilden so eine uneinnehmbare Festung. (Sie kicken den Ball hin und her, um nicht wegen Sperren ohne Ball abgepfiffen zu werden.) So schmuggeln sie sich mit dem Ball ins Tor, ohne dass dies irgendein gegnerischer Spieler im Rahmen der Fußballregeln verhindern könnte.

Hölleisen hatte inzwischen sogar einen Bundesligaschiedsrichter befragt. Auch der hatte keine Spielregel gefunden, die diese Vorgehensweise verbot.

»Also gut«, sagte er. »Ich versuche einmal, an den Kaiser heranzukommen.«

Als Dr. Maria Schmalfuß den ersten Schluck Wein getrunken hatte, schämte sie sich wieder fürchterlich. Sie beschloss, die kleine Episode zu verschweigen, die ihr nach der Verhaftung von Wong, nach der Einweisung von Penck und nach der Beerdigung von Shan wieder eingefallen war: Der Zettel! Vier Jeans lagen in ihrem Schrank, vier frisch gewaschene Jeans, und sie wusch ihre Jeans immer selbst. Vier Jeans, und in einer steckte ein Zettel mit einem Namen, einer Adresse und einer Telefonnummer. Eine Handschriftenprobe von Manfred Penck. Diese Jeans war inzwischen fünfmal gewaschen worden, und der Zettel war rein und weiß. Gut, Hansjochen Becker hätte vielleicht noch Spuren entdeckt, aber was nützte das jetzt. Ganz am Anfang hätte eine Schriftprobe des Marders die Ermittlungen vorangebracht!

»Auf ein perfektes Profiling!«, sagte Kommissar Jennerwein und hob das Glas. »Ich meine das ganz ernst. Ohne Sie hätten wir es nie geschafft.«

Irgendwann erzähle ich es ihm, dachte Maria. Irgendwann, wenn er vielleicht einmal mit dem herausrückt, was ihn offensichtlich schon so lange bedrückt. Jedes Mal war etwas dazwischengekommen.

»Auf einen perfekten Leitenden«, sagte sie und erhob ihrerseits das Glas. Sie stießen an. Der Abend ist viel zu schön dafür, dachte er, heute noch nicht.

Mein Gott, er ist wirklich schüchtern, dachte Maria.

Sah man von ihrer Reha-Manschette am Fuß ab, war sie die einzige Figur, die die Ereignisse ohne Schaden überstanden hatte. Ganz im Gegenteil, sie war in der Hierarchie sogar aufgerückt. Die Agentur *IMPOSSIBLE* hatte eine neue Mitarbeiterin. Sie hatte eine neue Projektmanagerin. Diese saß an ihrem chromblitzenden Arbeitsplatz und ging das Herbst-Angebot durch. Viele Großkunden waren durch die Schlagzeilen, die es über das

Werdenfelser Land gegeben hatte, auf die Agentur aufmerksam geworden, und die Auftragsbücher quollen über. Soeben hatte eine große Weltfirma angefragt.

»Nacktklettern!«, dachte Ilse Schmitz und ließ sich ein Lachskanapee zum Prosecco bringen. »Nacktklettern, das wäre was für den Vorstand.«

»Fornjoter und Bergelmir werden dich führen«, sagte Odin, der Gott mit den zwei Raben auf der Schulter. Åge Sørensen wurde von den beiden gutmütig dreinblickenden Riesen durch ein hohes, schmiedeeisernes Tor geführt, drinnen tat sich eine riesige, aus dunkelblauem Basaltstein gebaute Halle auf. Von der schier unendlich weit entfernten Reliefdecke tropfte es stalaktitisch herunter, und das Klatschen auf den Marmorfliesen hallte tausendfach nach. Åge staunte nicht schlecht über die bunten Wandteppiche, auf denen die Stammbäume der Asen, Vanen und vieler anderer Göttergeschlechter bis in die kleinsten Verästelungen zu sehen waren. Sie schritten durch zwei mächtige Säulen, zwischen die eine Tafel mit der Aufschrift *Willkommen in Asgard* gespannt war. Durch die großflächigen Fenster sah man draußen die Landschaften von Sökkwabeck und Ydalir, in denen sich allerlei vorzeitliches Getier tummelte, Einhörner, Greife und Nöcke. Manchmal krachten geflügelte Urechsen an die Scheibe, rappelten sich wieder auf und flogen kreischend davon.

»Halt! Hier ist es!«, rief einer der Riesen, und er öffnete eine dicke, samtbeschlagene Tür, die zu einem behaglich eingerichteten Zimmer führte. Auf einem Kanapee saß ein gemütlich wirkender Mann, der so aussah, als hätte er auf Åge gewartet. Er winkte ihn zu sich und wies auf einen Tisch, auf dem allerlei Tiegelchen und Tassen, Teller und Bleche standen, gefüllt mit duftenden Pasteten und scharf riechenden Gewürzen. Åge beugte sich über eine Schale.

»Greif zu, es ist genug davon da!«, sagte der Mann. Åge tauchte den Finger in das rot schimmernde Gelee und kostete. Noch niemals in seinem Leben hatte er so gute Grütze gegessen. Und jetzt erst begriff Åge, wer da vor ihm auf dem Sofa saß: Thor, der Gott des Donners und der Naturgewalten, einer der Mächtigsten aus dem Geschlecht der Asen. Åge hatte sich den Blitzeschleuderer wahrlich anders vorgestellt! Um den Hals trug Thor eine Kette, daran hing, wie bei einem Schlüsselkind der Hausschlüssel, ein kleines Hämmerchen.

»Was meinst du, wie oft ich den schon verlegt habe«, sagte Thor und reichte Åge die Hand.

»Ich habe den Eindruck, dass er ganz zum Schluss noch ein ganz klein wenig gelächelt hat«, sagte Frau Sørensen zu dem kahlköpfigen Chefarzt. Dann schloss sie Åge die Augen.

[Danksagung]

Dank|sa|gung [daːngk'saːguŋ]: unvermeidliche und doch immer wieder gern gelesene Schnürschleife am Ende [seltener: am Anfang, nie: in der Mitte] eines Buches. Die Dsng. ist eine von Rudyard Kipling (1894 im *»Dschungelbuch«*) erstmals gebrauchte Form, alle Helfer, Informanten und Mitwirkende eines Buches (die von ihm so bezeichneten **»Dienstelefanten«**) zu nennen, in höchsten Tönen zu preisen, und ihre Funktion knapp und sachlich zu umreißen; dabei werden (nach F. Naumann *»Die Dsng. als literarische Form«*, Hamburg, 1967) Textbausteine wie ... *›für ihre aufopferungsvollen Recherchen‹* ... *›für den immer frischen Kaffee‹* ... *›für das unermüdliche Rückenfreihalten‹* ... usw. in geheimnisvoller Reihenfolge kombiniert und mit konkreten Namen verknüpft. In vorliegendem Buch ist alles ganz anders. Aus der Menge der ›Dienstelefanten‹ greife ich nur diejenigen heraus, ohne die der Roman nie und nimmer durch den Dschungel der Desinformation gekommen wäre.
Zunächst sei die Ärztin und Psychiaterin **Dr. Pia Wolf** vom örtlichen Klinikum genannt, die einem Werk wie dem vorliegenden sachkundige medizinische Beratung angedeihen ließ und deshalb eine spezielle Dsng. verdient. Manchmal habe ich mir jedoch gewisse Freiheiten erlaubt: Zeigt beispielsweise ein Stich mit dem Ka-to nicht die gewünschte mörderische Wirkung, geht das auf meine Kappe. [Siehe dazu auch: F. Neisch, *»Stichwunden in literarischem Kontext«*]
In diese Dsng. gehört auch ein leibhaftiger Ermittler wie **Kriminalhauptkommissar Nico Witte**; seine hilfreichen und in der polizeilichen Praxis mehrmals getesteten Hinweise haben der Handlung

oft einen ganz kleinen Drall ins Realistische gegeben. Er hat mir zusätzlich Einblick in die reichhaltige Sammlung von (→) Bekennerbriefen gewährt, die seit 1904 bei der bayrischen Polizei eingegangen sind.
Die tausenderlei Aufgaben, die das (→) Lektorat leistet, können hier nicht vollständig wiedergegeben werden. Eine besondere, herzliche Dsng. gilt hier meiner immer gut gelaunten Lektorin **Dr. Cordelia Borchardt**, die das Buch von der ersten, nebulösen Idee bis hin zum drohenden Abgabetermin dramaturgisch, ästhetisch, geschmacklich, grammatikalisch, logisch [weitere Adjektive auf Anfrage] begleitet und bis zum Anschlag verfeinert hat; (siehe auch F. Nopoder, *»Die Peitsche – Studien zur Funktion des Lektorats in der Kriminalliteratur der Moderne«*); mit dem sicheren Auge des literarischen Bussards erspähte sie so manch kleinen Patzer auf der Stoppelwiese der Stilblüten und stieß herunter vom Fischer-Himmel auf die Maurer-Ebene.
Last not least kann sich derjenige Autor glücklich schätzen, der eine Dsng. mit einem Namen wie **Marion Schreiber** abschließen und schmücken kann, die im Manuskript allzu (→) Anstößiges entfernte, allzu Derbes und (→) Bayernfeindliches (»Bavarophobes«) verhinderte, die viele überflüssige Nebenhandlungen, verwirrende Einzelheiten und lästige Abschweifungen ausriss wie Unkraut. Sie hat gestrichen und getilgt, dass es eine wahre Freude war, ganze Handlungsstränge, ganze Figuren, ganze Kapitel waren plötzlich verschwunden und vergessen. Eines muss ich allerdings jetzt doch noch anmerken: Den Streichungen fielen leider auch manche wunderschö

Garmisch-Partenkirchen, Herbst 2009

Jörg Maurers Alpenkrimis im Hörbuch, von ihm selbst gelesen

Föhnlage
4 CDs

Hochsaison
4 CDs

Niedertracht
5 CDs

Oberwasser
5 CDs

Unterholz
6 CDs

Felsenfest
6 CDs

Der Tod greift nicht daneben
6 CDs

»Große deutsche Unterhaltungsliteratur: endlich!«
Denis Scheck, SWR

»Schreiend-komische Dialoge und skurrile Situationen, in denen Maurer die föhngeplagten Bewohner des bayerischen Kur- und Tatorts auf die Schippe nimmt.«
Alt-Bayerische Heimatpost

fi 666 048 / 7

Jörg Maurer
Föhnlage
Alpenkrimi
Band 18237

Sterben, wo andere Urlaub machen

Bei einem Konzert in einem idyllischen bayrischen Alpen-Kurort stürzt ein Mann von der Decke ins Publikum – tot. Und der Zuhörer, auf den er fiel, auch. Kommissar Jennerwein nimmt die Ermittlungen auf: War es ein Unfall, Selbstmord, Mord? Und warum ist der hoch angesehene Bestattungsunternehmer Ignaz Grasegger auf einmal so nervös? Während die Einheimischen genussvoll bei Föhn und Bier spekulieren, muss Jennerwein einen verdächtigen Trachtler durch den Ort jagen und stößt unverhofft auf eine heiße Spur …

»Mit morbidem Humor, wilden Wendungen und skurrilen Figuren passt sich das Buch perfekt in das Genre des Alpenkrimis ein, bleibt aber dank der kabarettistischen Vorbildung Maurers im Ton eigen und dank seiner Herkunft aus Garmisch-Partenkirchen authentisch.«
Süddeutsche Zeitung

»Wunderbar unernster, heiterironischer Alpenkrimi.«
Westdeutsche Allgemeine

»Virtuos komponiertes Kriminalrätsel.«
Frankfurter Allgemeine Zeitung

Fischer Taschenbuch Verlag

fi 18237 / 1

Jörg Maurer
Unterholz
Alpenkrimi
Band 19535

Kult-Ermittler Hubertus Jennerwein vor seinem abgründigsten Fall: der fünfte Alpenkrimi von Bestseller-Autor Jörg Maurer

Auf der Wolzmüller-Alm, hoch über dem idyllischen alpenländischen Kurort, wird eine Frauenleiche gefunden. Nur das Bestatterehepaar a. D. Grasegger weiß, dass es sich bei der Toten um die »Äbtissin« handelt, eine branchenberühmte Auftragskillerin. Da geschieht ein weiterer Almenmord. Kommissar Jennerwein pirscht mit seiner Truppe durchs Unterholz …

»O wie schön sind Alpenkrimis –
wenn sie von Jörg Maurer sind.«
Kölner Stadt-Anzeiger

»Auf höchstem Alpen-Niveau. Ein Glück für
die deutsche Unterhaltungsliteratur.«
Deutschlandfunk

fi 19535 / 1

Jörg Maurer
Felsenfest
Alpenkrimi
Band 19697

Am Abgrund macht der Tod den ersten Schritt.
Der sechste Alpenkrimi von Bestseller-Autor Jörg Maurer

Geiselnahme und Mord hoch über dem idyllischen alpenländischen Kurort! Kommissar Jennerwein kennt alle Opfer persönlich – aus der Schulzeit. Auch den Mörder? Hat der Fall etwas mit seiner eigenen Vergangenheit zu tun? Während sein Team grantige Geocacher jagt, macht das Bestatterehepaar a.D. Grasegger in Grabgruften und Grundbüchern eine brisante Entdeckung. Jetzt muss Jennerwein alles anzweifeln, woran er felsenfest geglaubt hat …

»Erneut ein sprachspielerisch kriminalistischer Glücksfall.«
Volker Albers, Hamburger Abendblatt

»Ein Buch wie eine Woche Urlaub in den Alpen.«
Denis Scheck, Druckfrisch ARD

fi 19697 / 1

Kommissar Jennerwein trifft man in seiner Freizeit wahrscheinlich …

… beim Baden am Eibsee, allein, neben sich einen Stoß Bücher, die er schon lange einmal lesen wollte: *Szroczcki, »Verhörtechniken«; Koslowsky-Lamargue, »Einführung in die Toxikologie«; Dennerlein-Bauer, »Bayrisches Polizeiaufgabengesetz«*. Andere wiederum sagen, er läge am Eibseestrand zusammen mit der Polizeipsychologin Dr. Maria Schmalfuß, auf einem gemeinsamen Handtuch, und die beiden hätten neben sich einen Stoß Bücher, den sie schon lange einmal lesen wollten: *Szroczcki, »Verhörtechniken«*, …

Mich trifft man in meiner Freizeit wahrscheinlich …

… beim Kochen, beim Lesen, beim Ersinnen von Antworten auf solche Interviewfragen.

Als Kabarettist schreibe ich besonders gerne Dialogszenen …

… denn im Dialog fangen die Figuren erst an, ihr Eigenleben zu entwickeln. Dialoge sind die Hirschhorn-Trachtenknöpfe auf dem handgestrickten Wolljanker eines Alpenkrimis.

Die schwierigste Recherche für »Hochsaison« war …

… die Begehung der Olympiaschanze. Wegen meiner ausgeprägten Höhenangst bin ich nur bis zum Schiedsrichterhäuschen gekommen. Dann musste ich mit dem Rettungshubschrauber hinuntergeflogen werden.

Beim Neujahrsspringen in einem alpenländischen Kurort stürzt ein Skispringer schwer – und das ausgerechnet, wo hohe und höchste Olympia-Funktionäre zur Vergabe der Winterspiele 2018 zuschauen. Wurde der Springer während seines Fluges etwa beschossen? Kommissar Jennerwein ermittelt bei Schützenvereinen und Olympia-Konkurrenten. Ausgerechnet in einem Gipfelbuch findet sich ein Bekennerbrief, in dem weitere Anschläge angedroht werden. Als dann Kurortgäste beim Wandern nur knapp einer absichtlich ausgelösten Lawine entgehen, kocht die Empörung beim Bürgermeister hoch: Jennerwein muss den Täter fassen, sonst ist doch glatt die Hochsaison in Gefahr …

Jörg Maurer stammt aus Garmisch-Partenkirchen. Er studierte Germanistik, Anglistik, Theaterwissenschaften und Philosophie und ist nun nicht nur Krimiautor, sondern auch Musikkabarettist. Eine feste Größe in der süddeutschen Kabarettszene, leitete er jahrelang ein Theater in München und wurde für seine Arbeit mehrfach ausgezeichnet, u. a. mit dem Agatha-Christie-Krimipreis (2006 und 2007), dem Ernst-Hoferichter-Preis (2012), dem Publikumspreis MIMI (2012) und dem Radio-Bremen-Krimipreis 2013. Sein Krimi-Kabarettprogramm ist Kult.

Weitere Bücher von Jörg Maurer: ›Föhnlage‹, ›Niedertracht‹, ›Oberwasser‹, ›Unterholz‹, ›Felsenfest‹, ›Der Tod greift nicht daneben‹

Die Webseite des Autors: www.joergmaurer.de

Weitere Informationen, auch zu E-Book-Ausgaben, finden Sie bei www.fischerverlage.de